D0258929
Internet
2e Edition
COMMENT
FAIRE
QUAND ON
N'Y CONNAIT RIEN
ET QU'ON VEUT Y
ARRIVER TOUT SEUL...
Peter Kent
S&SM

Simon & Schuster Macmillan (France) a apporté le plus grand soin à la réalisation de ce livre afin de vous fournir une information complète et fiable. Cependant, Simon & Schuster Macmillan (France) n'assume de responsabilités, ni pour son utilisation, ni pour les contrefaçons de brevets ou atteintes aux droits de tierces personnes qui pourraient résulter de cette utilisation.

Les exemples ou les programmes présents dans cet ouvrage sont fournis pour illustrer les descriptions théoriques. Ils ne sont en aucun cas destinés à une utilisation commerciale ou professionnelle.

Simon & Schuster Macmillan (France) ne pourra en aucun cas être tenu pour responsable des préjudices ou dommages de quelque nature que ce soit pouvant résulter de l'utilisation de ces exemples ou programmes.

Tous les noms de produits ou autres marques cités dans ce livre sont des marques déposées par leurs propriétaires respectifs.

Publié par Simon & Schuster
Macmillan (France)
19, rue Michel Le Comte
75003 PARIS
Tél. : 01 44 54 51 10
Mise en page : Andassa

ISBN : 2-7440-0348-4
ISSN : 1281-4598

Titre original : The complete idiot's guide to Internet

Traduit de l'américain par Michel Pelletier

ISBN original : 0-7897-1404-3

Que® est une marque de Macmillan
Computer Publishing
201 West 103rd Street
Indianapolis, Indiana 46290. USA

INTERNET

Table des matières

Partie 2
Les autres composantes du Net

Partie 3
Aller plus loin

Partie 4
Les ressources

Introduction

Bien qu'existant depuis vingt ans, l'Internet demeurait inconnu du grand public jusqu'à ce boom, il y a trois ou quatre ans. Les médias ont alors commencé à orienter leurs projecteurs vers ce formidable outil et ont laissé entrevoir les changements que l'Internet allait occasionner dans le monde.

Aujourd'hui, si vous voulez mettre toutes les chances de votre côté pour vendre un produit high-tech, vous devez nécessairement l'associer à l'Internet. Par exemple, si vous souhaitez commercialiser un outil destiné à faciliter l'impression, dites qu'il imprime particulièrement bien les pages Web...

L'Internet est simple à utiliser

L'Internet a récemment évolué ; on n'accède plus aux informations de la même manière. Auparavant, il fallait être un technicien chevronné pour en exploiter les possibilités. Pour une petite société ou un particulier, il était impensable de souscrire un compte Internet : loin des interfaces graphiques conviviales de Windows, OS/2 ou Macintosh, il aurait fallu se résoudre à taper des lignes de commandes ésotériques en mode texte...

Aujourd'hui, l'utilisateur moyen n'a pas à se soucier de ces problèmes. Il lui est facile de se connecter et de "surfer" pour trouver les informations qui l'intéressent, en utilisant des outils graphiques adaptés.

Alors, pourquoi ce livre ?

Même si vous n'avez jamais accédé aux autoroutes de l'information, vous en avez certainement entendu parler.

Ce livre répond aux questions essentielles en la matière :

- Comment démarrer sur l'Internet.

- Comment envoyer et recevoir des messages électroniques (e-mail).
- Ce qu'est le Web et comment vous y déplacer.
- Comment effectuer des recherches dans l'Internet.
- Comment protéger les informations échangées sur le Net.
- Comment participer à des groupes de discussion (tout en se gardant des éventuels débordements).
- Comment téléphoner à des correspondants étrangers en ne déboursant que quelques francs par heure.

Vous êtes censé savoir utiliser un ordinateur. Ce n'est pas dans cet ouvrage que vous apprendrez à vous servir de la souris, à changer de fenêtre ou à visualiser le contenu de votre disque dur. Si vous êtes un pur débutant en informatique, d'autres manuels seront plus adaptés.

Comment utiliser ce livre ?

Pour faciliter votre lecture, quelques conventions seront utilisées tout au long de cet ouvrage.

Lorsque vous devez, par exemple, taper quelque chose au clavier, le texte correspondant apparaît en gras, comme ceci :

tapez **ceci**.

Si les informations que vous devez taper sont moins précises (une partie pouvant différer pour chaque utilisateur, comme c'est le cas pour un nom), le texte correspondant apparaît en gras italique. Par exemple, vous pourrez voir :

tapez ***le nom de votre fichier***.

(Dans cet exemple, le nom du fichier figure en italique afin que vous complétiez l'information que vous êtes seul à connaître.)

Le terme **Entrée** correspond à la touche **Entrée** du clavier.

Vous découvrirez aussi un certain nombre d'encadré contenant des informations approfondies sur le sujet que vous êtes en train de parcourir. Vous pouvez les sauter si les détails techniques vous ennuient. Sinon, vous y trouverez des informations qui vous aideront à y voir plus clair. Voici les icônes utilisées dans cet ouvrage :

Ces rubriques contiennent des notes et des astuces qui vous apportent des éléments intéressants et utiles tant en théorie qu'en pratique.

Ces rubriques vous mettent en garde contre les conséquences plus ou moins graves que pourraient avoir certaines manipulations.

INTERNET

Partie 1

CE QUE VOUS DEVEZ SAVOIR

Vous commencerez par un aperçu global de l'Internet. Ensuite, vous apprendrez à utiliser les deux services les plus importants : le courrier électronique et le Web (ce dernier a pris une telle importance que bon nombre d'internautes ne font aucune différence entre l'Internet et le Web.) Le Chapitre 2 vous aidera à comprendre la différence entre les deux.

Lorsque vous aurez terminé cette première partie, vous serez en mesure de surfer avec aisance. Vous serez prêt pour l'apprentissage des autres services Internet.

Pour commencer

L'Internet est bien plus facile à utiliser qu'il y a deux ou trois ans. Les logiciels utilisés ont changé du tout au tout, et les manipulations naguère complexes sont aujourd'hui à la portée de chacun. Cela ne signifie pas que vous n'aurez rien à apprendre. Nous allons commencer par énumérer rapidement les concepts à acquérir. Vous en apprendrez plus à leur sujet dans la suite du livre.

1. L'**Internet** est un vaste réseau d'ordinateurs (le plus vaste de la planète) ouvert au public. Toute personne prête à dépenser la centaine de francs mensuels nécessaires pour s'abonner chez un fournisseur d'accès peut y accéder. Ce qui, au départ, était un outil réservé à l'armée et aux industriels américains est devenu ouvert à tous : de l'étudiant à la PME, en passant par l'amateur de tennis et le guerillero mexicain.
2. Le **courrier électronique** (e-mail) est le service le plus utilisé sur l'Internet. Des millions de personnes envoient tous les jours des messages à travers le monde : des enfants envoient des messages à leurs copains ou des sociétés communiquent avec leurs collègues et clients. La plupart des messages électroniques sont composés uniquement de texte. Lorsque vous serez un peu plus expérimenté, vous verrez qu'il est possible d'envoyer des fichiers de tout type (images, feuilles de calcul, textes, sons, etc.). Reportez-vous au Chapitre 3 pour en apprendre davantage à ce sujet.
3. Contrairement à ce que laisseraient penser certains magazines spécialisés, le **Web** est une partie et une partie seulement de l'Internet. Pour résumer, on pourrait dire que l'Internet est la partie matérielle et le Web la partie logicielle. Le Web est incontestablement le système le plus courant et le le plus populaire... Il arrive en deuxième place après le courrier électronique. Le Web est un système hypertexte géant qui relie des millions de documents. Les documents sont visualisés dans un navigateur. Cliquez sur un lien hypertexte ou sur une image pour faire apparaître un autre document, puis sur un autre lien hypertexte pour faire apparaître un autre document. Ainsi de suite.
4. Un nouveau système a fait son apparition sur l'Internet : le **push**. Grâce à lui, les informations dont vous avez besoin sont automatiquement recherchées et acheminées sur votre ordinateur. Il vous suffit de préciser le type des informations et leur fréquence de mise à jour. Les données correspondantes sont généralement dépo-

sées sur le bureau, dans un formulaire ou en tant que papier peint. Vous en apprendrez plus au sujet du push dans le Chapitre 10.

5. L'Internet donne accès à des milliers de **groupes de discussion**. Dans ce livre, vous apprendrez à utiliser les deux principaux systèmes apparentés : les groupes de nouvelles et les listes de diffusion. Le premier nécessite un logiciel dédié (un lecteur de groupes de nouvelles) pour afficher les messages. Le deuxième fait transiter les messages par votre boîte à lettres électronique. Les thèmes abordés dans les groupes de nouvelles sont très divers. Depuis les derniers événements d'actualité jusqu'aux ovnis, en passant par l'archéologie grecque ou les feuilletons télévisés, quel que soit le sujet, vous trouverez certainement un ou plusieurs groupes de discussion apparentés.
6. Trois services (Gopher, FTP et Telnet) ont été distancés par le Web. **Gopher** est basé sur un système de menus ayant plusieurs points communs avec le Web. Vous sélectionnez une option de menu pour accéder à un autre système de menus ou à un document situé quelque part sur l'Internet, à quelques kilomètres de chez vous ou de l'autre côté de la planète. Gopher existe toujours, mais le Web connaît un plus grand attrait aujourd'hui. Le système **FTP** (*File Transfer Protocol*) est une bibliothèque mondiale qui contient plusieurs millions de fichiers (programmes, documents, sons, cliparts, etc.). Comme vous le verrez dans cet ouvrage, il existe quelques bonnes raisons de préférer télécharger via un site FTP plutôt que via un site Web. Enfin, **Telnet** permet de se connecter à un ordinateur dans le but d'exploiter sa base de données, de jouer avec l'un de ses logiciels, de trouver un emploi, etc.
7. L'Internet est avant tout un système de communication. Il est donc logique que l'on puisse y échanger des messages en direct. Pour cela, vous utiliserez **IRC** (*Internet Relay Chat*) ou l'une des nombreuses interfaces Web dédiées au dialogue en direct.

   Les messages échangés ne sont pas vocaux, mais tapés au clavier. Ils sont instantanément transférés chez les autres personnes participant à la discussion. Vous en apprendrez plus à ce sujet en vous reportant au Chapitre 17. Dans le Chapitre 18, nous parlerons du nouveau système qui permet d'échanger des informations parlées sur le Net. Pourquoi payer des communications internationales pour téléphoner à un ami vivant à l'étranger alors qu'une simple communication locale est suffisante ?
8. L'Internet est en **perpétuelle évolution**. Les sites vont et viennent, leur adresse et leur contenu changent. Certaines adresses données dans cet ouvrage (URL de sites Web, adresses de serveurs Gopher, etc.) peuvent ne plus être d'actualité le jour où vous désirerez les utiliser. C'est la nature même de l'Internet qui veut cela. Des sites découverts par vos propres moyens ou dont l'adresse a été donnée dans d'autres livres peuvent aussi disparaître. Cela n'est pas vraiment un problème. Si vous comprenez comment rechercher des informations sur l'Internet (voir Chapitre 21), vous trouverez toujours ce que vous recherchez.

9. Les **dangers de l'Internet**. Vous avez vu des articles et des débats télévisés concernant la pornographie sur l'Internet, et vous avez entendu dire que faire son shopping sur l'Internet pouvait présenter un réel danger. Est-ce la vérité ? Vous seriez cependant surpris du niveau de sécurité atteint. Les banques affirment qu'aujourd'hui l'utilisation d'une carte de crédit sur l'Internet ne présente pas plus de dangers que dans la vie courante. S'il est vrai que des informations pornographiques peuvent être diffusées sur l'Internet, vous n'en trouverez pas à chaque "coin de site". Si vous éprouvez un quelconque doute à ce sujet, reportez-vous au Chapitre 22.
10. L'Internet est un système matériel : des ordinateurs et des câbles. C'est pourtant le logiciel qui fait tourner cela. Vous aurez donc besoin de logiciels appropriés et si possible récents. Par bonheur, la plupart d'entre eux sont gratuits ou presque. Des sites tels que TUCOWS (*The Ultimate Collection of Winsock Software*), celui de l'université du Texas dédié aux Macintosh et shareware.com (qui contient des logiciels pour Windows, Macintosh et UNIX) donnent accès aux dernières versions de ces programmes et permettent de les rapatrier en quelques minutes. Dans l'Annexe A, vous découvrirez où trouver toutes sortes de logiciels.
11. Les auteurs de livres dédiés à l'Internet dissertent volontiers sur l'art et la manière de l'utiliser. Mais ils oublient parfois une question cruciale : *pourquoi* utiliser l'Internet ? Nombre de raisons peuvent vous y amener. Quelques-unes d'entre elles seront décrites dans le Chapitre 23. L'Internet est un moyen fantastique de rester ouvert au monde entier sans quitter son appartement. Les industriels en sont bien conscients. Les particuliers l'utilisent pour "rester dans le coup". Plus généralement, l'Internet peut être utilisé pour entrer en contact avec d'autres personnes ayant les mêmes centres d'intérêt. Les façons d'aborder le Net sont si diverses que vous n'êtes certainement pas au bout de vos découvertes...

INTERNET

Chapitre 2

Présentation de l'Internet

Dans ce chapitre

- Un rapide historique de l'Internet
- Les différents types d'informations que l'on peut trouver sur l'Internet
- Les services Internet, d'Archie au World Wide Web
- Première connexion à l'Internet
- Les quatre types de connexion Internet
- Différences entre l'Internet et les services en ligne

Vous voici dans un chapitre important traitant des base de l'Internet. Avant d'y plonger tête baissée, sachez que plusieurs sujets sont étudiés, sans consacrer une part importante à l'histoire du Net. L'apprenti internaute veut simplement se connecter et trouver les informations qu'il recherche. Mais pour ceux d'entre vous qui désirent satisfaire leur curiosité, voici un bref historique de l'Internet :

1. L'Internet a été créé par le complexe industriel-militaire américain dans les années soixante dans le but de faciliter l'échange de données entre les divers chercheurs qui travaillaient sur des projets militaires.
2. A la base, l'Internet n'a pas été conçu pour survivre à une guerre nucléaire, même si l'idée a fait son chemin pendant quelques années.

3. Les universitaires ont senti la formidable opportunité qui s'offrait à eux. L'Internet est alors devenu un lien entre plusieurs centaines d'universités américaines.
4. La presse a commencé à comprendre la révolution qui était en marche, mais, pendant un quart de siècle, elle a été trop occupée par la politique intérieure pour y consacrer ses colonnes.
5. En 1993, la presse a commencé à parler de l'Internet et, en 1994 et 1995, les articles se sont succédé à un rythme effréné.
6. Le grand public comprit alors qu'il pouvait être intéressant d'y jeter un œil. L'engouement a été bien au-delà de toutes les espérances.
7. Aujourd'hui, le Net est devenu un lieu de rencontre pour de nombreuses personnes : particuliers, industriels, écoles, religieux, etc. s'y côtoient quotidiennement.

Ainsi se termine ce bref historique du Net. Passons maintenant à la réalité de l'Internet actuel.

Qu'est-ce que l'Internet ?

Qu'est-ce qu'un réseau d'ordinateurs ? Il s'agit d'un système dans lequel plusieurs ordinateurs sont reliés en vue de partager des informations. Cette configuration est très courante aujourd'hui : il existe des millions de réseaux locaux dans le monde, et en particulier dans les entreprises.

L'Internet est un cas particulier pour deux raisons. Premièrement, il s'agit du réseau mondial le plus vaste et deuxièmement, c'est ce qui le rend si particulier, il est ouvert à tous pour un abonnement dont le prix ne cesse d'être revu à la baisse. Si certains utilisateurs ont un accès gratuit à l'Internet, la plupart des internautes payent entre 50 et 100 francs pour un accès illimité.

Quel est le nombre d'internautes dans le monde ? Avant de répondre à cette question, vous devez savoir que la plupart des estimations faites précédemment ne sont pas très réalistes. En 1993, on avançait souvent le nombre de 25 millions. A cette époque, la plupart des internautes résidaient aux Etats-Unis et 25 millions d'individus représentaient le dixième de la population totale des Etats-Unis. La plupart des Américains pensaient que le réseau était un moyen détourné de les faire travailler davantage. Un tel nombre paraît donc invraisemblable.

Aujourd'hui, les estimations s'étalent entre 8 et 40 millions d'individus. Même si de nombreux internautes ne se connectent qu'occasionnellement, toutes ces personnes utilisent le même réseau et sont capables d'y échanger des informations de tous types.

Qu'entend-on par information ?

Par information, il faut entendre tous les types de données qui peuvent transiter par une ligne téléphonique : des courriers électroniques, des rapports, des articles de magazines, des livres, de la musique, etc.

Vous pouvez même envoyer votre propre voix sur le Net (voir Chapitre 18). Vous verrez : cela vous reviendra moins cher pour contacter l'étranger que si vous utilisiez des moyens plus conventionnels. Vous pouvez aussi télécharger des fichiers de tous types constituant une bibliothèque de plusieurs millions de spécimens : des programmes, des documents, des cliparts, des sons et tout autre type de données pouvant être placées dans un fichier.

Le terme **information** peut aussi être utilisé pour caractériser un type de conversation. Vous voulez parler de poissons exotiques ? Un groupe de discussion dédié à ces poissons vous attend. Vous vous passionnez pour l'opéra ? Venez donc en parler avec d'autres intéressés.

Toute ce qui peut être transporté électroniquement peut transiter sur le Net.Tous les mois, de nouveaux types d'informations apparaissent. Voulez-vous des exemples ? Que diriez-vous d'identifier vos interlocuteurs à l'aide d'une photo tridimensionnelle ? Il suffirait pour cela d'utiliser un scanner 3D. Ce type de périphérique pourrait bien apparaître dans les mois ou les années à venir. Les images qu'il fabriquerait pourraient être utilisées comme avatar dans les systèmes de dialogue en direct (voir Chapitre 17).

Les services Internet

Voici un résumé rapide des services Internet disponibles :

- **Courrier électronique (ou e-mail).** C'est le service le plus utilisé. Des millions de messages transitent quotidiennement autour du monde, entre membres d'une même famille, amis et sociétés. La messagerie électronique s'apparente au courrier classique, excepté que vous ne pouvez pas l'utiliser pour envoyer des objets réels. Par contre, vous pouvez envoyer des lettres, des feuilles de calcul, des images, des sons, des programmes, etc. Le service est plus rapide et moins onéreux (voir Chapitre 3).
- **Discussion en direct.** Les messages que vous tapez sont immédiatement transmis à votre ou vos correspondants. Une ou plusieurs personnes peuvent alors y répondre en direct (voir Chapitre 17).
- **Téléphonie.** Installez une carte son et un micro sur votre ordinateur et procurez-vous le logiciel approprié. Vous pouvez dès lors entrer en communication vocale avec vos correspondants par l'intermédiaire de l'Internet, quelle que soit leur localisation géographique. Ainsi, aux heures creuses, une communication internationale vous coûtera moins de 10 francs par heure (voir Chapitre 18) !

- **FTP.** A ses débuts, l'Internet était essentiellement destiné à transférer des informations entre deux sites distants. Cette opération était réalisée à l'aide de FTP. Aujourd'hui, FTP donne accès à une énorme bibliothèque de fichiers libres d'accès. Vous en saurez plus en vous reportant au Chapitre 14.
- **Archie.** FTP est parfait si vous savez où se trouvent les fichiers recherchés. Dans le cas contraire, Archie vous sera d'une aide précieuse (voir Chapitre 15).
- **Gopher.** Il y a quelques années, Gopher révolutionnait l'Internet en remplaçant la frappe de commandes complexes par un système de menus simple à utiliser. Aujourd'hui, Gopher n'est plus à son heure de gloire, car le Web a fait son apparition et a été adopté par tous. Vous en apprendrez d'avantage sur Gopher en parcourant le Chapitre 16.
- **World Wide Web.** Le Web a été le véritable moteur de l'Internet. Les pages Web contiennent des images, des sons et des animations organisés sous une forme hypertexte. Un simple clic sur un mot dans un document provenant de Sydney (Australie) peut vous connecter à un autre document basé à Saltzbourg (Autriche). Vous en apprendrez plus sur cet étonnant système en parcourant les Chapitres 5 à 9.
- **Telnet.** Très peu de personnes utilisent Telnet, bien qu'il puisse rendre de grands services. Telnet permet de se connecter à l'un des ordinateurs du réseau. Une fois connecté, vous pouvez exploiter les données et les programmes se trouvant sur cet ordinateur en tapant des commandes texte. Par exemple, vous pouvez utiliser Telnet pour jouer à des parties mondiales de Donjons et Dragons (voir Chapitre 20).
- **Groupes de nouvelles.** Les groupes de nouvelles rassemblent des personnes s'intéressant à un même sujet. Vous voulez discuter des événements en Bosnie, en apprendre davantage sur un nouveau type de cerf-volant ou parler de la croissance des orchidées ? Il existe environ 30 000 groupes de discussion dans le monde (voir Chapitres 11 et 12).
- **Listes de diffusion.** Si les 30 000 groupes de nouvelles ne vous suffisent pas, en voici près d'une centaine de milliers supplémentaires. Comme nous le verrons dans le Chapitre 13, les listes de diffusion sont une présentation différente des groupes de discussion. Ici, les messages échangés transitent par votre boîte à lettres, et les groupes de discussion se trouvent sur des sites Web. Les messages sont lus et envoyés à partir de votre navigateur Web.
- **Le push.** Grâce à ce système, il n'est plus nécessaire d'aller chercher l'information : elle vient directement à vous et est mise à jour selon une périodicité paramétrable. Il vous suffit de désigner le type d'information qui vous intéresse et la fréquence de la mise à jour (voir Chapitre 10).

Cette liste n'est pas exhaustive. D'autres systèmes sont disponibles sur le Net, seuls les plus courants ont été décrits ici.

Au fur et à mesure de votre progression, vous aurez une idée plus précise sur la façon d'utiliser l'Internet pour vos propres intérêts et votre plaisir. Si cela est insuffisant, voyez le Chapitre 24 qui donne de nombreux exemples pratiques de ce que vous pourrez faire sur le Net.

A l'assaut de l'Internet

Votre première impression est plutôt positive. Mais comment vous connecter ? Plusieurs moyens s'offrent à vous. Vous pouvez :

- Utiliser le compte Internet de votre établissement scolaire.
- Utiliser la liaison Internet de votre entreprise.
- Vous abonner à un service en ligne (Compuserve, AOL, MSN, etc.) ou chez un fournisseur d'accès Internet.
- Utiliser une liaison gratuite dans un réseau spécifique.

L'Interne n'appartient à personne en particulier. Tout comme le système téléphonique, chaque portion est détenue par une société particulière et l'ensemble relève de nombreux accords entre chaque partie. Il n'existe donc pas de société Internet dans laquelle vous pouvez vous rendre pour accéder à l'Internet. Vous devez plutôt vous adresser à l'une des innombrables sociétés proposant un accès Internet et y souscrire un abonnement.

La suite de cet ouvrage suppose que vous avez souscrit un abonnement auprès d'un fournisseur d'accès Internet. Si tel n'est pas le cas, reportez-vous à l'Annexe B pour choisir en toute connaissance de cause.

Les différences entre l'Internet et les services en ligne

Les questions suivantes sont fréquentes : "Quelle différence y a-t-il entre l'Internet et Compuserve, AOL ou un autre service en ligne ?", ou "L'abonnement à un service en ligne donne-t-il automatiquement accès à Internet ?"

Pour répondre à ces questions, vous devez savoir qu'AOL (*America Online*), Compuserve, Prodigy, GEnie, MSN (*Microsoft Network*) et les autres services de ce type sont différents de l'Internet. Ils sont connus sous l'appellation "services en ligne" et sont comparables sur certains points (il s'agit aussi de vastes réseaux informatiques) mais, contrairement à l'Internet, ces réseaux sont privés.

Supposons que vous vous connectiez à Compuserve. Votre ordinateur utilise les lignes privées de Compuserve se trouvant dans un local bien déterminé.

Au contraire, lorsque vous vous connectez à l'Internet, vous utilisez un système de communication qui interconnecte des millions d'ordinateurs différents détenus par des milliers de sociétés différentes, des écoles, des gouvernements divers et des particuliers.

Malgré cette différence de taille, il est tout à fait possible d'accéder à l'Internet par l'intermédiaire d'un service en ligne.

En résumé :

- L'Internet est une autoroute publique ouverte à tous.
- Les services en ligne sont des routes privées.
- Si vous utilisez l'Internet, vous ne pourrez pas vous connecter à un service en ligne, à moins d'en être membre.
- Si vous êtes membre d'un service en ligne, vous avez accès à l'Internet.

La réponse à la deuxième question est donc "oui" : si vous êtes abonné à un service en ligne (en tout cas en ce qui concerne les services mentionnés ci-avant), vous possédez aussi un accès Internet. De plus en plus, ces services ont tendance à se fondre dans la masse Internet. MSN déploie de grands efforts pour faire partie intégrante de l'Internet (certaines parties de MSN sont dès à présent ouvertes au public). De plus, les internautes peuvent désormais accéder aux parties privées de MSN. Il n'est pas nécessaire de composer un numéro de téléphone particulier appartenant à Microsoft, il leur suffit de se connecter comme ils le font habituellement et d'utiliser leur navigateur préféré pour visiter MSN.

De quoi avez-vous besoin ?

Que vous faut-il pour voyager sur les autoroutes de l'information ? La plupart d'entre vous possèdent un accès Internet, mais pour ceux qui n'auraient pas encore de connexion, voici qui les aidera à orienter leur choix.

Il existe quatre types de connexions Interne :

- permanentes ;
- directes (SLIP, CSIP, PPP) ;
- terminal ;
- courrier seulement.

Généralement, si vous vous adressez à un service en ligne ou à un fournisseur d'accès, il vous proposera une connexion du deuxième type, sans forcément utiliser le terme

connexion directe. Les sections suivantes donnent toutes les précisions nécessaires sur les quatre types de connexion afin que vous puissiez choisir en toute connaissance de cause.

Fourniseur d'accès

Les fournisseurs d'accès sont des sociétés qui vendent des accès Internet. Après avoir souscrit un abonnement auprès d'une de ces sociétés, vous appelez un numéro de téléphone qui lui est propre afin de vous connecter à l'Internet.

Les services en ligne sont une exception. Même s'il s'agit de fournisseurs d'accès (puisqu'ils vendent des accès Internet), on les qualifie pourtant de "services en ligne" parce qu'ils proposent un ensemble de services internes (systèmes de fichiers, discussions en direct, groupes de nouvelles, etc.) étrangers à l'Internet.

Les services en ligne peuvent fournir l'un des deux services suivants. Le premier donne accès à la totalité de l'Internet ainsi qu'au service en ligne. Le second se limite au seul service en ligne. A titre d'exemple, si vous utilisez Microsoft Network, deux types de connexion vous sont proposés lors du paramétrage : Internet et MSN ou MSN seulement. Vous devez sélectionner la première option si vous souhaitez accéder à la totalité de l'Internet.

Connexions permanentes

Si vous possédez une connexion permanente, votre ordinateur est directement connecté à un réseau **TCP/IP** (*Transmission Control Protocol/Internet Protocol*) faisant partie de l'Internet. Aujourd'hui, le cas le plus fréquent est celui des sociétés ayant un de leurs ordinateurs (serveur) connecté directement au Net. Les employés de la société utilisent un terminal ou un autre ordinateur relié au serveur pour accéder à l'Internet. Ce type de connexion est parfois appelé "connexion dédiée" ou encore "connexion directe permanente".

Qu'est-ce qu'un protocole ?

Un protocole de communication définit comment deux ordinateurs peuvent échanger des données. Il s'apparente à un langage. Si, par exemple, un groupe de personnes parle français, ils pourront se comprendre aisément. De la même façon, un protocole de communication définit un ensemble de règles qui précise comment les modems, les ordinateurs et les programmes doivent échanger des données.

Les connexions permanentes sont utilisées dans des structures importantes, par exemple, les universités, les groupes scolaires ou certaines grandes sociétés. La structure concernée doit acquérir un équipement spécifique pour connecter son réseau à l'Internet et louer une ligne téléphonique spéciale à gros débit pour pouvoir transférer rapidement les données. Comme cette société a une ligne spécialisée, elle est reliée en permanence sur l'Internet. Il est donc inutile de composer un numéro de téléphone à travers un modem pour contacter un fournisseur d'accès. L'utilisateur se connecte simplement au serveur à l'aide de son terminal.

Connexions téléphoniques directes

Les connexions téléphoniques directes sont parfois appelées PPP (*Point-to-Point Protocol*), SLIP (*Serial Line Internet Protocol*) ou CSLIP (*Compressed SLIP*). Les connexions PPP sont les plus courantes aujourd'hui. De même que pour les connexions permanentes, il s'agit de liaisons TCP/IP mais, ici, la communication s'établit à travers une ligne téléphonique. Après la connexion permanente, c'est le type de connexion le plus performant. Son rapport qualité/prix est bien plus intéressant pour un particulier ou une petite société. Pour accéder à ce type de service, vous devez contacter un fournisseur d'accès ou un service en ligne par modem. La Figure 2.1 représente la fenêtre d'un logiciel pouvant être utilisé en connexion permanente ou directe. Les données correspondent au site FTP de Microsoft. Ce site contient un grand nombre de fichiers publics. Vous aurez ainsi tout le loisir de comparer cet écran avec celui de la Figure 2.2 représentant une connexion au même site par l'intermédiaire d'Hyperterminal, un outil de communication fonctionnant en lignes de commandes. En utilisant une connexion directe, vous pourrez profiter des facilités que procure votre interface graphique. Le mode lignes de commandes correspond plutôt à ce qui se faisait dans les années 70...

Connexions téléphoniques en mode terminal

Si vous utilisez ce type de connexion, vous devez aussi contacter l'ordinateur d'un fournisseur d'accès ou d'un service en ligne via un modem. Lorsque la liaison est établie, votre ordinateur devient un terminal connecté à l'ordinateur du fournisseur d'accès. Tous les programmes que vous utilisez fonctionnent chez le fournisseur d'accès. Cela signifie par exemple que vous pouvez transférer des fichiers entre l'Internet et l'ordinateur de votre fournisseur d'accès, mais pas entre l'Internet et votre ordinateur. Vous devrez utiliser une procédure particulière pour transférer les fichiers de votre fournisseur d'accès vers votre ordinateur.

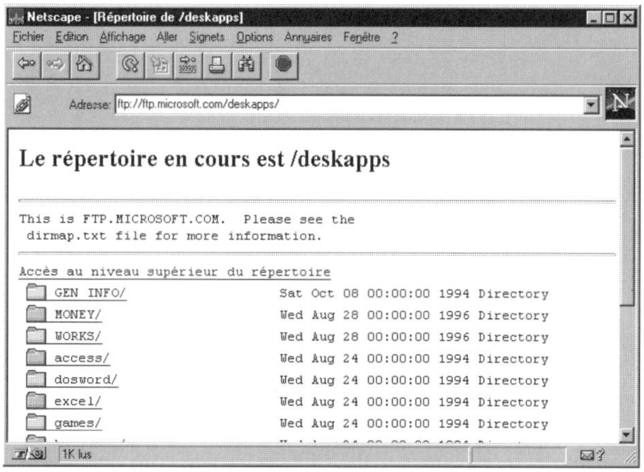

Figure 2.1 : Le site FTP de Microsoft, visualisé à travers un programme de connexion directe (SLIP, CSLIP ou PPP).

La Figure 2.2 vous montre un aperçu d'un tel type de connexion. Elle représente le site FTP de Microsoft (le même que dans la Figure 2.1). Mais ici, vous devrez retenir et taper un grand nombre de commandes.

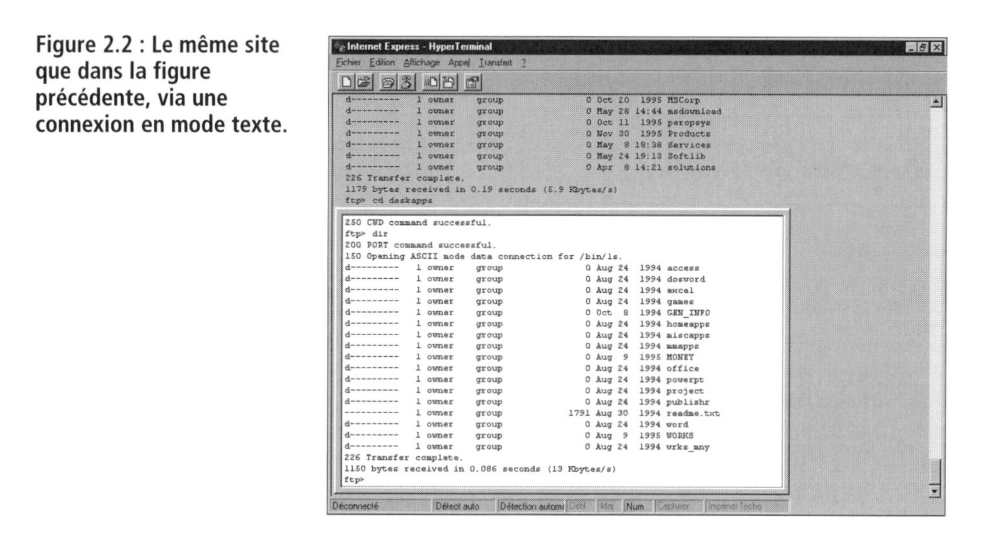

Figure 2.2 : Le même site que dans la figure précédente, via une connexion en mode texte.

Avant le milieu de l'année 1994, la plupart des internautes utilisaient une connexion en mode terminal. Aujourd'hui, l'interface graphique s'est largement imposée et les utilisateurs qui travaillent en mode terminal sont tous les jours moins nombreux. Les exceptions concernent les personnes qui utilisent une liaison Internet gratuite et les pays en voie de développement.

Pour qu'il n'y ait pas confusion

Dans ce livre, le terme connexion en mode terminal ou encore connexion en mode texte est utilisé pour parler des connexions qui s'effectuent par l'intermédiaire d'une ligne de commande : après vous être connecté par téléphone à votre fournisseur d'accès, votre ordinateur se comporte comme un terminal de son ordinateur.

Connexions courrier

Les connexions courrier permettent d'envoyer et de recevoir du courrier électronique (e-mail) et, dans certains cas, d'accéder aux groupes de nouvelles. Il ne s'agit donc pas d'une véritable connexion Internet. Dans la suite du livre, vous êtes censé posséder l'un des trois premiers types de connexion.

En ce qui vous concerne

Nous nous intéressons donc aux connexions permanentes, aux connexions téléphoniques en mode direct et en mode terminal. Les deux premiers types de connexions sont les plus importants :

- Ils sont faciles à utiliser.
- Ils s'utilisent de la même façon.
- Vous possédez certainement une de ces connexions.

Si vous accédez à l'Internet chez votre employeur à travers le réseau local d'ordinateurs, celui-ci utilise une connexion permanente. Pour savoir comment vous connecter, contactez votre administrateur système. Il se peut que vous ayez à vous "logger" sur un ordinateur hôte ou que vous soyez "loggé" en permanence. Si votre employeur a initialisé le réseau de telle sorte que vous puissiez vous connecter en utilisant votre interface graphique (Windows, Macintosh, UNIX ou OS/2), vous pouvez utiliser toute la panoplie d'outils Internet disponible sur votre plate-forme.

Si vous utilisez une connexion via un service en ligne, il s'agit d'une connexion téléphonique : PPP (très probablement), SLIP ou CSIP. Vous devez utiliser le logiciel que votre service en ligne a mis à votre disposition pour vous connecter par téléphone. Une fois la connexion établie, vous pouvez utiliser un outil Internet quelconque. Avec ces deux types de connexion, vous utiliserez votre interface graphique et vous retrouverez les fenêtres, boîtes de dialogues et autres contrôles habituels.

La connexion en mode terminal est moins agréable. Ne l'utilisez que si vous y êtes obligé. C'est le cas lorsque vos moyens ne permettent pas d'utiliser un autre type de connexion ou si vous vous connectez depuis une université qui n'a pas mis à jour son accès Internet. Dans ce cas, vous devrez travailler sous la forme d'une ligne de commande en ingurgitant des commandes assez indigestes, du type de celles que l'on trouve dans les machines UNIX.

Ce type de connexion était omniprésent auparavant. Aujourd'hui, la plupart des utilisateurs ont abandonné la ligne de commande au profit d'une interface graphique. Nous nous intéresserons donc à ce nouveau type d'utilisation.

Comment accéder à l'Internet via un service en ligne ?

Vous avez vu précédemment qu'il était possible d'accéder à l'Internet via un service en ligne. Cependant, lorsque vous installez le logiciel fourni par le service en ligne, la connexion Internet n'est pas forcément directement accessible : un message vous indiquant qu'il est nécessaire de télécharger un ou plusieurs logiciels peut apparaître. Suivez les instructions qui vous sont données. A tout hasard, voici quelques pistes qui vous aideront à trouver comment accéder à l'Internet à travers les principaux services en ligne :

- **America Online.** Après vous être connecté, sélectionnez Internet Connexion dans le menu principal ou utilisez le mot clé **INTERNET**.
- **Compuserve.** Après vous être connecté, cliquez sur le bouton **Internet** dans le menu principal, ou tapez la commande **GO INTERNET**.
- **MSN.** Lancez la commande **Go to Other Service** dans le menu **Edit**, puis tapez **Internet**.

Besoin d'aide pour initialiser votre logiciel ?

Cet ouvrage ne vous sera d'aucun secours en ce qui concerne l'initialisation de votre logiciel. Si votre fournisseur d'accès ou votre service en ligne ne peut rien pour vous, changez pour un autre !

N'ayez aucune crainte. Dans la plupart des cas, l'initialisation du logiciel est très simple. Il suffit d'exécuter un programme d'initialisation et de suivre les instructions données. Quelques minutes plus tard, le programme est configuré et prêt à être utilisé.

Quelques fournisseurs d'accès (en particulier les plus petits) sont assez avares en renseignements. Les choses sont cependant bien plus simples qu'il y a quelques années où l'aide était quasi inexistante. Aujourd'hui, la plupart des fournisseurs d'accès font des efforts certains. Si votre fournisseur d'accès refuse de vous fournir clairement les explications nécessaires pour vous connecter, n'hésitez pas à aller en voir un autre. La concurrence est rude, et vous n'aurez aucun mal à trouver un opérateur "plus sérieux".

Résumé

- L'Internet est le plus vaste réseau d'ordinateurs public du monde.
- Vous pouvez faire de nombreuses choses avec l'Internet : envoyer des courriers électroniques, rejoindre des groupes de discussion, télécharger des fichiers, surfer sur le Web, etc.
- Les connexions Internet peuvent être réparties en quatre grands groupes : courrier électronique seulement (les moins intéressantes), mode terminal (un peu plus intéressantes, mais vous devez entrer vos commandes au clavier), permanentes et directes (SLIP et PPP, les deux connexions les plus intéressantes).
- L'Internet est un réseau public. Les services en ligne (AOL, Compuserve, MSN, etc.) sont des services privés qui donnent aussi accès à l'Internet.
- Si un adhérent d'un service en ligne peut accéder à l'Internet, l'inverse n'est généralement pas vrai.
- Vous pouvez obtenir un accès Internet dans votre entreprise, dans votre université, en passant par un fournisseur d'accès de petite ou de grande taille ou par un service en ligne.

Chapitre 3

Le courrier électronique

Dans ce chapitre

- Quel programme de messagerie utilisez-vous ?
- Les adresses électroniques en détail
- Configurer votre programme de messagerie
- Envoyer un message
- Récupérer vos messages
- Envoyer des fichiers par la messagerie
- Eviter les querelles

Si le courrier électronique n'est pas aussi esthétique que les autres services Internet, il s'agit pourtant du service le plus populaire et le plus utilisé : de nombreux internautes l'utilisent quotidiennement. Des millions de courriers électroniques transitent tous les jours sur le Net (par exemple, 5 millions de courriers quotidiens chez AOL).

Malgré l'attrait du Web, les potentialités de la téléphonie Internet (voir Chapitre 18) et l'aspect magique du dialogue en direct (voir Chapitre 17), la messagerie électronique est certainement l'outil le plus productif que l'on trouve sur l'Internet.

Après avoir interrogé de nombreux internautes, il paraît clair que le service le plus demandé par les utilisateurs est la messagerie électronique. Le concept est simple et sans danger. Il s'agit ni plus ni moins de courriers qui transitent non pas par la poste mais, bien plus rapidement, de manière électronique. Nous allons nous intéresser, dans un premier temps, à cet aspect de l'Internet.

Connexions en mode terminal

Si votre liaison Internet se fait en mode terminal, les informations suivantes concernant l'utilisation de la messagerie électronique ne vous seront d'aucun secours. Pour en apprendre plus, adressez-vous à votre fournisseur d'accès.

Les différents types de messagerie électronique

Quel type de messagerie électronique devez vous utiliser ? Si vous êtes abonné à un service en ligne, vous pouvez accéder facilement à une ou plusieurs messageries propriétaires. Dans le cas contraire, la façon de procéder est très variable.

En règle générale, tout dépend des logiciels qui vous ont été fournis par votre fournisseur d'accès. Vous pouvez utiliser le navigateur Netscape (voir Chapitre 5) qui possède son propre système de messagerie. Vous pouvez aussi utiliser la messagerie Microsoft Exchange, fournie avec Windows 95 ou faire appel à Eudora, qui est certainement le logiciel de messagerie le plus courant sur l'Internet. Mais vous pouvez aussi utiliser un tout autre logiciel.

Quel que soit le logiciel utilisé, le principe de la messagerie est toujours le même. Seuls quelques boutons ou commandes de menu diffèrent.

Commencez avec le programme qui vous a été fourni

Utilisez dans un premier temps le programme de messagerie fourni par votre fournisseur d'accès. Vous pouvez aussi vous procurer Eudora à l'adresse ***http://www.qualcomm.com****. Vous y trouverez une version librement téléchargeable d'Eudora Light pour Macintosh et Windows. Sachez cependant qu'Eudora ne peut pas être utilisé avec un service en ligne, mais seulement avec un fournisseur d'accès Internet. Personnellement, j'ai une préférence pour le programme AK-Mail (****http://www.th-darmstadt.de/~st001295****). Vous pourrez aussi tester Pegasus à l'adresse* ***http://www.pegasus.usa.com/****.*

Les serveurs de courrier POP et les autres

Les serveurs de courrier POP (*Post Office Protocol*) sont couramment utilisés pour gérer le courrier électronique. Ils mémorisent les messages qui leur sont envoyés jusqu'à ce qu'ils soient récupérés par leurs destinataires. Mais courant ne veut pas dire omniprésent : quelques services en ligne ainsi que de nombreuses sociétés utilisent un autre serveur de courrier.

Peut-être vous demandez-vous pourquoi il peut être utile de connaître le type du serveur de courrier de votre fournisseur d'accès. Simplement parce que les programmes de courrier électroniques les plus sophistiqués sont destinés à une utilisation via POP. Ainsi, si vous désirez utiliser une caractéristique avancée d'un nouveau programme de courrier, il se peut que vous ne puissiez pas le faire si votre fournisseur d'accès n'est pas basé sur un serveur de courrier POP.

A titre d'exemple, sachez que les serveurs de courrier d'America Online et de Compuserve ne sont pas de type POP. Vous ne pourrez donc pas utiliser Eudora ou AK-Mail (par exemple) avec ces services. Rassurez-vous, les choses évoluent rapidement sur le Net. Compuserve est actuellement en train d'expérimenter un serveur de courrier POP qui sera certainement opérationnel sous peu (tapez **GO MAILTEST** pour en savoir plus).

Le serveur de messagerie IMAP (*Internet Message Access Protocol*) est très répandu dans les entreprises qui possèdent une liaison directe avec Internet. Si vous envoyez vos courriers via un tel serveur, vous n'aurez certainement pas beaucoup le choix sur le programme de messagerie à utiliser.

Vous avez une nouvelle adresse

Votre adresse électronique est composée de trois parties :

- votre nom de compte ;
- le signe "at" (@) ;
- le nom du domaine.

Qu'est-ce que le nom de compte ? Il s'agit presque toujours du nom que vous utilisez pour vous connecter chez votre fournisseur d'accès. Prenons comme exemple l'auteur : sur Compuserve, il utilise la référence 71601,1266, c'est son nom de compte ; sur MSN, le nom est PeterKent, et PeKent sur AOL.

A la suite du nom de compte se trouve le signe @. Ce caractère permet de séparer le nom de compte du nom de domaine.

L'adresse se termine toujours par un nom de domaine. Il s'agit de l'adresse de votre société, de votre fournisseur d'accès ou de votre service en ligne. Pour imager les choses, le nom de domaine peut être comparé au nom d'une rue. Une personne peut envoyer une lettre à plusieurs autres en utilisant un même nom de rue. Il en est de même sur l'Internet : un nom de domaine peut donner accès à plusieurs milliers de personnes.

A propos du nom de compte

*Plusieurs termes peuvent être utilisés pour désigner un nom de compte : Compuserve utilise le terme **User ID**, MSN le terme **Member Name** et AOL le terme **Screen Name**. Vous trouverez aussi les termes **user name** et **logon ID**. Pour des raisons obscures et inexpliquées, certains fournisseurs différencient le nom de compte du nom utilisé pour les courriers électroniques.*

Si vous ne connaissez pas votre nom de domaine, adressez-vous à votre administrateur système ou au support technique de votre fournisseur d'accès. Dans les pages suivantes, vous trouverez le nom de domaine des principaux services en ligne Internet.

Comment prononcer le nom de votre boîte à lettres ?

*Prononcez "point" pour désigner le point décimal et "at" pour désigner le signe @. A titre d'exemple, l'adresse **pkent@usa.net** se prononce "p kent at u s a point net".*

Quelques mots à propos de l'initialisation

Vous devrez peut être initialiser votre boîte à lettres avant de l'utiliser. Dans la plupart des cas, cette initialisation sera effectuée de manière automatique par le logiciel de messagerie. C'est en particulier le cas si votre opérateur est un service en ligne. Quelques fournisseurs d'accès effectuent le travail à votre place, d'autres vous laisseront le soin d'effectuer les réglages finaux. Dans la plupart des cas, cette opération ne sera pas bien difficile. La Figure 3.1 donne un aperçu des options accessibles dans Netscape Messenger, le nouveau programme de messagerie de la suite Netscape Communicator. Les réglages seront similaires dans les autres programmes de messagerie.

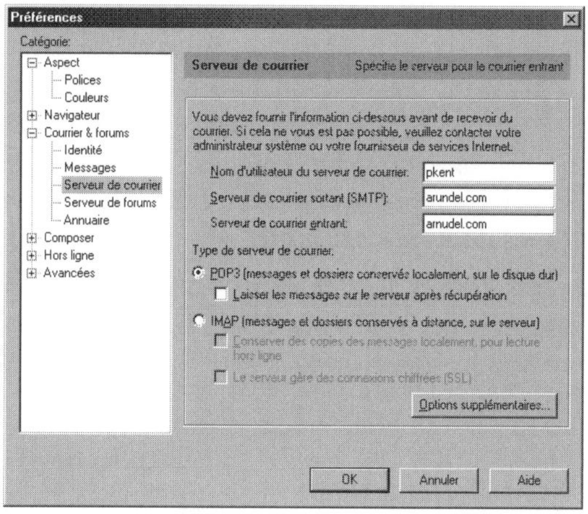

Figure 3.1 : Une des nombreuses boîtes de dialogue de configuration de Netscape Messenger dans laquelle vous pouvez paramétrer le programme de messagerie.

Quel que soit le programme de messagerie utilisé, vous pourrez avoir à définir les paramètres suivants :

- **Nom de boîte à lettres POP.** Lorsque vous vous connectez à votre fournisseur d'accès, il faut lui fournir le nom de votre boîte à lettres afin qu'il vérifie si du courrier vous est arrivé. Ce nom est généralement le même que celui utilisé pour vous connecter chez le fournisseur d'accès. Il sera parfois nécessaire d'entrer votre nom de compte et le nom du serveur POP dans une même zone de texte (par exemple, dans Eudora Light, il faut entrer **pkent@mail.usa.net**). On pourra aussi vous demander d'entrer le nom de compte dans une zone, et le nom du serveur dans une autre. Par exemple, dans Netscape Messenger, je définis mon nom de compte (pkent) dans la boîte de dialogue **Mail server user name** et le nom du serveur de courrier (arundel.com) dans la boîte de dialogue **Incoming mail server.** Dans certains programmes de messagerie, comme Eudora, le nom de compte et le serveur de courrier seront entrés dans la même boîte de dialogue.
- **SMTP** (*Simple Mail Transfer Protocol*). Il s'agit d'un autre programme de messagerie utilisé pour envoyer votre courrier électronique. Le serveur POP dont nous avons parlé jusqu'ici permet de récupérer les messages qui vous sont destinés. Pour remplir cette information, vous devez entrer un nom de serveur (mail.usa.net, par exemple) ou une information numérique (192.156.196.1, par exemple). Ces données vous sont communiquées par votre fournisseur d'accès.
- **Mot de passe.** Vous devez entrer votre mot de passe de telle sorte que le programme de messagerie puisse le fournir au serveur POP. Il s'agit généralement du même mot de passe que celui utilisé lors de la connexion téléphonique sur le service.

- **Nom de l'utilisateur.** Entrez votre nom complet. De nombreux programmes de messagerie joignent en effet votre nom aux courriers électroniques.
- **Adresse de réponse.** Si vous le souhaitez, vous pouvez demander au programme de messagerie de placer une adresse de retour différente dans vos courriers. Cela peut être intéressant si vous envoyez votre courrier depuis votre lieu de travail et que vous souhaitiez récupérer la réponse dans votre boîte à lettres personnelle. Si vous remplissez cette information, assurez-vous de bien entrer l'adresse complète, comme **pkent@lab-press.com**.
- **Autres menus détails.** Vous pouvez demander de nombreuses choses à votre programme de messagerie. Vous pouvez par exemple fixer une fréquence d'interrogation de votre boîte à lettres afin d'accéder aux messages dès leur arrivée, choisir la police d'affichage des messages ou demander d'inclure automatiquement le message original dans vos réponses. Vous pouvez même lui demander de ne pas détruire les messages qui ont été lus, vous aurez alors le loisir de retrouver chez vous les messages lus sur votre lieu de travail. Vous pouvez enfin indiquer au programme ce qu'il doit faire des fichiers attachés. Cette dernière possibilité sera examinée plus loin.

Que pouvez-vous faire avec votre boîte à lettres ?

Une boîte à lettres peut être utilisée pour effectuer de nombreuses actions. Reportez-vous à votre documentation ou aux fichiers d'aide du programme de messagerie, ou visualisez les boîtes de dialogue de configuration pour en savoir plus. Si vous êtes abonné auprès d'un service en ligne, les possibilités de votre boîte à lettres seront généralement assez limitées. Au contraire, les programmes tels que Eudora, Pegasus, AK-Mail et ceux inclus dans Netscape Navigator et Internet Explorer ont un champ d'action beaucoup plus large.

Il existe un si grand nombre de programmes de messagerie qu'il est impossible de vous aider à les configurer individuellement. Si vous éprouvez des difficultés pour configurer votre programme, reportez-vous à la documentation ou appelez le support technique de votre fournisseur d'accès. Et s'il refuse de vous aider, n'hésitez pas à en changer !

Envoi d'un message

Vous savez ce qu'est une adresse électronique et votre programme de messagerie est correctement configuré. Il est donc possible d'envoyer votre premier message. Mais à qui pouvez-vous écrire ? Vous avez certainement des amis ou des collègues à qui envoyer un message du type :"J'ai finalement sauté le pas. Je suis désormais connecté à l'Internet !" Dans le cas contraire, pourquoi ne pas vous envoyer votre propre message ? Vous ferez d'une pierre deux coups : après avoir envoyé le message, vous allez pouvoir le récupérer.

Lancez votre programme de messagerie et ouvrez la fenêtre réservée à la saisie des messages. Il peut être nécessaire de double-cliquer sur une icône (dans Eudora, par exemple) ou encore de lancer une commande de menu qui ouvrira la fenêtre réservée à la saisie des messages. Dans Eudora, lorsque la fenêtre de l'application est ouverte, vous pouvez cliquer sur le bouton **New Message** ou lancer la commande **New Message** dans le menu **Message**.

Les services en ligne

*Si vous utilisez Compuserve, lancez la commande **Create New Mail** dans le menu **Mail**. Sous AOL, lancez la commande **Compose Mail** dans le menu **Mail**. Sous MSN, ouvrez le menu **Communicate** et sélectionnez **Send E-Mail** ou **Read E-Mail** (si vous utilisez l'ancienne version de MSN, cliquez sur la grande barre centrale **e-mail** dans **MSN Central**).Si vous utilisez Netscape, les méthodes sont nombreuses. Déroulez, par exemple, le menu **Fichier** et sélectionnez **Nouveau message**.*

Dans tous les programmes de messagerie, la fenêtre de composition des courriers comporte quelques éléments communs. Voici un extrait des éléments que vous pourrez trouver :

- **To** (à). Ce champ représente l'adresse de la personne à qui vous voulez écrire. Si vous utilisez un service en ligne pour envoyer un message à un autre membre du même service en ligne, il suffit d'indiquer son nom de compte. Par exemple, si vous êtes membre de AOL et que vous désiriez écrire à un autre membre d'AOL de nom PeKent, il suffit d'entrer PeKent dans le champ To. Si vous désirez envoyer un courrier à un membre AOL à partir d'un autre fournisseur d'accès, vous devrez préciser son adresse complète, comme **pekent@aol.com**. Vous en apprendrez plus sur la messagerie électronique des services en ligne dans la suite de ce chapitre.
- **Reply to.** S'il apparaît, ce champ permet de différencier l'adresse d'où provient le message (From) de l'adresse utilisée pour envoyer la réponse (Reply to).
- **From** (de). Ce champ n'est pas accessible dans tous les programmes de messagerie. Il permet d'entrer l'adresse qui apparaîtra dans l'en-tête (la partie supérieure) du message. Votre correspondant connaît ainsi l'adresse de la personne qui lui envoie le courrier.

- **Subject** (sujet). C'est en quelque sorte le titre du message résumant en quelques mots son contenu. Le destinataire peut ainsi parcourir rapidement la liste des sujets pour avoir un aperçu de leur contenu (attention : certains programmes de messagerie n'autorisent l'envoi d'un message que si le champ Subject a été rempli).
- **Cc.** Si le message doit être envoyé à un autre correspondant que celui entré dans le champ To, placez son adresse dans le champ Cc.
- **Bc** (*Blind Copy*). Ce champ est comparable au champ Cc, à ceci près que le destinataire principal (champ To) ne sera pas informé de l'adresse du correspondant secondaire. Si vous utilisez le champ Cc pour envoyer le même message à deux personnes, le destinataire principal est informé du nom du destinataire secondaire (champ Cc dans l'en-tête).
- **Attachments** (annexes). Ce champ permet de joindre un fichier au message (vous en apprendrez plus dans la suite de ce chapitre).
- **Le corps du message.** C'est dans cette zone que vous entrerez votre message.

Tous les programmes de messagerie ne donnent pas accès aux champs dont nous venons de parler. Ceux des services en ligne sont souvent plus limités que leurs homologues Internet. Les deux figures ci-après représentent la fenêtre de composition de messages de deux programmes très différents.

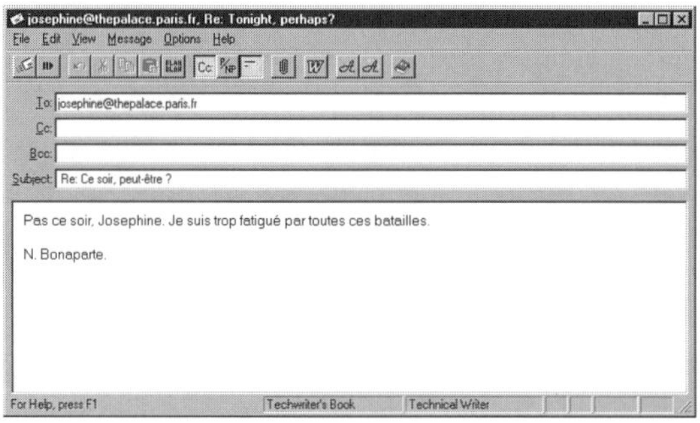

Figure 3.2 : La fenêtre de composition de la messagerie AK-Mail.

Maintenant, c'est à vous de jouer. Pourquoi ne pas vous envoyer un message ? Si vous êtes membre d'un service en ligne, utilisez votre nom de compte ou votre adresse Internet complète (par exemple, sur AOL, tapez ***VotreNom*****@aol.com**). Dans le dernier cas, le message fera certainement un court séjour sur l'Internet pour finalement atterrir dans votre boîte à lettres.

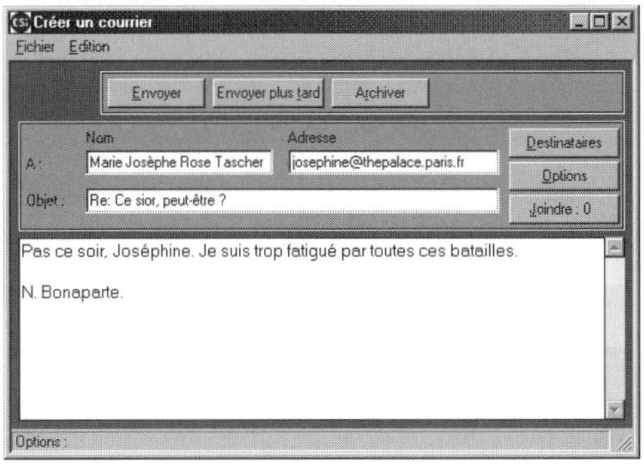

Figure 3.3 : La fenêtre de composition de la messagerie de Compuserve.

Messagerie et services en ligne

Tous les services en ligne sont désormais accessibles via une adresse Internet. Les messageries des différents services sont en effet interconnectées. Vous êtes peut-être membre d'America Online... depuis qu'ils vous ont envoyé le kit de connexion par courrier et qu'une personne de votre famille est membre de Compuserve. Sachez que vous pourrez sans peine vous envoyer des courriers électroniques en utilisant l'Internet comme une sorte de passerelle entre les deux services en ligne. Pour cela, il suffit de connaître le nom de compte et le nom de domaine de votre correspondant.

A titre d'exemple, le nom de domaine de Compuserve est compuserve.com. Supposons que vous désiriez envoyer un message à un membre de Compuserve dont le nom de compte (c'est-à-dire User ID) est 71601,1266. Il suffit d'ajouter ces deux informations en les séparant par un @ pour obtenir l'adresse complète : **71601,1266@compuserve.com**. Etant donné qu'il est impossible d'utiliser le caractère "," dans une adresse Internet, vous devrez le remplacer par un point décimal. L'adresse de votre correspondant devient donc **71601.1266@compuserve.com**. L'adresse numérique de certains membres de Compuserve est remplacée par un nom. Tapez **GO REGISTER** si vous voulez en savoir plus.

Le tableau ci-après vous indique comment envoyer un message aux membres de quelques-uns des principaux services en ligne.

Service	Suffixe
Prodigy	@prodigy.com
America Online	@aol.com

Service	Suffixe
GEnie	@genie.geis.com
MCImail	@mcimail.com
MSN	@msn.com

Pour obtenir l'adresse complète, il suffit d'ajouter l'un de ces suffixes au nom de compte de votre correspondant. Si vous avez des difficultés pour le joindre, téléphonez-lui ou écrivez-lui pour lui demander de vous communiquer son adresse exacte.

Ecriture du message

L'adresse de votre correspondant étant saisie, il ne vous reste plus qu'à taper le message qui lui est destiné et à envoyer le message. En général, il suffit de cliquer sur le bouton **Envoyer** ou de lancer une commande de menu (**Envoyer** ou **Expédier**). L'appui sur le bouton d'envoi déclenche un certain nombre d'actions. Si vous êtes connecté, le message est en général immédiatement envoyé. Cependant, dans certains cas, le message est placé dans une file d'attente. Vous devez alors demander l'émission de cette file pour envoyer le message. Si vous n'êtes pas connecté, le programme de messagerie tente généralement de se connecter puis il envoie le message. Observez attentivement son comportement. Un texte court vous indiquera si le message a été envoyé. Dans le cas contraire, recherchez une commande de menu du type **Envoyer maintenant** ou **Vider la file d'attente**. Dans la plupart des cas, c'est vous qui devez indiquer au programme de messagerie si les courriers doivent être envoyés immédiatement ou placés dans une file d'attente.

Formatage du texte

Certains services en ligne permettent de formater le texte inclus dans les courriers électroniques. A titre d'exemple, sous MSN, vous pouvez utiliser plusieurs polices de caractères, choisir la couleur, utiliser les attributs gras et italiques, l'indentation, etc. En vous procurant un programme annexe, vous pouvez arriver au même résultat sous Compuserve. Mais attention, ces caractéristiques de formatage ne fonctionnent que dans la messagerie interne au service en ligne. Les messages Internet ne contiennent aucun attribut de formatage. Dans la plupart des cas, vous n'aurez donc pas à vous préoccuper du formatage de vos courriers, car ces caractéristiques seront inaccessibles à la plupart des internautes. Notez cependant qu'un nouveau système tend à se répandre : le courrier HTML. Si vous et votre correspondant êtes équipé d'un programme de messagerie compatible avec le courrier HTML, vous pourrez échanger des messages formatés. Vous en saurez plus en consultant le Chapitre 4.

Réception de courrier

Vous avez envoyé un message. Celui-ci va errer pendant quelques secondes ou quelques minutes avant d'arriver dans la boîte à lettres de votre correspondant. Dans certains cas, le temps nécessaire peut atteindre quelques heures, voire quelques jours ! Mais la plupart du temps, quelques minutes suffisent, à moins que vous n'ayez entré une adresse erronée. Un message d'erreur vous indiquera alors que l'adresse indiquée n'existe pas et vous sera retourné.

Vous voilà prêt à tester le contenu de votre boîte à lettres. Si vous êtes membre d'un service en ligne, un message vous indiquant qu'un ou plusieurs courriers sont arrivés sera affiché dès la connexion. Si vous êtes déjà connecté, un message pourra vous informer de l'arrivée d'un nouveau courrier, mais dans certains cas, vous devrez vérifier "manuellement" le contenu de votre boîte à lettres. Pour cela, recherchez puis lancez une commande du type **Obtenir les nouveaux messages**. Si vous passez par un fournisseur d'accès Internet, vous ne serez en général pas informé automatiquement de l'arrivée de nouveaux courriers. Vous pouvez lancer une commande manuelle (par exemple, **Check Mail** dans le menu **File** d'Eudora) ou demander au programme de messagerie de vérifier périodiquement le contenu de votre boîte à lettres.

Que pouvez-vous faire des courriers dont vous êtes le destinataire ? Tous les programmes de messagerie permettent de lire ces messages. La plupart d'entre eux permettent aussi de les imprimer et de les sauvegarder sur disque (si ce n'est pas le cas, procurez-vous un autre programme). Certains messages peuvent être détruits, acheminés vers une autre personne, et il est possible de répondre aux personnes qui les ont envoyés.

Les commandes correspondantes devraient être faciles à trouver. En général, les commandes principales sont accessibles à travers une barre de boutons. Quant aux commandes moins courantes, elles font l'objet de commandes de menu.

Marquage du message original

Il est souvent intéressant de reprendre une partie ou l'ensemble d'un message auquel vous répondez. Certains programmes effectuent cette tâche automatiquement. En principe, les lignes du message original sont précédées d'une marque (>) pour les différenctier de la réponse. La figure ci-après représente un message et sa réponse.

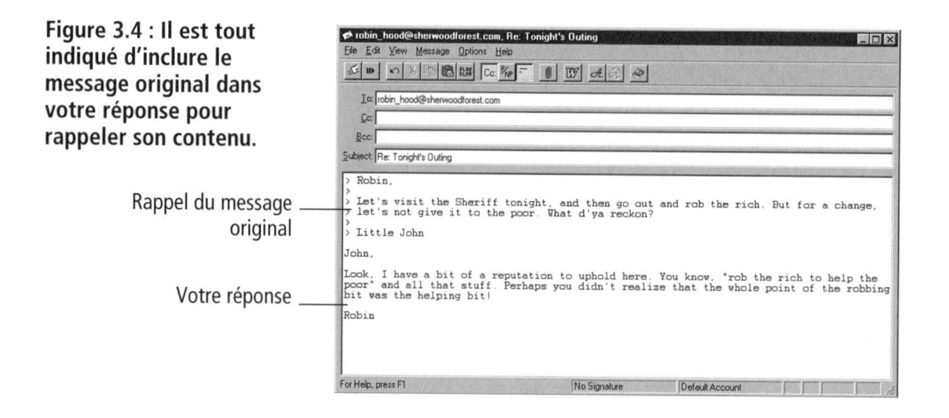

Figure 3.4 : Il est tout indiqué d'inclure le message original dans votre réponse pour rappeler son contenu.

L'inclusion du message original n'est pas obligatoire. Mais si vous ne le faites pas, votre correspondant risque de ne pas en comprendre le sens. Certaines personnes reçoivent plusieurs centaines de messages par jour. Si vous répondez à un message sans préciser à votre correspondant le contenu de son précédent message, il se peut qu'il n'en comprenne pas le sens.

L'inclusion du message original est particulièrement importante lorsque vous envoyez une réponse à une liste de diffusion ou à un groupe de nouvelles (voir Chapitres 11 et 13). En effet, la réponse que vous envoyez peut être lue par des personnes qui ne connaissent pas la question...

Envoyer des fichiers : rien de plus simple

Très peu de personnes osent placer des fichiers dans leurs messages. Les choses ne sont pas aussi difficiles que l'on pourrait le croire, mais les deux parties (l'expéditeur et le destinataire) doivent être au courant du processus à utiliser, sans quoi, la transmission peut être compromise. Voici un court exposé du problème et les diverses solutions envisageables.

Les fichiers qui transitent sur le Net utilisent l'un des quatre codages suivants :

- **UUENCODE.** Le fichier est converti en texte pur. Qu'il s'agisse d'un fichier son ou d'un fichier issu d'un traitement de texte, il est transformé en un fichier texte incompréhensible par un processus dit d'uuencodage. Un fichier de ce type peut être inclus tel quel dans un courrier électronique. Le destinataire peut utiliser un programme de messagerie qui convertit automatiquement les fichiers uuencodés à leur format original. Dans le cas contraire, le message reçu doit être sauvegardé au format texte et le processus inverse doit être appliqué pour retrouver le fichier original.

- **MIME** (*Multimedia Internet Mail Extension*). Il s'agit d'un processus de codage destiné à faciliter le transfert de fichiers sur le Net. Le fichier est converti au format texte (seuls les fichiers texte peuvent être acheminés par la messagerie) et envoyé avec le message. Il subit la conversion inverse chez son destinataire. Quelle est donc la différence entre le processus UUENCODE et MIME ? Le format MIME a été conçu de telle sorte qu'il puisse être utilisé facilement : l'émetteur doit simplement sélectionner le fichier à envoyer, MIME fait le reste. Il est aussi en mesure d'identifier le type du fichier à transmettre. Aujourd'hui, le processus MIME est utilisé pour identifier les fichiers multimédias placés dans les pages Web. C'est devenu le format le plus courant. Tout comme pour les fichiers uuencodés, le destinataire peut utiliser un programme de messagerie compatible MIME ou effectuer la conversion à l'aide d'un programme annexe.
- **BinHex.** Ce processus, très proche de UUENCODE est utilisé par les ordinateurs Macintosh. Les fichiers sont transformés au format texte. Ils doivent subir la conversion inverse chez le destinataire.
- **Services en ligne.** Chacun des services en ligne possède son propre système pour transmettre des fichiers. Dans AOL et Compuserve, vous pouvez attacher un fichier au message et le transmettre à un autre membre du même service en ligne. Dans MSN, vous pouvez placer toutes sortes de fichiers (images, textes formatés, fichiers de toutes sortes) dans un message et les envoyer à un autre membre MSN.

Supposons que vous vouliez envoyer un message contenant un fichier lié vers une adresse Internet. Vous devez savoir quel processus utiliser. Voici quelques éléments qui vous aideront à prendre la bonne décision :

1. Demandez à votre correspondant s'il n'est pas membre du même service en ligne que vous. Même s'il vous a fourni une adresse qui n'est de toute apparence pas celle d'un service en ligne, on ne sait jamais : il se peut qu'il ait plusieurs comptes Internet. Il est beaucoup plus simple d'envoyer des fichiers entre membres d'un même service en ligne, qu'il s'agisse de Compuserve, d'AOL ou de MSN que d'utiliser les processus MIME, BinHex ou UUENCODE.
2. Si vous devez utiliser la messagerie Internet (et non celle d'un même service en ligne), renseignez-vous auprès de votre correspondant sur le type de codage qu'il peut utiliser (MIME, UUENCODE ou BinHex). Ne choisissez pas au hasard l'un de ces codages : si votre correspondant n'a pas le logiciel approprié, il ne pourra pas récupérer le fichier.
3. Renseignez-vous sur le(s) système(s) de codage intégré(s) dans votre programme de messagerie. Avec un peu de chance, les mêmes systèmes sont disponibles chez votre

correspondant. A titre d'exemple, Eudora Light utilise les systèmes MIME et BinHex. Vous pouvez donc envoyer des fichiers à vos correspondants en utilisant le codage MIME ou BinHex : le codage UUENCODE semble donc être proscrit. Nous verrons cependant qu'il est possible d'envoyer un message uuencodé, même si ce standard n'est pas compris par le programme de messagerie. Netscape Navigator est compatible MIME et UUENCODE. Vous pourrez donc utiliser indifféremment l'un de ces deux codages. Si vous avez un doute, privilégiez le format MIME qui est compris par la plupart des programmes de messagerie.

Que faire si les deux parties ne s'accordent pas ou si l'une des deux parties est un service en ligne ? Bien que la plupart des services en ligne aient été mis à jour pour pouvoir utiliser le standard MIME, certains restent incompatibles tant avec MIME qu'avec UUENCODE. Par exemple, après mise à jour de la messagerie (GO NEWMAIL), il est possible d'envoyer et de recevoir des fichiers en utilisant le codage MIME sur Compuserve. AOL permet aussi de transférer des fichiers vers et depuis l'Internet. MSN par contre s'acquitte mal de cette tâche.

Si la plupart des services en ligne permettent de transférer des fichiers au format MIME par la messagerie, cela ne signifie pas pour autant qu'ils travaillent d'une manière irréprochable. Par exemple, l'envoi d'un fichier depuis Compuserve vers un destinataire Internet ne pose pas de réel problème mis à part que le nom du fichier n'est pas transmis. De même, la réception d'un fichier attaché au format MIME dans Compuserve ne fonctionne pas toujours très bien. Quant à AOL, il supprime parfois l'extension des fichiers qui lui sont transmis. Alors que nous écrivons ces lignes, il est possible d'envoyer des fichiers attachés depuis MSN, mais lorsqu'un membre de MSN reçoit un message contenant un fichier attaché, il doit faire appel à un utilitaire pour lui redonner son format original. MSN a le projet de mettre à jour sa messagerie afin d'accepter les messages entrants contenant des fichiers attachés. Lorsque vous lirez ces lignes, ce sera peut-être chose faite.

Supposons que vous désiriez envoyer un fichier uuencodé à votre correspondant qui ne peut lire que ce type de codage. Malheureusement, vous êtes membre de Compuserve qui n'est pas en mesure de manipuler le format UUENCODE. Vous pouvez vous procurer un logiciel de codage UUENCODE en vous connectant à l'un des sites de téléchargement cités dans l'Annexe A (Wincode par exemple si vous travaillez sous Windows). Utilisez ce programme pour convertir le fichier à envoyer au format UUENCODE, collez le texte correspondant dans le message et envoyez le message.

Qu'en est-il du codage MIME ? Supposons que vous ayez reçu un message contenant un fichier MIME, mais que votre messagerie ne soit pas en mesure de décoder les attachements MIME. Connectez-vous à l'un des sites de téléchargement mentionnés dans l'Annexe A et effectuez une recherche sur le mot MIME. Vous pouvez par exemple utiliser les programmes MS-DOS Mpack et Munpack. Sauvegardez le message dans un fichier texte (commande **Save As** dans le menu **File**) et appliquez Munpack sur le fichier texte pour le transformer en fichier original. (Mpack et Munpack sont aussi disponibles sur plates-formes Macintosh et UNIX).

Si vous avez de la chance, votre programme de messagerie intègre les systèmes de codage/décodage MIME et UUENCODE. Dans ce cas, il suffit de quelques commandes pour insérer ou attacher un fichier. Dans Eudora Light, par exemple, lancez la commande **Attach File** dans le menu **Message**, et utilisez la liste déroulante dans la partie supérieure de la fenêtre Compose pour choisir le système de codage : BinHex ou MIME. Dans AOL, appuyez sur le bouton **Attach**. Dans Compuserve, lancez la commande **Envoyer un fichier** dans le menu **Courrier** de la fenêtre principale ou cliquez sur le bouton **Joindre** dans la fenêtre **Créer un courrier**.

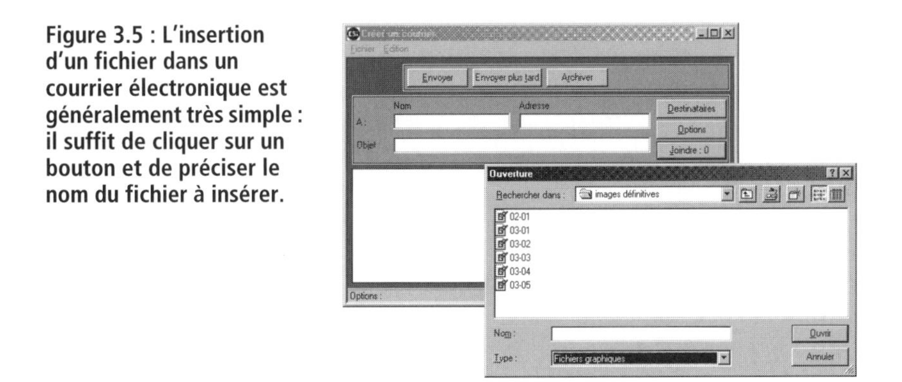

Figure 3.5 : L'insertion d'un fichier dans un courrier électronique est généralement très simple : il suffit de cliquer sur un bouton et de préciser le nom du fichier à insérer.

Bien utiliser votre boîte à lettres

Lorsque vous aurez compris le fonctionnement de votre boîte à lettres, vous l'utiliserez aisément. Voici quelques suggestions qui permettront de mieux l'utiliser encore :

- **Publipostage.** Vous pouvez créer une liste contenant l'adresse électronique de plusieurs personnes. Pour envoyer le même courrier à toutes les personnes se trouvant dans votre département, dans votre famille ou dans votre club, vous pouvez créer une telle liste. Placez toutes les adresses dans la liste et envoyez le message à la liste. Toutes les personnes référencées recevront le message. Vous aurez ainsi gagné du temps et évité un surcroît de travail. Quelques programmes de messagerie permettent de faire des mailings. D'autres permettent de définir un "alias" et d'associer les adresses à cet alias.
- **Définir un carnet d'adresses.** Tous les programmes de messagerie possèdent un carnet d'adresses qui est souvent très simple à utiliser. Grâce à lui, vous pouvez mémoriser

l'adresse électronique de vos correspondants et la retrouver en entrant le nom réel de la personne.

- **Utiliser des alias.** En affectant un alias, c'est-à-dire un nom simple à retenir à chacun de vos correspondants, vous simplifierez la saisie de leurs adresses. Par exemple, au lieu de taper **peter kent** ou **pkent@arundel.com**, il suffira de saisir **pk** dans la zone d'adresse.
- **Travailler déconnecté.** La plupart des programmes de messagerie permettent d'écrire vos courriers et de lire vos messages en dehors de toute connexion. Cela est particulièrement important avec les services en ligne souvent onéreux à l'utilisation.
- **Faire suivre ses messages.** Lorsque vous serez un habitué du Net, vous aurez peut-être tendance à avoir plusieurs comptes : un chez votre service en ligne préféré, un à votre travail, un à votre domicile, etc. Il est alors difficile de vérifier périodiquement les courriers sur chacun de ces comptes. Certains services permettent de faire suivre les messages dont vous êtes le destinataire dans une autre boîte à lettres. Supposons qu'un courrier soit réceptionné dans votre messagerie personnelle, il peut être automatiquement réexpédié dans votre messagerie professionnelle. Renseignez-vous auprès de votre fournisseur d'accès (voir Chapitre 23). Contrairement à la plupart des services en ligne, de nombreux fournisseurs d'accès permettent ce genre de manipulation.
- **Signaler son absence.** Lorsque vous prenez un congé, votre boîte à lettres continue à accumuler tous les messages qui vous sont destinés. C'est une des raisons pour lesquelles les vrais *aficionados* du Net ne prennent jamais de vacances ou se munissent d'un portable pour répondre depuis leur lieu de vacances. Si vous projetez de vous absenter, vous pouvez envoyer automatiquement un message à toutes les personnes censées vous écrire afin de signaler votre absence. Contactez votre fournisseur d'accès pour en savoir plus (en général, les services en ligne ne proposent pas ce genre de service).
- **Filtrer les messages.** Certains programmes de messagerie sophistiqués peuvent filtrer et réorganiser les messages qui vous sont destinés. Vous pouvez par exemple placer tous les messages issus de groupes de nouvelles dans une boîte d'entrée spécifique, ne rapatrier que le sujet d'un message si sa taille est excessive, etc.

Attention : la messagerie électronique peut être dangereuse

La messagerie électronique peut s'avérer dangereuse. Les trois principaux problèmes sont les suivants :

1. Les personnes ne réalisent pas toujours les implications de ce qu'elles écrivent.
2. Il y a parfois une mauvaise interprétation de ce qui est écrit dans un message.
3. Il est bien plus facile d'écrire des choses à un interlocuteur que de les exprimer verbalement.

Les "bagarres" via e-mail sont fréquentes entre deux correspondants, mais cela arrive aussi dans les groupes de nouvelles et les listes de diffusion.

Le problème est le suivant : lorsque vous envoyez un message, votre correspondant n'a aucune idée de votre apparence ou du ton de votre voix (bien entendu c'est la même chose lorsque vous écrivez une lettre). Les courriers électroniques ont tendance à remplacer les conversations et les lettres conventionnelles et sont souvent rédigés comme s'il s'agissait d'une conversation, mais leurs auteurs ont tendance à oublier que les éléments visuels et auditifs d'une conversation sont absents.

Voici quelques astuces qui permettront de préserver la "paix des courriers électroniques" :

- N'écrivez jamais quelque chose que vous pourriez regretter. Certains procès ont été basés sur le contenu de messages électroniques ! Faites attention à ce que vous écrivez. Que se passera-t-il si votre message atterrit dans d'autres mains que celles de votre destinataire ? Surtout, n'utilisez pas la messagerie électronique comme le téléphone : les écrits restent !
- Soyez vigilant quant au ton utilisé dans vos messages. Vos propos désinvoltes ou amusants peuvent être jugés arrogants ou sarcastiques par votre correspondant.
- Accordez le bénéfice du doute à votre correspondant. Si vous recevez un message qui vous semble arrogant ou sarcastique, il est possible que votre correspondant ait simplement voulu paraître désinvolte ou amusant. Contactez-le pour avoir des précisions.
- Relisez vos messages avant de les envoyer. Vous pourrez ainsi corriger des phrases embarrassantes, lourdes, incorrectes ou incompréhensibles.
- Si vous avez rédigé un message sous le coup de la colère, attendez quelques jours, et relisez ce message avant de l'envoyer.
- Soyez aimable. Il n'est nullement nécessaire d'être vulgaire ou inconvenant (excepté dans certains groupes de nouvelles où ce langage est courant sinon indispensable).
- Attaquez les arguments et non la personne qui les a émis. Bien souvent, les querelles débutent lorsqu'une personne s'attaque directement à une autre et non aux propos qu'elle a tenu (cela est particulièrement vérifié dans les listes de diffusion et groupes de nouvelles). Ne dites pas : "Tous ceux qui apprécient cette série télévisée sont des nuls". Dites plutôt : "Cette série télévisée n'est pas de mon goût, mais il est possible qu'elle soit appréciée par d'autres".
- Utilisez des smileys. Ils apportent un peu de vie aux messages en indiquant, par exemple, votre état d'humeur ou vos sentiments de manière imagée.

Des smileys à profusion

Ces dernières années, les utilisateurs de la messagerie électronique ont mis au point un langage concis permettant de clarifier la signification des messages. Par exemple, les signes "<g>" à la fin d'une ligne sont l'abréviation du terme anglais "grin" et signifient : "Vous savez, c'était juste une plaisanterie !" Vous pourrez aussi rencontrer le signe suivant ":-)". Faites pivoter le livre vers le bas(de telle sorte que la page de gauche se retrouve en haut et la page de droite en bas) et vous verrez que ces signes cabalistiques se transforment en un visage souriant. Vous l'avez compris, la signification est la même que pour "<g>".

Il existe de nombreuses petites images (appelées "smileys") réalisées à l'aide des signes et des lettres du clavier qui sont censées représenter l'humeur du correspondant. Le tableau ci-après liste quelques smileys. Vous pouvez les utiliser dans vos courriers et même en créer de nouveaux.

Partagez vos smileys

Le terme le plus courant concernant ces petites images est smileys. Pour épater la galerie avec votre jargon technique, vous pouvez aussi utiliser le terme "emoticons".

Emoticons couramment utilisés

Emoticon	Signification
:-(	Mécontent, déçu
8-)	J'ai des lunettes
:-<	Je suis très triste
;-)	Clin d'œil
*<|:-)	Père-Noël
:-&	Je ne sais que dire
:-o	Je suis sous le choc
:-p	Ma langue est coincée
,:-) ou 7:^]	Ronald Reagan

Vous n'êtes pas obligé d'apprécier les smileys, mais le fait de les utiliser peut permettre d'être bien compris dans vos propos.

Abréviations (anglophones)

Certaines personnes utilisent aussi des abréviations dans leurs messages. Le tableau ci-après vous aidera à y voir plus clair :

AbréviationSignification

BTW	By the way (à propos)
FWIW	For what it's worth (ça pourrait être pire)
FYI	For your information (à titre d'information)
IMHO	In my humble opinion (à mon humble avis)
IMO	In my opinion (d'après moi)
LOL	Laughing out loud (éclat de rire pour montrer votre incrédulité)
OTF	On the floor, laughing (juste pour rire)
PMFBI	Pardon me for butting in (pardonnez cette intervention)
PMFJI	Pardon me for jumping in (pardonnez ma réaction)
RTFM	Reportez-vous au manuel &*^%#
ROTFL ou ROFL	Rolling on the floor (c'est à se tordre de rire)
TIA	Thanks in advance (merci d'avance)
YMMV	Your mileage may vary (votre distance peut varier)

Vous pourrez aussi rencontrer un caractère délimiteur autour de certains mots pour les mettre en valeur (les attributs gras et italique sont en effet inutilisables dans le courrier électronique). Le caractère délimiteur généralement utilisé est le "_", ou, plus rarement, le "*", comme dans _maintenant !_ ou encore dans *maintenant !*.

Résumé

- Il existe de nombreux systèmes de messagerie sur le Net. Les manipulations de base fonctionnent sur chacune d'entre elles.
- Si votre service en ligne permet de formater le texte de vos messages (couleurs, polices, styles), vous devez savoir que ces attributs ne sont valables qu'à l'intérieur du service : ils ne seront pas visualisables dans une boîte à lettres Internet (consultez quand même le Chapitre 4 pour avoir des informations sur le courrier HTML).
- Même si certains problèmes persistent, envoyer un fichier dans un courrier électronique est bien plus facile aujourd'hui qu'il y a à peine un an. Dans tous les cas, vous n'aurez aucun problème si l'émetteur et le destinataire font partie du même service en ligne.
- Sur l'Internet, MIME est le protocole d'envoi de fichiers le plus courant, même si certaines messageries utilisent encore le format UUENCODE. Ces formats sont souvent intégrés au programme de messagerie, mais il est parfois nécessaire d'utiliser un programme annexe.
- N'envoyez pas un fichier avant de connaître le système de codage utilisé par votre correspondant.
- Renseignez-vous sur les nombreuses actions qui peuvent être accomplies à travers votre boîte à lettres, comme la création de publipostages ou encore le filtrage des messages.
- Soyez prudents dans vos propos : les mauvaises interprétations et les "bagarres" par e-mail sont courantes.

Chapitre 4

HTML et cryptage

Dans ce chapitre :

- Le courrier HTML, digne successeur des anciens courriers en texte seul
- Les courriers Inbox Direct
- Comment crypter un courrier électronique
- Codage par clé publique
- Affecter une signature digitale à vos messages
- La longueur de la clé fait toute la différence

Voici un an que la messagerie électronique ne cesse d'évoluer. Dans les mois à venir, les modifications devraient être encore plus visibles, en particulier en ce qui concerne le courrier HTML et le cryptage des données.

Le courrier HTML permet de mettre en forme le texte placé dans les messages électroniques. Il est par exemple possible :

- d'utiliser plusieurs couleurs et polices de caractères ;
- de faire précéder certains paragraphes d'une puce ;
- de centrer certains paragraphes ;
- d'insérer des images et des sons dans un courrier.

Lorsqu'un courrier est crypté, il est illisible par toute personne autre que son destinataire. Le cryptage est désormais très simple à mettre en œuvre, car il fait partie intégrante des programmes de messagerie. C'est la raison pour laquelle les courriers cryptés devraient rapidement se démocratiser (au grand regret des gouvernements du monde entier).

Le courrier HTML

Dans un courrier HTML, il est possible d'utiliser les marqueurs du langage HTML pour mettre en forme le texte envoyé au correspondant. HTML est l'abréviation du terme *HyperText Markup Language*. Vous en apprendrez plus sur ce langage en consultant les Chapitres 5 à 9 de cet ouvrage.

Le langage HTML sert à la création des pages Web. Les marqueurs sont des codes spéciaux destinés aux navigateurs qui indiquent comment afficher les éléments qui composent chaque page. Il est ainsi possible de définir la couleur, la taille, le style, la position, etc. de chaque élément. Mais les marqueurs peuvent aussi être utilisés pour définir des tableaux, pour insérer des images, des applications Java et bien d'autres choses encore. Grâce au HTML, les courriers électroniques pourront contenir autre chose que du texte.

Deux conditions sont nécessaires pour pouvoir envoyer et recevoir du courrier HTML :

- Vous devez posséder un programme de courrier HTML.
- Vos correspondants doivent aussi être équipé d'un programme équivalent.

Dans le cas contraire, ils ne seront pas à même de visualiser les formatages qui font partie du message. Le message sera d'autant plus difficile à lire qu'il contient des marqueurs (certains programmes de messagerie HTML insèrent une version en texte seul à chaque courrier, de telle sorte qu'ils soient lisibles par tous les programmes de messagerie).

A la recherche d'un programme de messagerie HTML

Avant toute chose, vous devez vous procurer un programme de messagerie HTML. La plupart des programmes de messagerie ne sont pas encore capables de visualiser ou de créer des courriers HTML. Cela devrait évoluer rapidement, car la messagerie HTML a de grandes chances de s'imposer comme un nouveau standard.

Le programme de messagerie HTML le plus en avancé est **Netscape Messenger**, fourni avec Netscape Communicator. D'autres programmes de messagerie supportent plus ou moins bien les messages HTML. Citons entre autres les programmes **AK-Mail** (**http://www.akmail.com/**), **E-Mail Connection** (**http://www.connectsoft.com**), **Opensoft ExpressMail** (**http://www.opensoft.com**) et **Anawave Postmark** (**http://www.anawave.com/**). D'autres programmes du même type seront disponibles sous peu (Reportez-vous au Chapitre 5 si vous éprouvez des difficultés pour manipuler les adresses URL).

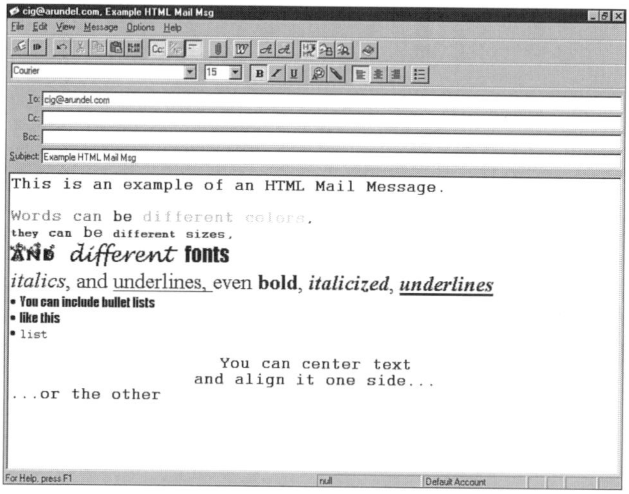

Figure 4.1 : AK-Mail est un programme de messagerie compatible HTML.

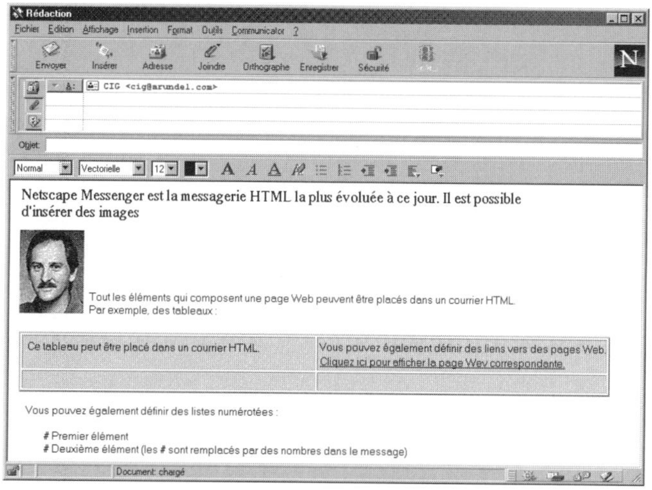

Figure 4.2 : Netscape Messenger est actuellement le programme de messagerie HTML le plus évolué.

Pouvez-vous accéder au courrier HTML ?

La plupart des services en ligne ne sont pas encore compatibles avec le courrier HTML. Pourtant, il autorisent souvent la mise en forme des messages. Mais la technique utilisée leur est propre. Si vous l'utilisez pour transmettre des messages à un correspondant Internet, le formatage sera détruit.

Pour pouvoir utiliser un programme de messagerie HTML, il est nécessaire d'accéder à un compte POP et d'utiliser un programme de messagerie POP compatible HTML. A l'heure actuelle, il est impossible d'accéder au courrier HTML si votre fournisseur d'accès est un service en ligne.

Si le courrier HTML est une priorité pour vous, vous devez vous procurer une adresse électronique sur le Net, sans pour autant mettre fin à votre abonnement auprès du service en ligne. En effet, l'obtention d'une adresse électronique n'est pas forcément payante. A titre d'exemple, Netscape propose un ensemble de liens à partir desquels vous pourrez obtenir gracieusement une nouvelle adresse électronique : **http://form.netscape .com/ibd/html/freemail/index.html**.

Chaque programme a ses spécificités

Ce n'est pas parce qu'un programme de messagerie est compatible HTML qu'il sait tirer parti de toutes les possibilités du langage.

Supposons que vous placiez une image dans un courrier en utilisant Netscape Messenger. Cette image sera transférée avec le courrier. Si votre correspondant utilise Netscape Messenger, l'image sera affichée à l'endroit exact où elle a été placée. Si votre correspondant utilise un autre programme de messagerie HTML, il se peut que l'image n'apparaisse pas dans le message et soit simplement stockée sur le disque dur. Certains programmes de messagerie HTML n'enverront même pas l'image au correspondant. A titre d'exemple, le programme de messagerie HTML inclus dans la version 3 de Netscape Navigator se contentait de remplacer l'image par un lien hypertexte, sans la transférer. Cela posait évidemment des problèmes, car l'image était inaccessible par le destinataire.

Le système In-Box Direct

Afin de promouvoir sa nouvelle messagerie HTML, Netscape a mis au point un nouveau système connu sous le nom **In-Box Direct**. De nombreuses sociétés qui diffusent des informations sur le Net se sont engagées auprès de Netscape à envoyer régulièrement un extrait de leurs publications au format HTML à toutes les personnes qui le désirent. Ces messages sont délivrés gratuitement pendant une période d'essai. Il est ainsi possible d'obtenir des informations en provenance des journaux suivants : *New York Times*, *USA Today*, **The Melbourne Age**, *Rheinische Post*, *Correo Expansión Directo*, *The Financial*

Times, *PlanetOut*, *ParentsPlace.com Gazette*, *National Geographic Online*, *PBS Previews*, etc..

Pour accéder à ces publications, rendez-vous sur le site **http://home.netscape.com/**, cliquez sur le lien **In-Box Direct** et suivez les instructions qui vous seront données. Etant donné que les articles de ces journaux ont été écrits au format HTML, ils utilisent plusieurs couleurs et sont abondamment illustrés. Ils peuvent aussi contenir des liens hypertexte, des images, des tableaux, voire même du code JavaScript et des applets Java (voir Chapitre 7).

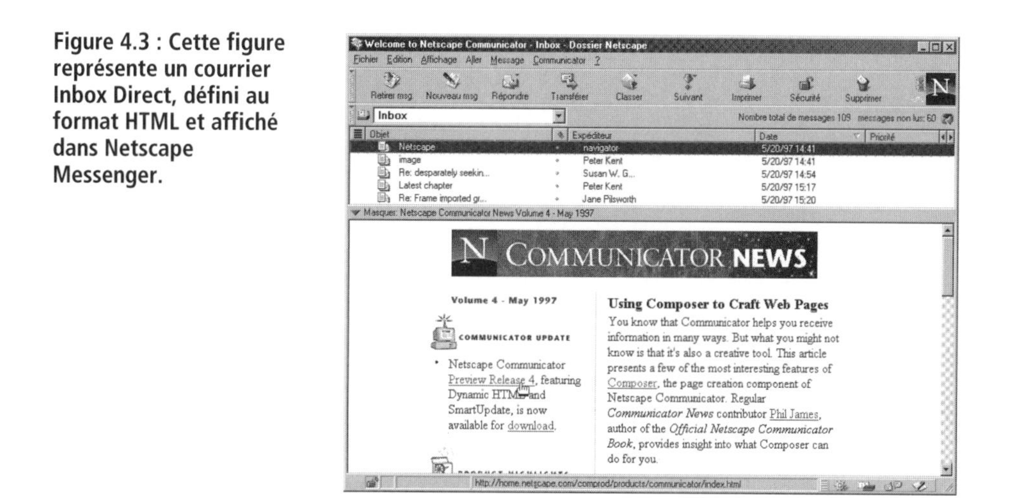

Figure 4.3 : Cette figure représente un courrier Inbox Direct, défini au format HTML et affiché dans Netscape Messenger.

A l'abri des regards indiscrets

Une autre nouveauté de taille est apparue dans les courriers électroniques : il est désormais possible de crypter certains courriers afin de les rendre illisibles pour toute autre personne que leur destinataire. Pour qu'un tel courrier puisse être lu, il doit être décodé afin d'apparaître sous sa forme originale.

En 1994 et 1995, le cryptage des données a fait parler de lui. Vous avez sans doute entendu parler du programme **PGP** (*Pretty Good Privacy*) qui permettait de crypter des messages de telle sorte qu'ils soient pratiquement indéchiffrables.

Je connais bien PGP, puisque je lui ai consacré un livre. En fait, ce livre est essentiellement basé sur l'application frontale **WinPGP** qui s'attache à simplifier la tâche de l'utilisateur.

Malheureusement, même en utilisant un tel programme, le cryptage des données restait complexe et fastidieux.

Pour que le cryptage puisse être couramment utilisé, il fallait qu'il fasse partie intégrante des programmes de messagerie. C'est alors que plusieurs programmes ont fait leur apparition. En particulier **Netscape Messenger**, le programme de messagerie de Netscape Communicator. Aujourd'hui, le cryptage des courriers est à la portée de tout un chacun.

Pourquoi crypter vos courriers ?

Les courriers électroniques peuvent être la source de nombreux problèmes :

- Le destinataire peut communiquer le courrier à d'autres personnes.
- Le courrier peut être stocké dans un système de sauvegarde automatique, puis lu par une personne qui n'en est pas le destinataire.
- Un pirate informatique peut lire votre courrier et en extraire des éléments gênants.
- Votre patron peut décider de lire vos courriers en se basant sur le fait qu'ils ont été rédigés sur le lieu de travail et pendant les heures de travail.

Le type de fuite le plus courant se situe au niveau du destinataire qui peut, intentionnellement ou non, communiquer votre courrier à une tierce personne censée ignorer son contenu.

Le deuxième type de fuite est plus pernicieux : même si l'émetteur et le destinataire effacent toute trace d'un courrier, il se peut qu'il en existe une copie quelque part sur le réseau, pour peu qu'un administrateur ait fait une sauvegarde des messages qui transitent sur son système. Si vous êtes l'objet d'une poursuite, le courrier qui vous met en défaut peut aisément être retrouvé.

Pour terminer, un pirate informatique peut s'approprier vos courriers : les courriers électroniques ne sont en effet rien d'autre que des textes ASCII. Un pirate de bon niveau qui accède à votre fournisseur d'accès peut très bien capturer vos messages sur son ordinateur.

Que pouvez vous faire ? Le plus simple consiste à ne jamais écrire des courriers électroniques dont le contenu pourrait vous embarrasser s'il était rendu public. Une autre solution, plus compliquée certes, consiste à crypter vos messages.

Cryptage par clé publique

Le cryptage des courriers électroniques repose sur l'utilisation d'une **clé publique**.

Avant de décrire le fonctionnement d'une clé publique, nous allons nous intéresser au codage par **clé privée**, que vous avez sûrement déjà utilisé. Un fichier informatique peut être rendu inutilisable à moins que ses utilisateurs n'entrent une clé privée (aussi appelée **mot de passe**). Pour ce faire, il suffit de donner le nom du fichier à crypter et le mot de passe au programme de cryptage. Un algorithme mathématique est alors appliqué au fichier qui devient inutilisable sans le mot de passe. De nombreux programmes utilisent ce type de codage. A titre d'exemple, Word pour Windows utilise une clé privée pour coder certains documents protégés. A moins de lui fournir la bonne clé, ces documents seront illisibles.

Intéressons-nous maintenant au codage par **clé publique**. Ce type de codage utilise deux clés : une privée et l'autre publique. Lorsqu'un document est crypté à l'aide d'une des deux clés (la clé publique par exemple), il ne peut être décrypté qu'avec l'autre clé.

Utilisation d'une clé publique dans le courrier électronique

Le programme de messagerie électronique utilise une clé publique pour crypter vos messages avant de les envoyer. Lorsque vous voulez envoyer un message crypté à un correspondant, vous devez vous procurer sa clé publique. Ce type de clé est souvent en libre accès sur Internet. Peu importe qui s'approprie une clé publique, puisqu'aucun décryptage ne pourra être effectué sans la clé privée correspondante.

Pour trouver la clé publique d'une personne, vous devrez vous connecter à un serveur Web ou FTP particulier qui recense plusieurs centaines de clés publiques. Vous pouvez aussi contacter votre correspondant et lui demander de vous communiquer sa clé publique. Les nouveaux systèmes de messagerie, comme Netscape Messenger par exemple, simplifient grandement votre tâche. La clé publique d'un utilisateur peut être mémorisée dans un bloc d'informations particulier appelé **Vcard**. S'il le désire, ce bloc est automatiquement inclus à la fin des messages qu'il envoie. Le programme de messagerie qui reçoit une telle information extrait la clé publique et la place dans un répertoire dédié à la mémorisation des clés publiques (cette manipulation suppose bien entendu que le programme de messagerie utilisé est capable d'exploiter le bloc Vcard...).

Lorsque vous désirez envoyer un message crypté à un utilisateur dont le Vcard a été mémorisé par votre navigateur, cochez simplement la case **Encrypté** de Netscape

Messenger (si vous utilisez un autre programme de messagerie, vous devrez peut être appuyer sur un bouton ou lancer une commande de menu). Lorsque vous demandez l'envoi du message, le programme de messagerie recherche la clé publique et code le message en conséquence avant de l'envoyer. Le correspondant reçoit le message crypté et il utilise la clé privée correspondante pour afficher son contenu.

Que se passe-t-il si une autre personne intercepte le message ? Comme cette personne ne possède pas la clé privée correspondant à la clé publique utilisée par l'émetteur du message, il lui est impossible de lire son contenu.

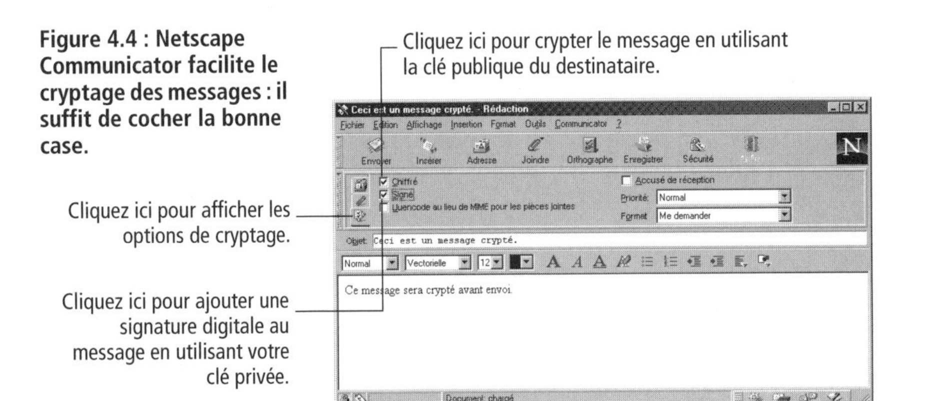

Figure 4.4 : Netscape Communicator facilite le cryptage des messages : il suffit de cocher la bonne case.

Signatures numériques

Nous avons vu qu'un message pouvait indifféremment être codé avec une clé publique ou avec une clé privée. Il n'est pas très prudent de crypter un message en utilisant votre clé privée. En effet, son décryptage se ferait alors avec votre clé publique qui peut être connue de tous. D'un autre côté, une clé privée étant propre à chaque individu et confidentielle, il est possible de l'utiliser pour ajouter une signature à vos messages.

En d'autres termes, vous pouvez signer vos messages en les cryptant avec votre clé privée. Tant que votre clé privée restera confidentielle, votre correspondant sera sûr de la provenance du message.

Afin de clarifier nos propos, considérez les points suivants :

- Pour envoyer un message crypté, vous utiliserez la clé publique du correspondant.
- Pour signer un message, vous utiliserez votre clé privée.

- Pour envoyer un message crypté et signé, vous utiliserez votre clé privée et la clé publique du correspondant.

Rassurez-vous, vous n'avez pas à retenir tout cela, car le programme de messagerie va vous mâcher le travail. A titre d'exemple, il suffit de cocher la case **Signé** dans Netscape Messenger pour crypter un message en utilisant votre clé privée.

Clé privée et clé publique

Nous discernerons le cryptage par PGP et par Netscape.

Certains programmes de messagerie font appel à PGP pour crypter les courriers qu'ils envoient. Vous devez donc télécharger le programme PGP et créer votre paire clé publique/clé privée. Attention, l'utilisation de PGP n'est pas à la portée de tout le monde. Pour en savoir plus, connectez vous à un site Web de recherche (voir Chapitre 21) et effectuez une recherche sur le terme **PGP**. Vous pouvez aussi vous rendre sur le site **http://www.pgp.com/**.

Le cryptage utilisé dans Netscape a toutes les chances de remporter la bataille. Il n'est pas basé sur PGP. Pour obtenir vos clés publique et privée, vous devez vous procurer un **certificat personnel** en vous connectant à un serveur particulier. Vous pouvez par exemple vous rendre sur le site **VeriSign** à l'adresse **http://www.verisign.com/**. Ce site est en mesure de délivrer des certificats compatibles avec les systèmes de messagerie suivants :

Netscape Communicator (**http://www.netscape.com/**)

Microsoft Internet Explorer 4 (**http://www.microsoft.com/**)

E-mail Connection (**http://www.connectsoft.com/**)

Frontier Technologies Email (**http://www.frontiertech.com/**)

Opensoft ExpressMail (**http://www.opensoft.com/**)

WorldSecure Client (**http://www.worldtalk.com/**)

PreMail (**http://www.c2.net/~raph/premail.html**)

A n'en pas douter, de nombreux autres programmes de messagerie se rallieront à ce type de cryptage.

Après avoir installé votre programme de messagerie, rendez-vous sur le site **VeriSign** et suivez les instructions qui vous sont données pour obtenir et installer votre certificat personnel.

Une histoire de taille

La taille de la clé détermine le niveau de sécurité du cryptage. A titre d'exemple, deux tailles de clé (donc deux niveaux de sécurité) peuvent être utilisés dans Netscape Messenger : 40 bits et 128 bits. Ces tailles correspondent à la longueur de la clé qui est utilisée pour crypter les données. Plus longue est la clé, plus grand est le niveau de sécurité. Le cryptage 128 bits est propre aux versions américaines de Netscape Messenger, alors que le cryptage 40 bits est utilisé dans le reste du monde. Si vous résidez en France, vous devrez télécharger la version 40 bits sur les sites Web et FTP de Netscape et sur leurs nombreux miroirs.

Si vous résidez aux Etats-Unis, vous pourrez télécharger la version 128 bits après avoir rempli un questionnaire où vous préciserez votre adresse personnelle (les informations entrées peuvent être vérifiées par Netscape en utilisant le service **American Business Information**). Cliquez sur le lien **Netscape Strong Encryption Software Eligibility Affidavit** pour télécharger la version 128 bits de Communicator.

Pour le commun des mortels, la version 128 bits n'offre pas d'intérêt particulier par rapport à la version 40 bits. Par contre, le cryptage 128 bits peut intéresser (par exemple) un chef d'état qui désire transmettre des informations concernant la défense de son pays par Internet ! Avec ce type de cryptage, il sera assuré que les données sont indéchiffrables. Le cryptage 40 bits est bien suffisant pour une utilisation courante. Pour déchiffrer un message codé par ce processus, les ressources informatiques nécessaires se chiffrent à plusieurs centaines de milliers de francs !

Le cryptage 128 bits

La société Pretty Good Privacy, Inc. affirme que les messages cryptés par le processus PGP 128 bits sont 309 485 009 821 341 068 724 781 056 fois plus difficiles à déchiffrer que les messages cryptés en 40 bits. Ils citent aussi une étude commandée par le gouvernement des Etats Unis qui indique que le temps nécessaire pour déchiffrer un message crypté en 128 bits tournerait autour des 12 millions de fois l'âge de l'univers.

Si le codage 128 bits a vu le jour, c'est uniquement pour satisfaire l'ITAR (*International Trafic in Arms Regulations*). Les programmes de codage 128 bits sont donc réservés à l'armement (missiles SAM et autres du même type) et ne doivent pas être exportés. Ridicule, n'est-ce pas, car Internet ne connaît pas de frontières. Pour appuyer cette remarque, le département de commerce des Etats-Unis a récemment autorisé l'utilisation du codage Pretty Good Privacy 128 bits dans des filiales étrangères de sociétés américaines...

Les lois concernant l'utilisation de messages cryptés diffèrent dans chaque pays. En France, par exemple, même le cryptage 40 bits est interdit. Une version "non sécurisée" de Netscape Communicator a donc été spécialement éditée pour la France.

Résumé

- En utilisant un programme de messagerie HTML, vous pouvez créer des courriers qui contiennent plusieurs couleurs, plusieurs polices de caractères, des illustrations, des tableaux et de nombreux autres atrributs.
- L'expéditeur et le destinataire d'un courrier HTML doivent tous deux être équipés d'un programme de messagerie HTML, sans quoi l'échange est impossible. Actuellement, les services en ligne ne supportent pas le courrier HTML.
- Le cryptage des courriers repose sur l'utilisation d'une clé publique. Vous devez vous procurer puis installer un couple clé publique/clé privée dans votre système de messagerie pour pouvoir recevoir des messages cryptés.
- Les programmes de messagerie qui autorisent le cryptage des données permettent aussi de signer vos courriers, afin que vos destinataires soient assurés qu'ils ont été rédigés par vous.
- Le cryptage des données n'est pas légal dans tous les pays. En particulier, le cryptage 128 bits est réservé aux Etats-Unis.
- Le cryptage est d'autant plus robuste que la clé utilisée est longue. Mais en règle générale, une clé de 40 bits est largement suffisante pour une utilisation courante.

INTERNET

Chapitre 5

Le monde du World Wide Web

Dans ce chapitre

- ➢ Qu'est-ce que le Web ?
- ➢ Quel navigateur devez-vous utiliser ?
- ➢ La page d'accueil
- ➢ Premier voyage sur le Web
- ➢ Historique et signets
- ➢ Utilisation directe des URL

Le World Wide Web est tantôt appelé Web, WWW ou W3. Certains internautes confondent le Web et l'Internet, qui sont pourtant deux choses bien différentes. Le Web est un système logiciel qui s'exécute sur l'Internet. Ses possibilités sont immenses, ce que les journalistes ont bien compris. Le grand nombre d'articles concernant le Web a contribué à la confusion avec l'Internet. Notez cependant que les possibilités du Web s'étendent tous les jours un peu plus, tant et si bien qu'il accomplit des tâches autrefois dévolues à d'autres systèmes. Les navigateurs Web intègrent désormais des extensions leur permettant de travailler sur des services non Web. A titre d'exemple, il est possible d'envoyer et de recevoir du courrier électronique à travers de nombreux navigateurs. Certains donnent aussi accès aux groupes de nouvelles.

Qu'est-ce que le Web ?

Imaginez que vous lisez une version électronique de cette page sur l'écran de votre ordinateur. Imaginez encore que quelques mots de la page soient soulignés et affichés en utilisant une autre couleur. Placez la souris sur l'un de ces mots et cliquez. Un autre document en relation avec le mot cliqué est alors affiché.

Ce principe est connu sous le nom d'*hypertexte*. Si vous avez déjà utilisé un fichier Hypercard sur Macintosh ou un fichier d'aide Windows, vous savez ce qu'est l'hypertexte. Plusieurs documents sont liés entre eux à l'aide de liens hypertexte (généralement à l'aide de mots et d'images cliquables). L'hypertexte existe depuis des années mais, jusqu'ici, la plupart des systèmes y faisant appel étaient limités : un clic sur un lien donnait accès à un document contenu dans le même fichier ou situé dans un autre fichier du même ordinateur (souvent dans le même disque et dans le même répertoire).

Le World Wide Web repousse ces limites. Un clic sur un lien peut déclencher l'affichage d'un document situé dans une autre ville, un autre pays, voire un autre continent. Pour établir un lien vers un document distant, il n'est pas nécessaire d'obtenir l'autorisation de la personne à l'origine du document lié. Lorsque vous placez un lien dans un de vos documents, vous ne pouvez pas imaginer à l'avance le chemin qui sera parcouru par vos lecteurs : en cliquant dessus, ils pourront accéder au document lié qui contient vraisemblablement lui-même un ou plusieurs liens vers un autre pays, un autre sujet, etc. Cliquez sur l'un d'entre eux, et ainsi de suite.

Les capacités géographiques et quantitatives du Web sont illimitées. De nouvelles pages Web voient le jour à chaque instant et développent ainsi la portée de l'Internet. Il est si simple de créer une page Web que de nombreuses personnes sont tentées de le faire. Bien plus nombreuses encore sont celles qui consultent ces pages tous les jours.

Si vous n'avez jamais voyagé sur le Web, cette discussion peut vous sembler un peu matérielle... Mais le Web est une véritable révolution dans le domaine de la publication, il a permis de diffuser des informations dans le monde, rapidement et simplement. Il s'agit d'un moyen simple permettant de diffuser et de se faire connaître dans le monde.

Au travail

Pour écouter un CD, vous devez posséder un lecteur adapté ; si vous voulez regarder une cassette vidéo, vous devez posséder un magnétoscope. Et si vous voulez visualiser une page Web, vous devez utiliser un outil approprié : le navigateur Web.

Clients et serveurs

Si vous utilisez souvent l'Internet, vous entendrez à coup sûr les termes "serveur" et "client". Un serveur est un programme capable de fournir des informations utilisables par un client.

Le monde du Web peut être divisé en deux grands groupes. D'un côté, vous trouvez les serveurs Web qui s'exécutent sur des ordinateurs directement reliés au Net. Chaque serveur est chargé de la gestion d'un ou de plusieurs sites Web, chacun étant composé de pages Web. D'un autre côté, vous trouvez les navigateurs Web qui s'exécutent sur des ordinateurs personnels. Ils interrogent les serveurs et affichent les pages Web demandées.

Deux adversaires se partagent le monde des navigateurs Web. Netscape Navigator représente 60 à 70 % du marché (dans les années précédentes, cette part a avoisiné les 90 %). Il fonctionne sous Windows 3.1, Windows 95 et NT, Macintosh et plusieurs plates-formes UNIX. Depuis la version 4.0, Netscape Navigator fait partie de la suite Netscape Communicator. La Figure 5.1 représente une page Web visualisée dans le navigateur Netscape.

Figure 5.1 : Netscape Navigator, inclus dans la suite Netscape Communicator, est le navigateur Web le plus populaire.

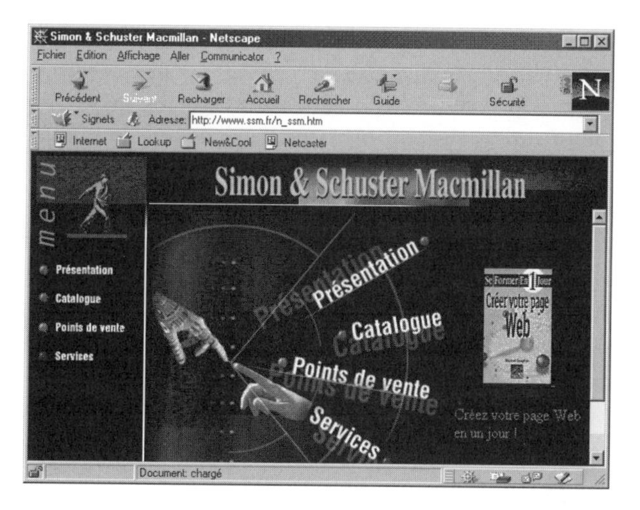

Le deuxième navigateur vedette est Microsoft Internet Explorer (voir Figure 5.2). A l'origine, ce navigateur ne fonctionnait que sous Windows 95 et NT, mais il est maintenant disponible sur Macintosh et Windows 3.1. Ce navigateur occupe les parts de marché restantes, soit près de 30 %. Il y a donc de grandes chances pour que vous utilisiez Netscape Navigator ou Internet Explorer.

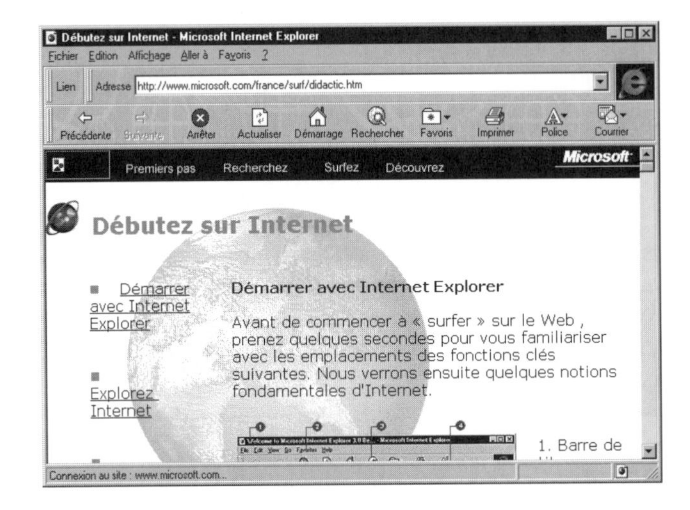

Figure 5.2 : Internet Explorer 4.0, le principal concurrent de Netscape sur le Web.

Comment se procurer un navigateur ?

Quel navigateur devez-vous utiliser ? Si votre fournisseur d'accès vous en a donné un, commencez avec celui-là. Il s'agira certainement de Netscape ou d'Internet Explorer. Aujourd'hui, Internet Explorer a les faveurs des trois plus grands services en ligne : Compuserve, AOL et (bien entendu) Microsoft Network.

Si vous devez vous procurer un navigateur par vos propres moyens, votre choix va dépendre de la plate-forme utilisée :

Sous Windows 95 ou NT, essayez Internet Explorer dans un premier temps (il est le plus souvent livré en série). Vous pourrez expérimenter Netscape par la suite et garder celui qui vous convient le mieux.

Sous Macintosh ou Windows 3.1, commencez par essayer Netscape (bien que la version Macintosh d'Internet Explorer semble prometteuse).

Sous UNIX, un seul choix est possible : Netscape. La version UNIX d'Internet Explorer n'est pas encore disponible.

Si nécessaire, reportez-vous à l'Annexe A pour savoir comment vous procurer Netscape, Internet Explorer ou un autre navigateur Web.

A partir de maintenant, vous êtes supposé posséder un navigateur Web correctement installé et être prêt à l'utiliser. Quel que soit le navigateur en votre possession, vous ne devriez pas avoir beaucoup de mal à adapter les notions qui vont être évoquées ici. En effet, ils travaillent d'une manière similaire et leur aspect est très proche.

La page d'accueil

Lorsque vous lancez le navigateur, il affiche automatiquement une page d'accueil (*home page*).

La page d'accueil doit contenir les liens que vous utilisez le plus souvent. Vous pouvez définir une page d'accueil personnelle en utilisant le langage de description de page des navigateurs : le HTML (voir Chapitre 9). Vous pouvez aussi faire appel à un système qui créera cette page à votre place. Pour en savoir plus, connectez-vous à **http://www.netscape .com/custom/index.html** si vous travaillez avec Netscape, et sur **http://www .msn.com/** si vous travaillez avec Internet Explorer.

Page d'accueil, page de démarrage

Comme on a pu le constater en passant de la version 3.0 à la 4.0 d'Internet Explorer, les programmeurs hésitent sur le terme à utiliser : page de démarrage ou page d'accueil. Cette difficulté vient du souci de bien faire la différence entre la page de garde d'une société qui possède un site Web (NEC, Netscape, etc.) et la page initialement affichée dans le navigateur lors de son ouverture.

Un premier voyage sur le Web

Quel que soit le navigateur utilisé, la page d'accueil contient certainement plusieurs liens qui apparaissent sous la forme de mots soulignés et colorés. Certaines images peuvent aussi être utilisées comme liens. Une seule image peut même contenir plusieurs liens (les liens peuvent être différents selon la partie pointée). Pointez une zone de texte ou une image. Si le pointeur change de forme, il s'agit d'un lien (mais certaines images, qui sont des liens, ne provoquent pas la transformation du pointeur).

Cliquez sur un lien qui vous semble intéressant. Si vous êtes connecté, le navigateur envoie un message à un serveur Web pour lui demander de rapatrier la page correspondante. Si le serveur référence est en service et qu'il n'est pas saturé, le document est transféré et affiché dans le navigateur.

Vous venez de faire connaissance avec la première forme de navigation Web. Lorsqu'un lien vous semble intéressant, il suffit de cliquer dessus pour accéder aux éléments correspondants. Mais comment trouver des informations utiles et intéressantes ? La plupart des navigateurs sont dotés d'une barre de boutons vous renvoyant vers des pages Web essentielles ou sont fournis avec une page d'accueil truffée de bonnes adresses. A titre d'exemple, dans Netscape Navigator 3.0, vous pouvez cliquer sur l'un des boutons suivants dans la barre d'outils :

- **Nouveautés.** Sélection de nouveautés et de sites Web intéressants pour les utilisateurs de Netcape.

Où est passée la barre d'outils ?

*Il est possible de dissimuler et de réafficher la barre de boutons de Netscape avec une commande de menu. Par exemple dans la version 3.0 de Navigator, lancez la commande **Afficher la barre de boutons** dans le menu **Options**. Les commandes diffèrent quelque peu dans les versions précédentes et suivantes de Navigator.*

- **A voir.** Il s'agit de sites Web choisis pour leur utilité.
- **Destinations.** Ici, les sites sont classés par sujet : sports, voyages, technologie, finance, etc.
- **Rechercher.** Ce sont des sites Web qui permettent d'effectuer des recherches sur le sujet qui vous intéresse (voir Chapitre 21).
- **Qui.** Il s'agit de sites pouvant vous aider à rencontrer d'autres internautes.

Dans Netscape Navigator 4.0, cliquez sur le bouton **Liens** pour faire apparaître les options qui viennent d'être énumérées.

Comment le navigateur peut-il connaître l'adresse des liens ?

*Comment le navigateur peut-il associer l'adresse d'un document à celle d'un lien hypertexte ? Vous devez savoir que ce qui s'affiche dans le navigateur n'est qu'une transcription graphique d'un code en mode texte. Lancez la commande **Source du document** dans le menu **Affichage** (ou une commande équivalente) pour afficher le contenu HTML du document courant (un exemple de document source est donné dans le Chapitre 9). Une suite d'instructions ASCII est alors affichée. L'une de ces instructions permet d'associer une adresse à chaque lien hypertexte. La plupart du temps, vous n'aurez pas à vous préoccuper de ces instructions : seule la version du document affichée dans la fenêtre du navigateur vous sera utile.*

La version 3.0 de Netscape est dotée d'une barre d'outils fort utile intitulée "Lien rapide". Cliquez sur l'icône **Lien rapide** dans la barre d'adresses pour l'afficher. Dans cette barre d'outils se trouvent les boutons **Service** et **Aujourd'hui** qui sont de bons points de départ.

Elle donne aussi accès aux liens les plus utiles de la page d'accueil et au bouton **Rechercher** de la barre d'outils principale permettant de contacter des sites de recherche (voir Chapitre 21). Dans Explorer 4.0, les boutons ont changé de nom, mais ils effectuent à peu de chose près les mêmes actions.

Quel que soit le navigateur en votre possession, prenez quelques minutes pour surfer au hasard des liens hypertexte que vous rencontrerez. Si vous vous perdez, nous vous expliquerons comment retrouver votre chemin.

La couleur des liens hypertexte

Certains liens hypertexte changent de couleur lorsque vous cliquez dessus. Vous ne vous en apercevrez certainement pas jusqu'à ce que vous retourniez sur une page déjà affichée. Cet artifice est un moyen efficace pour vous rappeler que vous avez déjà visité la page correspondant à un lien donné. Le changement de couleur n'est pas définitif. Les liens reprennent leur couleur initiale au bout d'un certain temps. En général, ce temps est paramétrable à l'aide d'une commande dans le menu ***Options****.*

Comment s'y retrouver ?

L'hypertexte a beau être un outil fantastique, il a pour inconvénient majeur qu'il est très facile de s'y perdre. Lorsque vous tournez quelques pages dans un livre, il est toujours simple de revenir en arrière, en les tournant simplement dans le sens inverse. Mais sur le Web, après quelques clics, vous ne pouvez souvent plus retourner sur vos pas.

Ces dernières années, plusieurs systèmes ont été développés afin de retrouver son chemin dans les méandres du Web. Le tableau ci-après expose quelques-unes des techniques qui permettent de retrouver les pages précédemment visitées. Elles sont utilisables dans la plupart des navigateurs.

Bouton	Description
Précédent	Le bouton ou la commande de menu **Précédent** (souvent dans le menu **Aller**) affiche la page précédente.
Suivant	Le bouton ou la commande de menu **Suivant** affiche la page à partir de laquelle vous avez fait un retour en arrière.

Bouton	Description
Accueil	Le bouton ou la commande **Accueil** affiche la page d'accueil du navigateur.
Signets	Vous pouvez affecter un signet à chaque page sur laquelle vous pensez revenir par la suite. Il suffit alors de sélectionner ce signet pour réafficher la page correspondante.
Historique	Les pages visualisées sont référencées dans l'historique. Plutôt que d'utiliser plusieurs fois le bouton ou la commande **Précédent**, vous pouvez sélectionner une des entrées de l'historique pour afficher immédiatement la page correspondante.

Signets et historique

Le système de **signets** (appelés *favoris* dans Internet Explorer) et l'historique sont des outils essentiels pour retrouver votre chemin. Pour être efficace, vous devez apprendre à les utiliser. Dans la plupart des navigateurs, il suffit de cliquer sur un bouton ou de sélectionner une commande de menu pour définir un signet. Dans Netscape, lancez la commande **Ajouter un signet** dans le menu **Signets** (Navigator 3) ou appuyez sur le bouton **Signets** puis choisissez **Ajouter un signet** (Navigator 4) pour mémoriser l'adresse de la page courante dans la partie inférieure du carnet d'adresses. Dans Navigator 4, vous pouvez même choisir le dossier dans lequel vous désirez ranger le signet. Dans Internet Explorer, lancez la commande **Ajouter aux favoris** dans le menu **Favoris**. Le dossier dans lequel le site favori est mémorisé peut être librement choisi.

Navigator et Explorer possèdent tous deux un menu et une fenêtre dédiés à la gestion des signets. L'ajout d'un dossier dans la fenêtre crée automatiquement un nouveau sous-menu dans la liste des signets.

Pour ouvrir la fenêtre des signets, lancez la commande **Aller aux signets** dans le menu **Signets** (Navigator 3) ou la commande **Modifier les signets** dans le menu **Signets** (Navigator 4). Dans Internet Explorer, lancez la commande **Organiser les favoris** dans le menu **Favoris**.

A propos de l'historique

Liste intérieure ou extérieure ?

Dans Internet Explorer 2.0, la fenêtre des signets est séparée de celle du navigateur, alors que dans les versions 3.0 et 4.0, elle en fait partie intégrante.

La liste des entrées contenues dans un historique est en perpétuelle évolution. L'historique de Netscape 3.0 n'est pas d'une grande aide : il contient l'adresse de certaines pages visitées (et non de toutes). D'autres navigateurs (y compris Netscape Navigator 4.0) peuvent offrir une liste bien plus conséquente. Internet Explorer par exemple peut mémoriser jusqu'à 3 000 pages (les pages des anciennes sessions font aussi partie de l'historique). La liste peut être affichée dans une fenêtre (voir Figure 5.3), triée par date ou par nom. Vous pouvez même utiliser l'outil de recherche de Windows 95 pour retrouver une page particulière. Il suffit alors de double-cliquer sur cette entrée pour l'afficher dans le navigateur.

Quel que soit le navigateur utilisé, l'historique est relativement simple d'emploi : dans Netscape et Internet Explorer 3.0, il suffit de sélectionner une entrée dans le menu **Aller à**. Dans Internet Explorer 2.0, les entrées de l'historique se trouvent dans le menu **Fichier**. Si vous le préférez, vous pouvez aussi ouvrir la fenêtre de l'historique. Dans Internet Explorer 3.0 ou 4.0, lancez la commande **Ouvrir le dossier historique** dans le menu **Aller à** (la commande est **Historique** dans le menu **Fichier** pour la version 2.0 d'Internet Explorer). Dans Netscape, lancez la commande **Historique** dans le menu **Fenêtre** (dans certaines versions de Communicator 4.0, la commande est **Historique** dans le menu **Communicator**).

L'historique de Navigator 4.0 permet de retrouver les pages Web qui ont été visitées plusieurs jours, voire plusieurs semaines auparavant. La liste indique même depuis combien de temps vous n'avez pas visité les pages et combien de fois vous les avez visitées.

Nouvelle fonctionnalité dans l'historique

*Les versions 4.0 d'Internet Explorer et de Netscape Navigator possèdent une caractéristique intéressante : il est possible d'utiliser les boutons **Précédent** et **Suivant** pour naviguer dans l'historique. Dans Navigator, pointez l'un de ces deux boutons et maintenez la touche gauche de la souris enfoncée. Dans Internet Explorer, cliquez à droite sur l'un de ces deux boutons. Dans les deux cas, la liste des liens visités est affichée au niveau du pointeur.*

Historique

Fichier Edition Affichage Communicator ?

le titre	l'adresse	la première ...	la dernière con	l'expiration	le nom...
3DFX Attack - Patch...	file:///C|/3DFX/3DFX-12....	Il y a moins d'...	Il y a moins d'...	24/9/1997 1...	2
Répertoire de /pub/...	file:///C|/arcade_cdrom_...	Il y a moins d'...	Il y a moins d'...	24/9/1997 1...	2
SSM Page menu ac...	http://www.ssm.fr/accuei...	Il y a 1 heures	Il y a 1 heures	1/8/1997 16:...	2
SSM	http://www.ssm.fr/bande...	Il y a 1 heures	Il y a 1 heures	1/8/1997 16:...	2
SSM Menu navigation	http://www.ssm.fr/menu/...	Il y a 1 heures	Il y a 1 heures	1/8/1997 16:...	1
Simon & Schuster M...	http://www.ssm.fr/n_ssm...	Il y a 1 heures	Il y a 1 heures	1/8/1997 16:...	1
Simon & Schuster M...	http://www.ssm.fr/	Il y a 1 heures	Il y a 1 heures	1/8/1997 16:...	2
Yahoo! France Résu...	http://search.yahoo.fr/se...	Il y a 1 heures	Il y a 1 heures	1/8/1997 16:...	1
Yahoo! France	http://www.yahoo.fr/	Il y a 1 heures	Il y a 1 heures	1/8/1997 16:...	1
La Page 3DFX du G...	file:///C|/3DFX/3DFX-11....	Il y a moins d'...	Il y a 7 jours	25/7/1997 2...	3
Zone 3DFX (les proc...	file:///C|/3DFX/3DFX-10....	Il y a moins d'...	Il y a 7 jours	25/7/1997 2...	2
Zone 3DFX (les cart...	file:///C|/3DFX/3DFX-9.h...	Il y a moins d'...	Il y a 7 jours	25/7/1997 2...	3
Zone 3DFX (les jeux)	file:///C|/3DFX/3DFX-7.h...	Il y a moins d'...	Il y a 7 jours	25/7/1997 2...	3
NikoWeb : la 3DFX ...	file:///C|/3DFX/3DFX-6.h...	Il y a moins d'...	Il y a 7 jours	25/7/1997 2...	2
3dfx main et news	file:///C|/3DFX/3DFX-5.h...	Il y a moins d'...	Il y a 7 jours	25/7/1997 2...	2
Killer's 3dfx release d...	file:///C|/3DFX/3DFX-4.h...	Il y a moins d'...	Il y a 7 jours	25/7/1997 2...	2
Killer's 3dfx release d...	file:///C|/3DFX/3DFX-3.h...	Il y a moins d'...	Il y a 7 jours	25/7/1997 2...	2
3Dfx Interactive, Inc.	file:///C|/3DFX/3DFX-2.h...	Il y a moins d'...	Il y a 7 jours	25/7/1997 2...	2
3Dfx Interactive, Inc.	file:///C|/3DFX/3DFX-1.h...	Il y a moins d'...	Il y a 7 jours	25/7/1997 2...	3

Netscape

Figure 5.3 : L'historique de Navigator 4.0.

Liaison directe avec un URL

Vous avez pu remarquer ce terme plus haut. Un URL est l'adresse d'une page Web, comme **http://www.msn.com/** ou encore **http://www.netscape.com/**. Il donne accès à une page Web particulière. Plutôt que de cliquer sur des liens hypertexte pour tenter de localiser une page, il est possible d'entrer son URL.

URL

URL est l'abréviation de Uniform Ressource Locator qui désigne les adresses utilisées sur le Web.

La plupart des navigateurs sont dotés d'une barre (généralement dans la partie supérieure de la fenêtre) dans laquelle vous pouvez taper l'adresse du site à visiter. Dans Netscape, lancez la commande **Afficher l'adresse** dans le menu **Options** ou la commande **Afficher la barre d'outils d'adresse** dans le menu **Affichage** pour afficher la barre **Adresse** (les commandes diffèrent en fonction de la version de Navigator utilisée). Dans Internet Explorer, lancez la commande **Barre d'outils** dans le menu **Affichage**. Il suffit maintenant de cliquer dans la zone de texte, d'entrer l'adresse URL et de valider au moyen de la touche **Entrée**.

Si vous ne souhaitez pas que la barre **Adresse** soit affichée en permanence (cette barre consomme une place non négligeable sur l'écran), vous pouvez la désactiver. En général, il est toujours possible d'afficher une boîte de dialogue pour saisir une adresse URL en utilisant un raccourci-clavier. Dans Netscape, appuyez sur **Ctrl-L** ou sur **Ctrl-O** (en fonction de la version utilisée). Dans Internet Explorer, lancez la commande **Ouvrir** dans le menu **Fichier** ou appuyez sur **Ctrl-O**. Entrez l'URL dans la boîte de dialogue, comme vous l'auriez fait dans la barre **Adresse** et validez.

Vous avez dit URL ?

Nous allons maintenant examiner les diverses composantes d'un URL en prenant pour exemple :

http://www.microsoft.com/isapi/msdownload/new2.html

http://	Ce préfixe indique au navigateur qu'il s'agit d'une page Web. D'autres préfixes existent pour les sites FTP et les menus Gopher. **http** (*HyperText Transfer Protocol*) est le protocole utilisé sur l'Internet pour transférer des pages Web.
www.microsoft.com/	Ce nom représente le nom de l'ordinateur hôte (l'ordinateur sur lequel se trouvent les fichiers du site Web que vous souhaitez visiter).
isapi/msdownload/	Ce nom correspond au répertoire du serveur dans lequel se trouve le fichier Web demandé. Très souvent, plusieurs niveaux de répertoires sont précisés. Dans cet exemple, **msdownload** est un sous-répertoire du répertoire **isapi**.
new2.html	Il s'agit du nom de la page Web requise. Ce nom se termine généralement par le suffixe **.htm** ou **.html** (*HyperText Markup Language*) qui désigne le langage utilisé pour créer des pages Web. Dans certaines adresses, le nom de la page Web n'est pas spécifié. En règle générale, le serveur Web envoie alors la page par défaut du répertoire spécifié.

Vous voyez qu'un URL n'est pas aussi complexe qu'il peut y paraître au premier abord. Il indique seulement au navigateur la localisation précise du fichier auquel vous désirez accéder. Il existe plusieurs types d'URL. Chacun est identifié par un préfixe (protocole) différent. Les URL de toutes les pages Web commencent par **http://**. Le tableau ci-après liste quelques autres protocoles que vous serez amené à rencontrer sur le Net.

Préfixe	Description
gopher://	Adresse d'un site Gopher (voir Chapitre 16)
ftp://	Adresse d'un site FTP (voir Chapitre 14)
news:	Adresse d'un groupe de nouvelles (voir Chapitre 11). Remarquez que le préfixe ne se termine pas par les "//" habituels.
mailto:	Lorsque vous utilisez ce préfixe, le programme de messagerie du navigateur s'ouvre pour que vous puissiez saisir un courrier. Les auteurs de page Web créent parfois des liens comportant le préfixe **mailto:** afin que les personnes qui le désirent puissent leur envoyer facilement un courrier.
telnet://	Adresse d'un site Telnet (voir Chapitre 20).
tn3270://	Adresse d'un site tn3270. Ces sites sont comparables aux sites Telnet. Vous aurez plus de détails à leur sujet en consultant le Chapitre 20.
wais://	Adresse d'un site WAIS. Il s'agit d'une base de données permettant d'effectuer des recherches. Ce type de site est très peu fréquenté. De plus il n'est que très rarement utilisable dans les navigateurs courants.

Oubliez les préfixes

*La plupart des navigateurs actuels (dont Netscape et Internet Explorer) autorisent l'omission du préfixe **http://**. Si nécessaire, ce dernier est automatiquement ajouté à l'URL. De la même manière, si le nom du site commence par **gopher** ou par **ftp**, vous pouvez vous abstenir d'entrer les préfixes **gopher://** et **ftp://**. Dans certains navigateurs, vous pouvez omettre les éléments **www** et **com**. Par exemple, dans Netscape Navigator, vous pouvez entrer simplement **mcp** et appuyer sur la touche **Entrée** pour accéder au site **http://www.mcp.com** (ce type de raccourci ne fonctionne que dans le cas où le suffixe du site est **.com**). La version 4.0 d'Internet Explorer et de Navigator mémorise les URL saisis et complète automatiquement les nouveaux URL pendant la frappe lorsque cela est possible.*

Que trouverez-vous sur le Web ?

Lorsque vous surferez sur le Web, vous trouverez bien entendu de nombreux documents texte. Mais aussi des données d'un autre type comme :

- **Des images.** Les images peuvent faire partie d'un document ou exister indépendamment. Parfois, lorsque vous cliquez sur un lien, une image (et non un document texte) est transmise à votre navigateur.
- **Des formulaires.** Aujourd'hui, la plupart des navigateurs sont capables d'afficher des formulaires. En d'autres termes, il est possible d'envoyer des données à un site pour vous faire connaître, vous inscrire à un service, rechercher des données, jouer, etc.
- **Des sons.** La plupart des navigateurs sont en mesure de jouer des sons (voix et musique). De nombreux sites Web en contiennent. Par exemple, l'IUMA (Internet Underground Music Archive) donne accès à un grand choix de séquences musicales.
- **Des fichiers.** Vous trouverez de nombreux sites Web à partir desquels télécharger des fichiers (sharewares, démonstrations et documents de toute sorte). Il suffit d'un clic pour lancer le transfert.
- **Multimédia et autres objets.** Il existe des données de tout type sur le Web : des images 3D, des animations, des fichiers hypertexte Acrobat PDF, des vidéos, des galeries virtuelles, des images de chimie 2D et 3D, etc. Cliquez sur un lien pour démarrer le transfert. Si le logiciel approprié est installé, le fichier téléchargé est automatiquement affiché ou joué. A titre d'exemple, la Figure 5.4 représente une image qui peut être vue sous tous les angles. (Reportez-vous aux Chapitres 7 et 8 pour en apprendre un peu plus sur ce type d'images et sur le multimédia.)

Voyager plus vite en limitant l'affichage graphique

Pour être intéressant, le Web se doit d'être rapide. Les premiers navigateurs n'étaient capables d'afficher que des documents texte, et les transactions étaient très rapides. Aujourd'hui, elles le sont beaucoup moins. Les enrichissements (sons, images, vidéos, etc.) ralentissent sensiblement le processus. S'il est vrai que les vidéos sont très lentes à charger, le danger vient plutôt des images fixes, car la plupart des sites en contiennent.

Pratiquement tous les navigateurs permettent d'interdire l'affichage des images. Dans Netscape Navigator, par exemple, lancez la commande **Autochargement des images** dans

Figure 5.4 : Vous pouvez faire le tour de la voiture ainsi qu'en afficher une vue supérieure ou inférieure.

le menu **Options** et désélectionnez-la. Dans la version 4.0 de Netscape Navigator, lancez la commande **Préférences** dans le menu **Edition**. Choisissez la catégorie **Avancées** et désélectionnez la case **Charger les images automatiquement**. L'affichage des pages sera sensiblement accéléré.

Bien entendu, il est parfois nécessaire de visualiser certaines images. La plupart sont associées à des liens qu'il suffit de cliquer pour les voir s'afficher. Sur certaines pages Web, une information texte apparaît à la place des images lorsqu'elles ne sont pas affichées. D'autres pages sont totalement inexploitables si l'affichage des images est désactivé. Cependant, vous pouvez en général obtenir rapidement l'image souhaitée. Une petite icône est affichée à l'endroit de l'image.

Dans Netscape, faites un clic droit sur cette icône et lancez la commande **Afficher l'image**. Vous pouvez aussi cliquer sur le bouton **Charger les images** dans la barre d'outils pour charger la totalité des images de la page. Dans Internet Explorer, vous pouvez désactiver l'affichage des images et l'émission des sons dans la boîte de dialogue **Options**. Lancez la commande **Options** dans le menu **Affichage** et sélectionnez l'onglet **Général**. Pour afficher une image lorsque l'option **Afficher les images** est désactivée, faites un clic droit sur son emplacement et sélectionnez **Afficher l'image**.

Il reste beaucoup à dire

De nombreuses choses restent à dire sur le Web. Dans les chapitres suivants, vous en apprendrez un peu plus et vous verrez comment créer vos propres pages.

Résumé

- Le World Wide Web est un système hypertexte géant qui relie des documents Internet.
- Les deux principaux navigateurs sont Netscape et Microsoft Internet Explorer.
- La page d'accueil (parfois appelée page de démarrage dans Internet Explorer) est systématiquement affichée au lancement du navigateur.
- Cliquez sur un lien dans un document pour afficher un autre document. Pour retrouver votre chemin, utilisez les boutons **Précédent** et **Accueil**.
- L'historique est une liste des pages visitées. Dans Netscape 3.0, seules quelques-unes des pages visitées dans la session courante sont listées. Dans d'autres navigateurs, y compris dans la version 4.0 de Netscape Navigator, toutes les pages visitées dans la session courante et dans les sessions précédentes sont listées.
- Un URL est une "adresse" Web. Vous pouvez entrer un URL pour charger directement la page correspondante.

INTERNET

Chapitre 6

Navigation avancée sur le Web

Dans ce chapitre

- Ouvrir plusieurs sessions Web
- Ouvrir les fichiers HTML stockés sur votre disque dur
- Le fonctionnement du cache
- Recherches dans un document et utilisation du bouton droit de la souris
- Le Web et le Presse-papiers
- Enregistrer des images, des documents et des fichiers

Vous connaissez maintenant les manipulations de base. Vous voilà prêt à apprendre de nouvelles techniques qui vous aideront à trouver ce que vous recherchez sur le Web. Dans le chapitre précédent, vous avez appris à voyager dans le Web en utilisant un navigateur tel que Netscape Navigator ou Internet Explorer. Dans ce chapitre, vous apprendrez à exécuter simultanément plusieurs sessions Web, à utiliser le cache disque, à sauvegarder les éléments affichés dans le navigateur, etc. Les méthodes qui vont être décrites sont essentielles pour travailler efficacement sur le Web.

Plusieurs fenêtres dans le navigateur

Aujourd'hui, la plupart des navigateurs autorisent l'ouverture simultanée de plusieurs sessions. Les raisons qui peuvent motiver un tel choix sont multiples. Comme tout le monde, vous êtes certainement pressé. Pourquoi attendriez-vous l'affichage d'une image alors que vous pourriez faire autre chose en même temps ? Il peut aussi être nécessaire d'accéder à des informations situées sur un site sans effacer la page actuelle qui correspond à un autre site (il est vrai que vous pourriez utiliser le carnet d'adresses ou l'historique, mais il est parfois plus simple d'ouvrir deux fenêtres).

Figure 6.1 : Pour 'éviter de vous égarer ou pour faire plusieurs choses à la fois, n'hésitez pas à ouvrir plusieurs fenêtres.

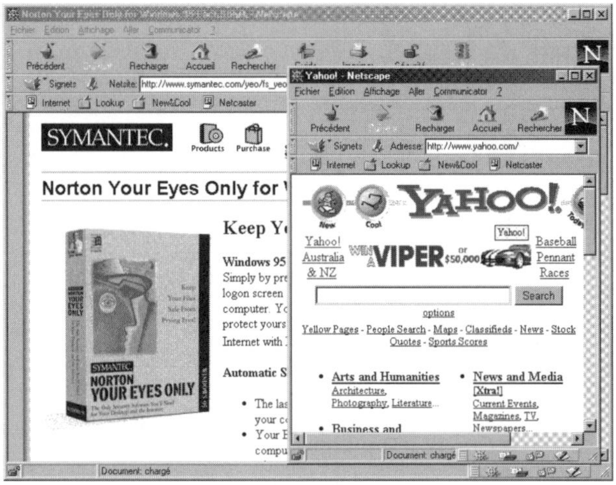

La méthode permettant d'ouvrir plusieurs fenêtres peut varier d'un navigateur à l'autre. Voici la façon de procéder dans les deux navigateurs les plus courants : Netscape et Internet Explorer.

Dans Netscape, deux méthodes sont possibles :

- Faites un clic droit sur le lien qui doit faire l'objet d'une nouvelle fenêtre et choisissez **Ouvrir** dans la nouvelle fenêtre. Une nouvelle fenêtre est ouverte et le document correspondant y est affiché.
- Lancez la commande **Nouveau navigateur Web** dans le menu **Fichier** (ou **Nouveau/Fenêtre de Navigator** dans le menu **Fichier**) ou appuyez sur **Ctrl-N** pour afficher la page d'accueil dans une nouvelle fenêtre.

Dans Internet Explorer, plusieurs méthodes sont possibles :

- Faites un clic droit sur le lien qui doit faire l'objet d'une nouvelle fenêtre et choisissez **Ouvrir dans nouvelle fenêtre**. Une nouvelle fenêtre est ouverte et le document correspondant y est affiché.
- Appuyez sur la touche **Tab** jusqu'à ce que le lien souhaité soit sélectionné, puis appuyez sur **Maj-Entrée**.
- Lancez la commande **Nouvelle fenêtre** dans le menu **Fichier** ou appuyez sur **Ctrl-N** pour afficher une nouvelle fenêtre contenant le même document que celui que vous êtes en train de visualiser.
- Entrez un URL dans la zone **Adresse**, puis appuyez sur **Maj-Entrée** pour afficher le document correspondant dans une nouvelle fenêtre.

Il se peut que vous rencontriez quelques problèmes en exécutant plusieurs sessions du navigateur. Chaque session utilise une portion de mémoire centrale qui lui est propre, tant et si bien que vous pourrez manquer de mémoire pour exécuter plusieurs sessions simultanément. D'autre part, la vitesse de votre modem est limitée. Si vous ouvrez plusieurs sessions simultanément, la vitesse de chargement globale ne pourra excéder celle de votre modem.

Ouverture automatique de plusieurs sessions

*Dans certains cas, une fenêtre secondaire peut être ouverte sans votre avis. Par exemple, si dans Netscape vous remarquez que le bouton **Précédent** est grisé, cela peut signifier que lorsque vous avez précédemment sélectionné un lien, une fenêtre secondaire a été ouverte sans que vous le remarquiez. Certains auteurs de pages Web utilisent des codes HTML qui forcent l'ouverture d'une autre fenêtre dans le navigateur.*

Votre disque dur comme serveur Web

Si vous passez du temps sur le Web, certaines pages finiront immanquablement sur votre disque dur. Comme nous le verrons plus loin, ces pages sont stockées dans le cache. Vous pouvez aussi les sauvegarder en utilisant la commande **Enregistrer sous** dans le menu **Fichier**. Enfin, vous pouvez créer vos propres pages Web (voir Chapitre 9). Quelle que soit leur provenance, ces pages peuvent être affichées dans votre navigateur.

Dans Internet Explorer, lancez la commande **Ouvrir** dans le menu **Fichier**. Dans la boîte de dialogue affichée, cliquez sur le bouton **Parcourir**. Une classique boîte de dialogue d'ouverture est affichée. Il suffit de sélectionner le fichier de votre choix pour l'ouvrir.

HTM ou HTML ?

En fonction du type de plate-forme utilisée, l'extension des fichiers HTML peut être .HTM ou .HTML. A l'origine, le Web a été développé pour des machines UNIX sur lesquelles les fichiers HTML avaient l'extension .HTML. Plus tard, lorsque des serveurs fonctionnant sous Windows 3.1 ont débarqué sur le Web, l'extension .HTM est apparue (Windows 3.1 n'accepte pas plus de trois caractères pour l'extension). Aujourd'hui, les deux types d'extension sont aussi courants. Même si Windows 95 supporte les extensions sur quatre caractères, tous les navigateurs Windows n'en sont pas encore là. De nombreuses machines fonctionnant sous Windows 3.1 servent encore à créer des pages Web.

Voici une astuce intéressante : si vous connaissez le nom complet du fichier à ouvrir, tapez-le dans la zone **Adresse**. Vous taperez, par exemple, **c:/Program Files/Netscape/Navigator/ownweb.htm**. Cette méthode fonctionne aussi bien dans Netscape que dans Internet Explorer. Dans certains navigateurs cependant, vous devrez utiliser une notation plus formelle : **file:///C|/Program Files/Netscape/Navigator/ownweb.htm**. Remarquez que le nom du fichier est précédé par **file:///** et que les deux points après le nom du disque sont remplacés par une barre verticale.

Chargement rapide avec le cache

Les navigateurs sont dotés d'un outil qui accélère sensiblement le chargement des pages. Avez-vous remarqué que lorsque vous retournez à un document Web précédemment affiché, ce dernier apparaît bien plus vite ? Cela vient du fait que les informations ne sont pas lues sur l'Internet. Elles proviennent de votre disque dur ou de la mémoire centrale. Cette fonctionnalité est pratique, car elle accélère réellement l'affichage dans le navigateur. Pourquoi rechargeriez-vous une page sur l'Internet alors qu'elle se trouve déjà sur votre disque dur ? Vous verrez qu'il est parfois nécessaire de recharger certaines pages. Vous en saurez plus à ce sujet lorsque nous parlerons de la commande **Recharger**.

Slash ou antislash ?

Les ordinateurs UNIX utilisent le slash (/) comme séparateur de répertoires alors que les ordinateurs DOS utilisent l'antislash (\). Comme à l'origine le Web a été développé sur des machines UNIX, le séparateur utilisé dans les URL est un slash. L'expression ***c:/Program Files/Netscape/Navigator/ownweb.htm*** *est donc correcte, même si elle devrait apparaître sous la forme* ***c:\Program Files\Netscape\Navigator\ownweb.htm*** *en notation MS-DOS. Sachez cependant que les deux notations peuvent être utilisées dans Netscape comme dans Internet Explorer.*

Lorsque le navigateur charge une page Web, il la copie dans le cache. Dans la plupart des navigateurs, la taille du cache peut être librement choisie (c'est le cas de Netscape et d'Internet Explorer). Lorsque le cache est plein, les données les plus anciennes sont effacées au profit des nouvelles arrivantes.

Chaque fois que vous demandez au navigateur de charger une nouvelle page, il examine son cache pour voir si la page ne s'y trouve pas. Si elle s'y trouve, son accès est bien plus rapide.

Le cache en pratique

Il paraît logique de vouloir profiter des avantages offerts par le cache. Dans Netscape Navigator 2 ou 3, vous lancerez la commande **Préférences du réseau** dans le menu **Options** pour le configurer. Dans Navigator 4, lancez la commande **Préférences** dans le menu **Edition**, ouvrez la catégorie **Avancées** et cliquez sur l'entrée **Cache**. La boîte de dialogue de la Figure 6.2 correspond au paramétrage du cache dans Netscape.

Initialisez les paramètres de cette boîte de dialogue selon vos souhaits :

- **Cache en mémoire.** Ce paramètre correspond à la taille du cache en mémoire centrale (RAM). Les documents stockés dans cette mémoire sont retrouvés très rapidement. Le bouton **Effacer le cache en mémoire** permet d'en effacer le contenu actuel.
- **Cache sur disque.** Ce paramètre correspond à la taille du cache sur votre disque dur. Quelle taille devez-vous indiquer ? Cela dépend essentiellement de l'espace disponible sur votre disque dur. Le bouton **Effacer le cache sur disque** permet d'en effacer le contenu actuel.
- **Répertoire du cache sur disque.** Ce paramètre spécifie le répertoire dans lequel Netscape stockera le cache disque. Si votre ordinateur contient plusieurs disques, placez le cache sur le plus rapide d'entre eux ou sur celui offrant le plus d'espace libre.

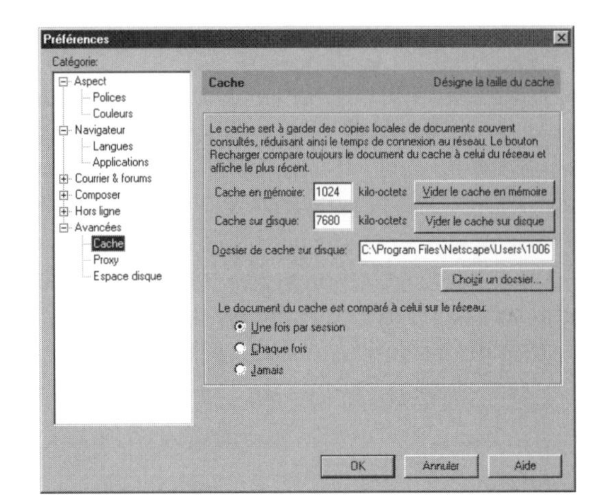

Figure 6.2 : Utilisez cette boîte de dialogue pour paramétrer le cache.

- **Vérifier les documents.** Lorsque vous cliquez sur un lien pour charger un nouveau document, Netscape peut envoyer un message au serveur en disant à peu près ceci : "Ce document a-t-il changé depuis la dernière fois que je l'ai chargé ?" Dans l'affirmative, Netscape rapatrie la nouvelle version du document. Si le document n'a pas changé, il est lu dans le cache. Si vous choisissez l'option **Une fois par session**, Netscape pose la question au premier chargement du document et s'abstient les autres fois. Si vous choisissez l'option **Chaque fois**, la question est posée à chaque chargement du document, même si ce dernier a déjà été affiché dans la session courante. Enfin, si vous choisissez l'option **Jamais**, la question ne sera jamais posée, à moins que vous ne cliquiez sur le bouton **Recharger**.
- **Permettre la mise en page permanente des pages récupérées via SSL.** Cette possibilité n'est disponible que dans les anciennes versions de Netscape. Elle est en rapport avec les transactions sécurisées. Le terme **SSL** signifie *Secure Socket Level*. Les navigateurs Web peuvent crypter certaines informations échangées avec un serveur afin d'éviter leur détournement (reportez-vous au Chapitre 4 pour avoir plus d'informations sur le cryptage des données). Lorsque cette case est décochée, les informations sécurisées sont placées dans le cache.

Le cache disque

La taille du cache disque est une limite supérieure. Si vous avez choisi une taille de 30 Mo, un fichier de 30 Mo ne sera pas systématiquement créé : cette taille sera atteinte au fur et à mesure de vos connexions, dans la mesure où le disque contient assez d'espace.

Internet Explorer utilise un système comparable. Lancez la commande **Options** dans le menu **Affichage**, sélectionnez l'onglet **Avancées** et appuyez sur le bouton **Paramètres** pour afficher les paramètres relatifs au cache. La Figure 6.3 représente le paramétrage par défaut d'Internet Explorer.

Les trois options, dans la partie supérieure de la boîte de dialogue, permettent d'indiquer au navigateur la fréquence de vérification des pages Web : à chaque visite de la page, chaque fois que vous démarrez Internet Explorer ou jamais.

La modification de la taille du cache se fait à l'aide d'un curseur qui indique le pourcentage du disque utilisable et non la taille du cache en Mo. Le cache peut être vidé en appuyant sur le bouton **Vider le dossier**. Vous pouvez aussi choisir l'emplacement du cache en appuyant sur le bouton **Déplacer dossier**. Internet Explorer offre un plus par rapport à Netscape : le bouton **Visualiser fichiers** permet d'afficher la liste des fichiers se trouvant dans le cache. Pour ouvrir un de ces fichiers, il suffit de double-cliquer dessus.

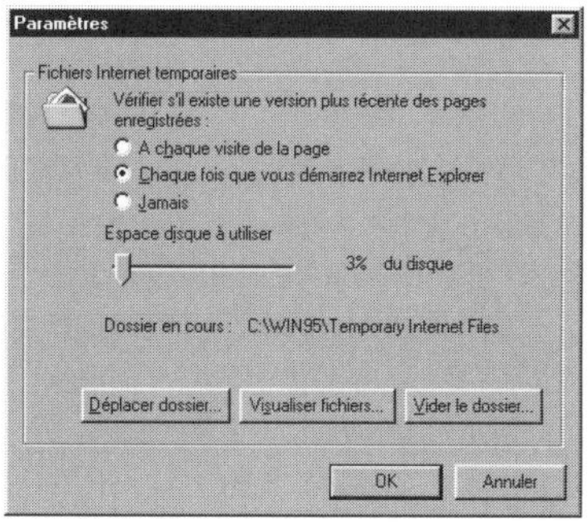

Figure 6.3 : Internet Explorer permet de modifier la taille du cache et de visualiser directement les fichiers qui le composent.

Quelle option devez-vous choisir ?

L'option **Jamais** est un bon choix, car elle accélère l'affichage. Lorsque vous demandez au navigateur d'afficher une page se trouvant dans le cache, cette dernière est directement lue sur le disque dur, sans qu'aucun message de vérification ne soit envoyé au serveur. Le simple fait de vérifier (et non de recharger) la page peut diminuer sensiblement les performances du navigateur.

Si la page doit être rechargée, il est toujours temps d'appuyer sur le bouton **Actualiser** (Internet Explorer) ou **Recharger** (Netscape). Quelques internautes préfèrent choisir l'option **Chaque fois que vous démarrez Internet Explorer** pour s'assurer que la page affichée est bien celle qui réside sur le serveur.

Quelle est la fonction du bouton Actualiser (ou Recharger) ?

Dans certains cas, il peut être nécessaire de recharger une même page. Le bouton **Actualiser** (ou **Recharger**) désactive le cache sur la page courante. Si vous lisez une page sur le cache, il se peut que sa version diffère de celle qui se trouve sur le serveur. Dans certains cas, cela peut être gênant.

Supposons par exemple que vous désiriez retourner sur un site visité plusieurs semaines auparavant. Si la taille de votre cache est suffisante, ce document peut encore s'y trouver. Si vous avez sélectionné l'option **Jamais** dans la boîte de dialogue relative au cache disque, le navigateur affiche l'ancienne version du document, sans vérifier s'il a changé sur le site. Le contenu de certaines pages change rapidement. C'est le cas des pages relatives aux cotations boursières. Une page visualisée quelques minutes auparavant peut déjà ne plus être d'actualité.

Pour mettre à jour ce type de pages, la solution consiste à les recharger. Dans Internet Explorer, cliquez sur le bouton **Actualiser** ou lancez la commande **Actualiser** dans le menu **Affichage**. Dans Netscape, appuyez sur le bouton **Recharger** ou lancez la commande **Recharger** dans le menu **Affichage**. Ce bouton ou cette commande obligent le navigateur à charger la nouvelle version de la page sans tenir compte du cache.

Vous rencontrerez parfois la commande **Recharger le cadre** dans le menu **Affichage** qui permet de ne recharger qu'un seul des cadres du document. Vous en apprendrez plus sur les cadres en vous reportant au Chapitre 7. Netscape Navigator 4.0 est doté d'une commande **Recharger** évoluée. En maintenant la touche **Maj** enfoncée, lancez la commande **Recharger** dans le menu **Affichage**. Vous serez ainsi assuré que la totalité de la page sera rechargée (dans certains cas, les pages contenant un formulaire et/ou un script ne sont pas convenablement rechargées par les moyens conventionnels).

Les documents longs

Certaines pages Web contiennent parfois plusieurs centaines de lignes de texte. Dans ce cas, il n'est pas rare de trouver des liens internes au début du document qui renvoient vers les diverses sections du document. De nombreux auteurs de pages Web préfèrent placer un texte conséquent dans une seule page plutôt que de créer de nombreuses pages de petite taille. La raison est simple : lorsque vous avez rapatrié le document long, l'utilisation des liens internes est quasi-instantanée, contrairement à ce que vous auriez obtenu si le document avait été éclaté en plusieurs documents de petite taille.

La plupart des navigateurs donnent accès à la commande **Rechercher** (généralement dans le menu **Edition**) ou au bouton **Rechercher**. La commande de recherche d'Internet Explorer est **Rechercher** dans le menu **Edition**. Cette commande lance une recherche dans le document courant et non sur le Web. Elle doit donc être différenciée du bouton **Rechercher** dans la barre d'outils. Vous en saurez plus sur les outils de recherche en consultant le Chapitre 21.

N'oubliez pas la commande Rechercher

*La commande **Rechercher** peut s'avérer très utile pour localiser un terme particulier dans un long menu Gopher (voir Chapitre 16), dans un listing FTP (voir Chapitre 14) ou dans un document Web de grande taille.*

La commande **Rechercher** est comparable à celle des autres applications (traitement de texte, tableur, etc.). Cliquez sur le bouton **Rechercher** (Netscape) ou lancez la commande **Rechercher** dans le menu **Edition**. Entrez le texte recherché, cochez si nécessaire la case **Respecter la casse** puis appuyez sur le bouton **Suivant** pour lancer la recherche. Le premier mot ou groupe de mots correspondant est alors affiché dans la partie supérieure de la fenêtre.

N'oubliez pas le clic droit

N'oubliez pas qu'il est possible de faire un clic droit sur les éléments affichés dans le navigateur (aussi bien dans Netscape que dans Internet Explorer) pour accéder à de nombreuses commandes bien pratiques. Les souris utilisées sur Macintosh ne comportent qu'un seul bouton, mais, en le maintenant enfoncé, un menu contextuel est affiché dans le navigateur. Expérimentez par exemple cette technique sur des images ou sur l'arrière-plan. Vous aurez alors accès à des commandes du type suivant :

- **Créer le raccourci** ou **Copier l'adresse du lien.** Place l'URL de l'objet dans le Presse-papiers.
- **Ouvrir.** Ouvre le document correspondant, comme si vous aviez cliqué sur le lien.
- **Ouvrir dans une nouvelle fenêtre.** Ouvre une nouvelle fenêtre et y place le document référence.
- **Enregistrer la cible sous** ou **Enregistrer le lien sous.** Charge le document correspondant et le sauvegarde sur votre disque dur sans l'afficher dans le navigateur.
- **Ajouter aux favoris** ou **Ajouter un signet.** Place le lien référence dans le carnet d'adresses.

Ces commandes ne sont pas les seules disponibles. Vous en trouverez aussi pour vous déplacer dans des documents multicadres, sauvegarder des images et des fonds d'écran, affecter une image au papier-peint de Windows, ajouter un papier peint à Windows, envoyer une page Web dans un courrier électronique, etc.

Que sauvegarder et comment ?

Vous pouvez sauvegarder de nombreuses choses en provenance du Web. La plupart des navigateurs fonctionnent d'une manière semblable, même si certains offrent quelques possibilités supplémentaires. Voici un échantillon de ce que vous pourrez sauvegarder sur votre disque dur :

- **Des documents au format texte.** Vous pouvez placer une copie du texte contenu dans le navigateur dans le Presse-papiers et coller ce dernier dans une autre application Windows. Il est aussi possible d'utiliser la commande **Enregistrer sous** dans le menu **Fichier**. Le texte peut alors être sauvegardé au format HTML ou au format texte seul, c'est-à-dire sans les codes propres au langage HTML (voir Chapitre 9).

Copyright

Avant d'utiliser pour votre propre compte des données téléchargées sur le Web, assurez-vous qu'elles ne sont soumises à aucun copyright.

- **Des documents HTML.** Les documents affichés dans le navigateur sont écrits en HTML (HyperText Markup Language). Ils contiennent des codes propres au langage dont les principaux seront étudiés dans le Chapitre 9. Pour sauvegarder les pages HTML que vous allez créer, vous lancerez la commande **Enregistrer sous** dans le menu **Fichier**.
- **Des documents HTML ou des textes qui n'ont même pas été visualisés.** Il n'est pas nécessaire de visualiser une page pour la sauvegarder sur disque. Faites un clic droit sur le lien correspondant et sélectionnez **Enregistrer la cible sous** ou **Enregistrer le lien sous**.
- **Des images.** Les images affichées dans une page Web peuvent être sauvegardées sur disque. Faites un clic droit sur l'image à sauvegarder et choisissez **Enregistrer l'image sous** ou **Enregister la cible sous**.
- **L'arrière-plan du document.** Internet Explorer permet de sauvegarder l'image utilisée pour créer l'arrière-plan graphique de certaines pages Web. Faites un clic droit sur l'arrière-plan et sélectionnez **Enregistrer le fond sous**.

- **Créer un papier peint.** Internet Explorer permet d'utiliser une image ou un arrière-plan comme papier peint Windows. Faites un clic droit sur l'image ou sur le papier peint et sélectionnez **Etablir en tant que papier peint**.
- **Copier une image dans le Presse-papiers.** Faites un clic droit sur l'image ou sur l'arrière-plan et sélectionnez **Copier** ou **Copier le fond**.
- **Imprimer le document.** La plupart des navigateurs sont dotés de la commande **Imprimer** dans le menu **Fichier**, voire du bouton **Imprimer** dans la barre d'outils. Dans ce cas, il n'est pas rare de trouver une commande de mise en page permettant de définir la taille des marges, l'en-tête et le pied de page.
- **Sauvegarder un URL dans le Presse-papiers.** Il est possible de placer un URL dans le Presse-papiers de façon à le copier dans une autre application. Vous pouvez copier l'URL à partir de la zone **Adresse**. Vous pouvez aussi faire un clic droit sur un lien et sélectionner **Copier le raccourci** ou **Copier l'adresse du lien**. Certaines versions de Netscape permettent aussi de faire glisser un URL sur un autre document pour copier l'adresse correspondante.
- **Capturer des fichiers depuis le cache.** Rappelez vous, le cache est une mémoire en perpétuel changement : le navigateur y ajoute et en enlève constamment des fichiers. Si vous le souhaitez, il est possible de sauvegarder un des fichiers stockés dans le cache. Dans Internet Explorer, il n'y a rien de plus simple : cliquez sur le bouton **Visualiser fichiers** dans la boîte de dialogue **Options** (onglet **Avancées**). Les fichiers sont identifiés par leur URL. Dans Netscape, les choses sont un peu plus complexes, car les fichiers sauvegardés sont renommés et donc plus difficiles à localiser. Vous pouvez aussi utiliser un programme externe qui facilitera la gestion des fichiers qui se trouvent dans le cache. Reportez-vous à l'Annexe A pour savoir comment trouver de tels utilitaires.
- **Sauvegarder les fichiers référencés par des liens.** De nombreux liens ne pointent pas vers des pages Web mais vers des fichiers. Comme vous allez le voir, ces fichiers peuvent subir plusieurs types de traitement.

Capturer des fichiers sur le Web

Les fichiers non HTML rapatriés sur votre machine via le Web peuvent être classés en deux grands groupes :

- **Les fichiers que vous voulez stocker sur votre disque dur.** Un lien peut pointer sur un fichier .EXE ou .ZIP (archive) qui contient un programme que vous voulez installer sur votre ordinateur. Nous parlerons des formats de fichiers au Chapitre 19. Reportez-vous aussi à l'Annexe A pour avoir une liste de programmes shareware.

- **Les fichiers que vous voulez lancer ou visualiser**. D'autres fichiers ne doivent pas nécessairement être sauvegardés sur disque. Il peut s'agir de sons (musique et voix), de vidéos, de graphiques, de documents issus de traitements de texte, etc.

Ces deux types de fichiers ont une caractéristique commune. Que vous vouliez les sauvegarder ou les jouer, vous devez dans un premier temps les rapatrier sur votre machine. Seul le traitement en bout de chaîne est différent.

Les fichiers du deuxième groupe (fichiers à lancer ou à afficher) peuvent nécessiter une application particulière (souvent appelée "afficheur") ou une extension du navigateur, de telle sorte que ce dernier sache quoi faire du fichier après son téléchargement. Ce type de traitement sera analysé en détail dans le Chapitre 8. Pour le moment, nous allons nous intéresser aux fichiers du premier type, c'est-à-dire aux fichiers qui doivent être transférés sur l'ordinateur sans autre forme de traitement.

Les auteurs de pages Web distribuent souvent des fichiers à travers leurs pages HTML. Il y a quelques années, seuls les sites FTP proposaient de télécharger des fichiers (voir Chapitre 14). Aujourd'hui, de nombreux sites Web permettent d'en télécharger. Ces fichiers peuvent être proposés par des sociétés qui veulent distribuer leurs logiciels (shareware, freeware, démonstrations) ou des auteurs voulant distribuer des documents non Web (PostScript, Word pour Windows, Adobe Acrobat, fichiers d'aide Windows, etc.).

Les fichiers peuvent relever des deux catégories

Les fichiers que vous trouverez sur le Net peuvent appartenir aux deux groupes. Ce qui compte, ce n'est pas le type du fichier, mais plutôt ce que vous comptez en faire et comment votre navigateur est configuré. Pour simplement visualiser le fichier, il relève du deuxième groupe : vous devrez utiliser un afficheur ou un plug-in. Mais vous souhaiterez peut-être sauvegarder le fichier sur disque en vue d'une utilisation ultérieure. Dans ce cas, il appartient au premier groupe.

L'appartenance d'un fichier au premier ou au deuxième groupe dépend aussi de la façon dont il a été sauvegardé. Par exemple, un fichier Acrobat sauvegardé dans son format d'origine (.PDF) peut aussi bien être visualisé que sauvegardé. Par contre, lorsqu'il est compressé, il ne peut qu'être sauvegardé sur disque, car il doit être décompressé avant de pouvoir être visualisé. Reportez-vous au Chapitre 19 pour en apprendre plus sur les fichiers compressés.

Sauvegarde

Pour vous entraîner à sauvegarder un fichier, vous pouvez vous rendre sur le site TUCOWS qui recense de nombreux fichiers Winsock à l'adresse **http://www.tucows.com/**.

Winsock

Winsock est la contraction de Windows et de Sockets. Ce terme désigne la couche logicielle permettant de faire communiquer des applications Windows avec le système TCP/IP. En d'autres termes, Winsock est comparable à un pilote d'imprimante qui permet d'interconnecter deux matériels : un ordinateur et une imprimante.

Supposons que vous ayez localisé un lien vers un fichier que vous désirez télécharger. Si vous cliquez sur ce lien dans Netscape, et si ce lien représente un fichier .EXE ou .COM, une boîte de dialogue d'enregistrement est affichée (voir Chapitre 19). Il se peut aussi qu'une boîte de dialogue intitulée **Type de fichier inconnu** soit affichée, elle apparaît lorsque Netscape tente de télécharger un fichier dont l'extension est inconnue. Vous devez alors lui indiquer ce qu'il doit en faire. Si vous appuyez sur le bouton **Enregistrer le fichier**, la boîte de dialogue **Enregistrer le fichier sous** est affichée. Choisissez le répertoire destination et validez.

Internet Explorer utilise un processus légèrement différent. Il affiche une première boîte de dialogue indiquant qu'un fichier est sur le point d'être transféré, puis une autre quelques instants plus tard (voir Figure 6.4).

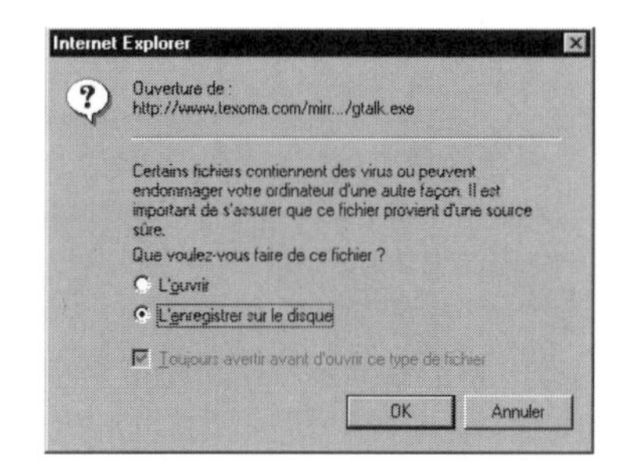

Figure 6.4 : Internet Explorer procède différemment pour sauvegarder un fichier.

Deux choix s'offrent alors à vous :

- Vous pouvez sélectionner **Ouvrir**. Le fichier est alors transféré sur votre ordinateur et il est ouvert. Vous allez voir que ce n'est pas forcément une bonne idée. S'il s'agit d'une archive, la décompression se fera sur le bureau, ce qui n'est pas spécialement indiqué. S'il s'agit d'un programme, il peut contenir un virus qui s'installera immédiatement sur votre disque. Il est nécessaire de passer les fichiers téléchargés à travers un programme de détection de virus avant de les exécuter (voir Chapitre 22).
- Vous pouvez sélectionner **Enregistrer la cible sous**. Cette option est préférable. Lorsque le fichier a été transféré sur votre disque dur, une boîte de dialogue est affichée. Précisez la destination du fichier et appuyez sur le bouton **OK**.

Résumé

- Si votre ordinateur possède assez de mémoire, vous pouvez ouvrir deux fenêtres dans le navigateur.
- Les documents Web sauvegardés sur disque peuvent être rouverts avec la commande **Ouvrir** dans le menu **Fichier**.
- Le cache stocke temporairement sur disque les documents qui ont été visualisés. La prochaine fois que vous voudrez les afficher, le navigateur pourra accéder bien plus rapidement à ces documents sur le disque dur.
- Lorsque vous appuyez sur le bouton **Recharger** (ou **Actualiser** dans Internet Explorer), les données stockées dans le cache sont ignorées. Vous pouvez configurer le navigateur pour que ce comportement soit adopté une fois par session.
- Vous pouvez copier, imprimer et sauvegarder de nombreux types d'objets : des documents texte, la source d'une page HTML, des graphismes, des images d'arrière-plan, etc.
- Si vous cliquez sur un lien qui pointe vers un document non Web, le navigateur peut vous demander des instructions concernant ce fichier. Vous pouvez par exemple sauvegarder ce document sur votre disque dur.

INTERNET

Chapitre 7

Formulaires, applets et autres bizarreries

Dans ce chapitre

- De l'inattendu sur le Web
- Utilisation de tables et de formulaires
- Sites Web protégés par un mot de passe
- Utilisation de cadres et de fenêtres secondaires
- Le Web a ses langages de programmation : Java, JavaScript et ActiveX
- Server push, client pull et multimédia

Il y a peu, le Web était essentiellement composé de texte et d'images fixes. Mais, on y trouve aujourd'hui toutes sortes d'éléments qui lui ont enlevé ce côté statique.

Dans ce chapitre, vous aurez un rapide aperçu des nouveautés qui vous attendent : tableaux, formulaires, sites protégés par un mot de passe, fenêtres annexes et volets. Vous ferez aussi connaissance avec les langages Java, JavaScript, ActiveX, la technique push-pull et le multimédia.

Les tableaux

Sur le Web, les tableaux sont bien entendu composés d'un ensemble de lignes et de colonnes. Ils peuvent contenir du texte et des éléments graphiques. La plupart des navigateurs récents (comme Netscape et Internet Explorer) sont en mesure d'afficher des tableaux utilisés pour regrouper des données, mais aussi comme outils de mise en page. Dans la Figure 7.1, on a recouru à un tableau pour que les données texte soient affichées à des emplacements bien définis sur la page. Les dernières évolutions du langage HTML permettent d'utiliser une couleur d'arrière-plan différente dans chaque cellule du tableau et plusieurs couleurs de bordures.

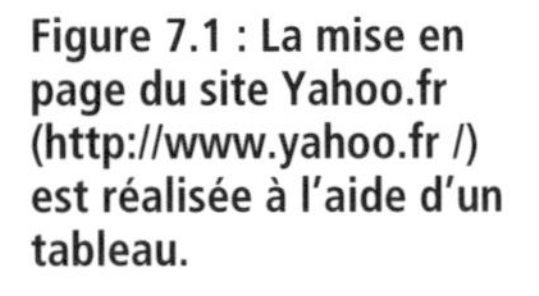

Figure 7.1 : La mise en page du site Yahoo.fr (http://www.yahoo.fr /) est réalisée à l'aide d'un tableau.

Pages Web interactives

Les formulaires sont des documents Web interactifs d'un type particulier. Ils contiennent les objets que vous avez l'habitude d'utiliser dans votre interface graphique : zones de texte, cases à cocher, boutons radio, boutons de commande, listes déroulantes, etc. Les sites de recherche (voir Chapitre 21) utilisent des formulaires. Ces derniers sont utilisés comme vous le feriez dans une boîte de dialogue Windows ou Macintosh : entrez un mot clé dans la zone de texte, sélectionnez les options nécessaires, puis appuyez sur le bouton de commande pour valider.

Info

Les formulaires sont différents des boîtes de dialogue

*Les formulaires que l'on rencontre sur le Web sont quelque peu différents des boîtes de dialogue classiques : pour sélectionner une case à cocher ou un bouton radio, vous devez cliquer directement dessus et non sur l'étiquette correspondante, sauf sous Windows où la technique conventionnelle fonctionne. Les raccourcis-clavier **Tab** et **Maj-Tab** (qui permettent respectivement de passer au contrôle suivant et au précédent) ne fonctionnent pas dans tous les navigateurs.*

Les formulaires sont aussi utilisés pour collecter des informations (par exemple, il est parfois nécessaire de donner votre nom et votre adresse pour pouvoir télécharger un programme en démonstration) et passer des commandes. Vous choisissez le produit à commander et vous entrez le numéro de votre carte de crédit dans un formulaire. La Figure 7.2 représente un bon de commande utilisé sur le site de Netscape (**http://www.netscape.com**).

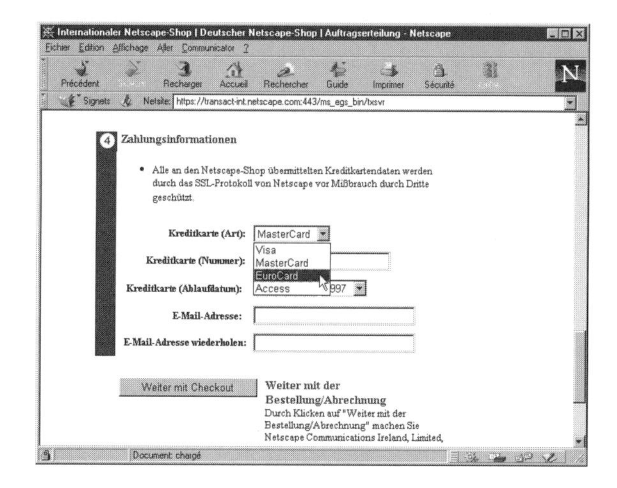

Figure 7.2 : Entrez toutes les informations nécessaires, sélectionnez les options dans la liste déroulante, puis appuyez sur le bouton de commande.

Les sites sécurisés

Lorsque vous appuyez sur le bouton d'envoi d'un formulaire pour émettre les informations saisies vers le serveur, il se peut qu'elles soient interceptées par une tierce personne. Le risque est minime, mais il est bel et bien existant (voir Chapitre 22). Netscape, Internet Explorer et d'autres navigateurs permettent d'accéder à des serveurs **https://** (sécurisés). Les informations rapatriées sur ces serveurs subissent un codage avant leur émission. Lorsque le serveur reçoit l'information, il la décrypte facilement. Si quelqu'un intercepte les données pendant la transmission, elles sont purement et simplement inexploitables.

Dès qu'un navigateur est connecté à un site sécurisé, il le fait généralement savoir. Dans Internet Explorer, une petite icône représentant un cadenas est affichée dans le coin inférieur droit de la fenêtre (dans certaines versions d'Internet Explorer, le cadenas n'est pas apparent jusqu'à ce que vous visitiez un site sécurisé. Dans d'autres versions, il est toujours affiché, mais il se débloque sur un site non sécurisé). Dans certaines versions de Netscape Navigator, la clé affichée dans la partie inférieure gauche de la fenêtre est intacte (et non cassée comme dans les autres cas) et une barre bleue est affichée juste en dessous de la barre d'outils. La version 4.0 de Navigator remplace la clé et la barre bleue par un cadenas dans la partie inférieure gauche de la fenêtre et dans la barre de boutons. Ce dernier s'ouvre ou se ferme en fonction de la nature du site visité. Les autres navigateurs utilisent des signes légèrement différents pour indiquer à l'utilisateur que le site en cours est sécurisé.

Quel que soit le navigateur utilisé, un signe indique toujours la connexion à un site sécurisé. Comme vous le voyez sur la Figure 7.3, l'URL d'un site sécurisé commence par **https://** et non par **http://**. Si vous envoyez des informations vers un tel site ou s'il vous envoie des informations, vous êtes assurés que la transmission se fera sous une forme cryptée.

Les sites protégés par un mot de passe

Si la plupart des sites sont aujourd'hui gratuits, il y a fort à parier que les sites payants vont se généraliser.

Mais, pour l'instant, vous ne trouverez pas un grand nombre de sites protégés par un mot de passe. Ceux-ci refusent l'accès à quiconque n'est pas en mesure d'entrer un mot de passe valide (généralement fourni lors de la souscription au service).

Vous trouverez des sites protégés par un mot de passe si vous êtes attiré par les sites Web licencieux. De nombreux sites pour adultes sont ainsi protégés, de façon à écarter les jeunes visiteurs et, surtout, à faire payer les adultes intéressés.

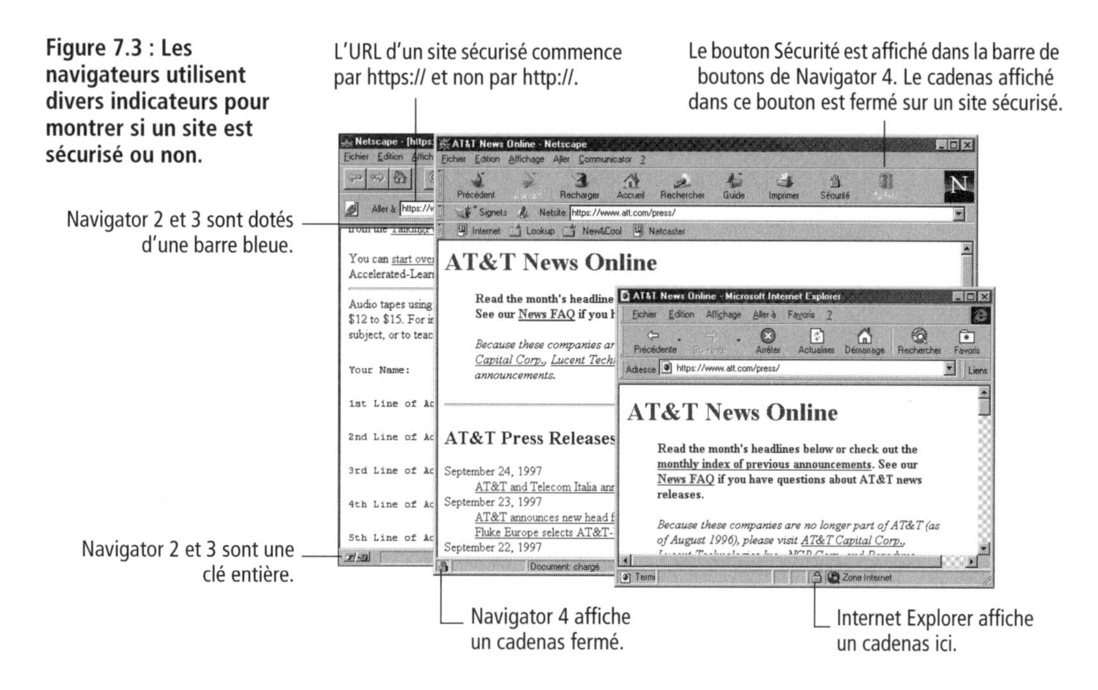

Figure 7.3 : Les navigateurs utilisent divers indicateurs pour montrer si un site est sécurisé ou non.

Il existe évidemment d'autres catégories. La Figure 7.4 représente le site Netscape Development Partners, uniquement accessible aux utilisateurs qui ont payé leur droit d'entrée. Ces derniers doivent entrer un identificateur et un mot de passe pour y accéder. De nombreux sites utilisent une protection par mot de passe afin de définir le profil de chaque utilisateur. Chaque visiteur peut ainsi retrouver rapidement les informations qui l'intéressent.

Utilisation d'une fenêtre secondaire

Il vous est sûrement arrivé d'être surpris en constatant que l'historique de Netscape avait brusquement été vidé de son contenu. Que s'est-il passé ? Après avoir cliqué sur un lien, il se peut que vous n'ayez pas remarqué qu'une autre fenêtre s'était ouverte dans Netscape.

Figure 7.4 : Le site Netscape Development Partners n'est accessible qu'en communiquant un mot de passe.

Lettre ouverte aux auteurs de pages Web

Pourquoi de nombreux auteurs de pages Web s'acharnent-ils à ouvrir une fenêtre secondaire maximisée ? En donnant une taille juste inférieure au plein écran à une fenêtre secondaire, l'utilisateur voit tout de suite qu'il ne se trouve plus dans la fenêtre principale.

Les auteurs de pages Web peuvent en effet initialiser un lien de telle sorte que lorsque vous cliquez dessus, une fenêtre secondaire s'ouvre. Lorsqu'elle est utilisée à bon escient, cette possibilité peut s'avérer très intéressante.

Lorsqu'une fenêtre secondaire est ouverte dans Netscape Navigator, l'historique ne suit plus, puisqu'il est rattaché à la fenêtre précédente. Dans les nouvelles versions de Navigator, il est cependant possible d'utiliser l'historique a partir du menu **Aller**, même si le bouton **Précédent** apparaît en grisé. C'est aussi le mode de fonctionnement de toutes les versions d'Internet Explorer : les touches **Précédente** et **Suivante** ont beau ne plus être accessibles, vous pouvez accéder à toutes les pages visitées grâce à l'historique.

Cadres

Lors de vos voyages sur le Web, vous rencontrerez des pages contenant des cadres. La figure ci-après vous en montre un exemple. Lorsque vous ouvrez un document contenant plusieurs cadres, deux ou plusieurs documents sont affichés dans la même fenêtre, à raison d'un document par cadre. Les cadres peuvent être déplacés (si l'auteur le souhaite) et il est possible qu'un ou plusieurs cadres soit munis de barres de défilement. Les cadres sont très pratiques. Vous pouvez par exemple les utiliser pour afficher simultanément un sommaire et le contenu de la rubrique sélectionnée.

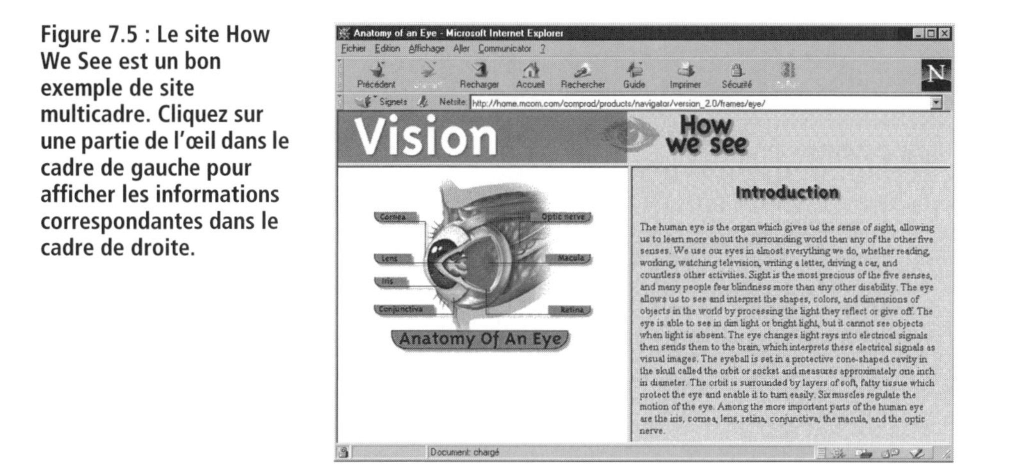

Figure 7.5 : Le site How We See est un bon exemple de site multicadre. Cliquez sur une partie de l'œil dans le cadre de gauche pour afficher les informations correspondantes dans le cadre de droite.

Certains navigateurs sont dotés d'une commande qui leur permet de recharger un cadre donné. Pour ce faire, cliquez sur un cadre et lancez la commande **Recharger le cadre** dans le menu **Affichage**. Certaines versions de Netscape donnent aussi accès à la commande **Cadre précédent** qui permet de revenir à l'affichage précédent dans le document multicadre. Navigator 2.0 n'est vraiment pas à l'aise avec les cadres. La commande **Cadre précédent** renvoie systématiquement vers un autre document que celui qui devrait être affiché. Dans Internet Explorer et les versions récentes de Navigator (4.0 et supérieur), c'est la commande ou le bouton **Précédent** qui remplace la commande **Cadre précédent**.

Icônes animées

Les icônes animées connaissent aujourd'hui un réel succès. Il s'agit de petites images en mouvement placées dans des pages Web. Ces séquences animées sont très simples à créer, c'est pourquoi vous devriez en voir de plus en plus. Elles ajoutent un peu de vie aux pages Web sans pour autant augmenter dramatiquement la quantité de données à transférer.

Si une page Web contient des images animées de grande taille, il s'agit d'une vidéo ou d'une animation (voir Chapitre 8), ou peut-être d'un programme Java ou ActiveX.

Des programmes sur le Web : Java, JavaScript et ActiveX

Vous avez certainement déjà entendu parler du langage de programmation Java. Les programmes (ou plutôt les applets) Java se contentent de donner un peu de vie aux pages Web. Si vous vous connectez à un site dans lequel une bande de texte défile ou des balles rebondissent, vous êtes certainement en train d'exécuter une applet Java.

Interpréteurs Java

Les navigateurs compatibles Java sont des "interpréteurs". Un interpréteur est un programme capable d'en exécuter un autre, faisant ainsi le lien avec le système d'exploitation. Pour qu'une applet Java puisse être exécutée dans un système d'exploitation donné (Windows 3.1, Windows 95, Macintosh, UNIX), il faut qu'il existe un interpréteur Java écrit pour ce système d'exploitation.

Pour qu'un programme Java puisse être exécuté dans votre navigateur, ce dernier doit être compatible Java. Netscape est compatible Java à partir de la version 2.0 (quoique cette version laisse à désirer...), et Internet Explorer à partir de la version 3.0. Plus la version du navigateur est récente, plus il y a de chances que les applets Java puissent y être exécutées.

Lorsque vous rapatriez une page qui contient une applet Java, cette dernière est transférée dans votre ordinateur puis exécutée par le navigateur. Le programme peut être un jeu, un affichage multimédia, une calculatrice financière, etc. La Figure 7.6 représente une des applets les plus évoluées actuellement disponibles : un programme de dialogue en direct (reportez-vous au Chapitre 17 pour en savoir plus sur le dialogue en direct). Vous trouverez de nombreux liens vers des applets Java sur le site Gamelan (**http://www.gamelan.com/**).

Le langage Java s'est fait connaître grâce à un renfort publicitaire important. Sur le terrain, force est de constater que les applets Java sont rarement utilisées, pas toujours très fiables et que leur exécution est lente. La recherche d'applets Java à la fois intéressantes et utiles est un vrai parcours du combattant réservant cependant quelques bonnes surprises. Peut-être qu'un jour, Java ira au bout de ses promesses. Alors, retenez votre souffle...

Applications sur le Net

Vous avez certainement entendu dire que les applications du futur ne seraient plus achetées, mais louées selon leur fréquence d'utilisation sur le Net. Ce n'est pas encore pour demain, car les connexions Internet ne sont pas encore assez fiables ni assez rapides.

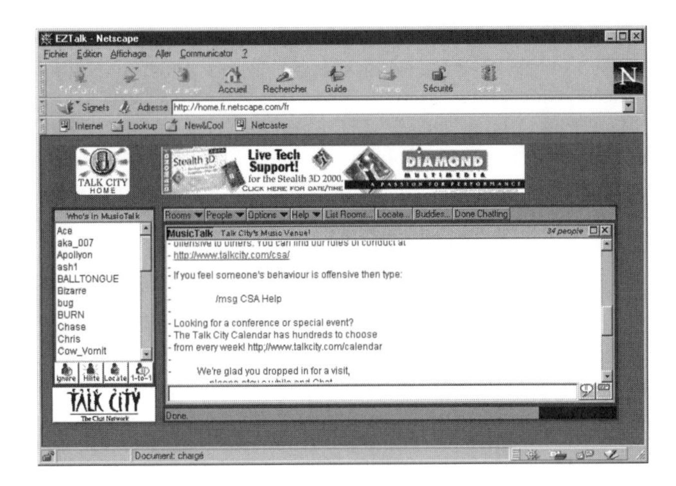

Figure 7.6 : Ce programme de dialogue en direct est une applet Java.

JavaScript est le petit frère de Java. Il s'agit d'un langage de script dans lequel le code source est intégré aux pages Web. En d'autres termes, un navigateur compatible JavaScript lit les pages Web, extrait les commandes JavaScript et les exécute. JavaScript n'est pas aussi puissant que Java. En contrepartie, il est plus facile à utiliser. Vous trouverez de nombreux programmes JavaScript sur le site Gamelan (**http://www.gamelan.com/ pages/Gamelan .related.javascript.html**) et sur le site The JavaScript Index (**http://www.sapphire .co.uk/javascript**). La Figure 7.7 représente un exemple d'application JavaScript.

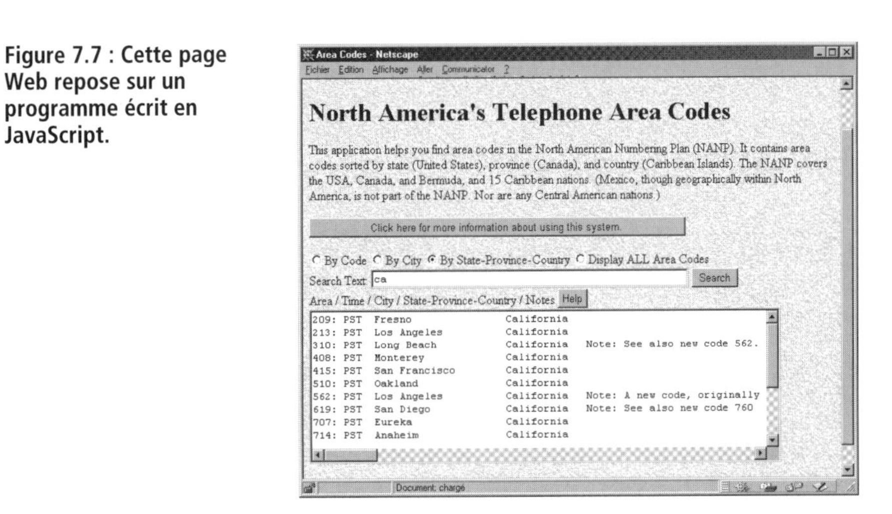

Figure 7.7 : Cette page Web repose sur un programme écrit en JavaScript.

Pour terminer, nous devons mentionner ActiveX qui entre directement en compétition avec Java. Ce système conçu par Microsoft doit permettre aux auteurs d'incorporer facilement des éléments multimédia et des programmes dans leurs pages Web. Actuellement, le seul navigateur capable d'exploiter ActiveX est Internet Explorer. Cela risque de durer longtemps, car Netscape Communications n'a pas franchement l'intention d'incorporer ActiveX dans son navigateur, ce qui reviendrait à donner du crédit à son principal adversaire. (La situation va peut-être s'inverser, car Internet Explorer commence à grignoter des parts de marché de moins en moins négligeables).

Server push et client pull

La plupart du temps, les informations sont affichées sur l'écran à votre demande, par exemple en cliquant sur un lien ou en entrant un URL. Mais les auteurs de pages Web peuvent initialiser leurs pages afin qu'elles accomplissent d'elles-mêmes des actions.

On parle de *server push* lorsque le serveur Web continue à émettre des informations sans que cela lui soit explicitement demandé. Supposons par exemple que vous cliquiez sur un lien pour afficher une nouvelle page Web, et que le contenu de cette page change sans aucune action extérieure au bout de quelques minutes. Même si vous n'avez rien demandé, le serveur envoie des informations plus à jour et continuera à le faire de façon périodique jusqu'à ce que vous clôturiez la page.

Le *client pull* est comparable au server push, sauf qu'ici la demande de mise à jour est effectuée par Netscape. Supposons que vous affichiez une nouvelle page Web. Pendant l'émission des données, le serveur vous envoie aussi un programme qui sera exécuté en arrière-plan. C'est ce programme qui commande la mise à jour de la page Web. Après un intervalle de temps défini, Netscape envoie une demande de mise à jour au serveur. Cette opération se poursuit jusqu'à ce que vous changiez de page Web.

Ces deux systèmes sont tellement proches qu'il est pratiquement impossible de savoir lequel des deux est utilisé. Ils sont très utiles pour visualiser des informations qui changent rapidement, comme les cours de la bourse, la météo, les nouvelles et les ventes aux enchères.

Le Web devient de plus en plus complexe

Comme vous le verrez dans le Chapitre 9, il est très simple de créer une page Web. Les techniques Web les plus évoluées sont en général accessibles à tout un chacun.

Pourtant, nous venons de présenter des techniques qui peuvent sembler complexes au concepteur moyen de pages Web. Les technologies telles que Java, JavaScript, ActiveX et le push/pull demandent en effet quelques connaissances en programmation. Le concepteur moyen peut donc éprouver des difficultés pour adhérer à ces langages, ce qui n'est pas forcément handicapant : il a tout le loisir de se concentrer sur le fond et non sur la forme de ses pages Web. Celles-ci ne seront peut-être pas un modèle graphique, mais leur contenu sera riche en informations.

Expérience multimédia

Vous trouverez de nombreux formats de fichiers sur le Web : des images, des vidéos, des animations, des sons, des documents électroniques, des images 3D, etc.

Lorsque vous cliquez sur un lien en rapport avec un de ces formats, Netscape tente d'utiliser le fichier. En règle générale, il affiche le document ou l'image dans sa fenêtre. Si le format du fichier lui est inconnu, il peut le communiquer à un programme capable de l'utiliser (afficheur ou module externe) ou vous demander ce qu'il doit en faire. Vous aurez plus de détails à ce sujet en consultant le Chapitre 8.

Internet n'est pas un système multimédia

Au risque de décevoir bon nombre de surfeurs, Internet n'est pas un système multimédia : les débits actuels ne sont pas compatibles avec un affichage multimédia en temps réel. Ils seront bien entendu atteints dans les années à venir, mais il vaut mieux s'armer de patience sous peine d'être déçu. Consultez le Chapitre 25 si vous voulez en savoir plus sur ce sujet.

Résumé

- Le Web s'est diversifié, on y trouve bien davantage que du texte et des images.
- Tableaux et formulaires sont monnaie courante.
- Les documents multicadres sont utilisés pour répartir les données dans plusieurs zones appelées cadres.

- Java, JavaScript et ActiveX sont des langages de programmation qui donnent vie aux pages Web.
- Le client pull est un système dans lequel le navigateur demande périodiquement une mise à jour de la page affichée au serveur. Le server push est un système dans lequel le serveur envoie périodiquement ses mises à jour sans aucune action du client.
- Un grand nombre de formats multimédias peuvent être affichés ou joués à l'aide d'afficheurs (voir Chapitre 8).

Chapitre 8

Le Web multimédia

Dans ce chapitre

- Comment un navigateur gère les multiples formats de fichiers
- A la recherche de modules externes et d'afficheurs
- Les différents types de modules externes et d'afficheurs qui pourront vous être utiles
- Installer des modules externes
- Installer des afficheurs dans Netscape
- Installer des afficheurs dans Internet Explorer

La diversification du Web dans le temps est un phénomène logique. Aujourd'hui, on y trouve des animations, des vidéos, de nombreux formats d'images, des sons joués pendant ou après leur téléchargement, etc. Bref, un vrai pot-pourri multimédia. Mais attention, le Web n'est pas un vrai système multimédia. C'est vrai qu'il peut manipuler toutes sortes de données, mais son principal défaut est sa lenteur.

Les navigateurs sont désormais capables de gérer la plupart des types de fichiers. Lorsque vous cliquez sur un lien, le fichier correspondant est transféré sur votre ordinateur. Le navigateur peut alors l'utiliser d'une des trois manières suivantes :

- **En interne.** Certains types de fichiers peuvent être gérés en interne : il peut s'agir de pages Web (.HTM ou .HTML), de documents texte (.TXT), d'images (.GIF, .XBM, .JPG et .JPEG) et de quelques formats de son.

- **A l'aide d'un module externe inséré (plug-in).** Le navigateur peut faire appel à un programme spécial capable d'afficher ou de jouer le fichier dans la fenêtre du navigateur.
- **A l'aide d'un afficheur.** Le navigateur peut communiquer le fichier à un programme externe capable de le gérer. Une fenêtre annexe est alors ouverte pour que l'afficheur puisse jouer ou afficher le fichier.
- Si vous venez d'installer votre navigateur, vous pouvez remarquer que beaucoup de formats de fichiers lui sont inconnus. Lorsqu'un nouveau format se présente, le navigateur vous demande ce qu'il doit en faire. Vous pouvez choisir d'installer un module externe inséré ou un afficheur pour gérer ce nouveau format.

Interne ou externe

Il existe deux méthodes pour inclure un fichier multimédia dans une page Web. Le fichier peut être directement placé dans la page Web (par exemple, une vidéo ou un son joué en arrière-plan), il est alors rapatrié en même temps que la page Web. Le fichier peut aussi ne pas faire partie de la page, il faut alors cliquer sur un lien pour le transférer dans l'ordinateur.

Quels modules externes sont installés ?

Vous pouvez connaître les modules externes installés dans Netscape en lançant la commande ***A propos des modules externes*** *dans le menu d'aide. Une page recensant tous les modules externes est alors affichée dans le navigateur. Un lien donne aussi accès à une page Web dédiée aux modules externes.*

Quels modules et afficheurs sont disponibles ?

Un grand nombre de modules externes et d'afficheurs sont disponibles. Il suffit de savoir où les trouver. Si vous utilisez Netscape Navigator, un bon point de départ consiste à visiter la page de Netscape dédiée aux modules externes : **http://home.netscape.com/comprod/mirror/navcomponents_download.html**. Vous trouverez des liens vers des modules externes et afficheurs dédiés à Internet Explorer à l'adresse : **http://www.microsoft.com/ie/addons**. Vous trouverez aussi de nombreux afficheurs sur les sites listés dans l'Annexe A.

Vous devez certainement vous demander s'il est préférable d'utiliser un module externe ou un afficheur. Il est fort possible que vous préfériez les modules externes, car ils permettent au navigateur d'afficher ou de jouer le fichier dans sa propre fenêtre. Si vous utilisez un afficheur, le fichier lui sera communiqué sans aucune modification dans le navigateur. Bien évidemment, il existe des cas où un afficheur est mieux adapté ou offre plus de possibilités que le module externe équivalent. A vous de faire vos propres essais et de trouver lequel se rapproche le plus de ce que vous désirez.

De quoi avez-vous besoin ?

Heureusement, vous n'avez pas besoin de posséder tous les modules externes et afficheurs existants. Il en existe plusieurs centaines (plus de 150 pour Netscape Navigator) et de nouveaux voient le jour en permanence. A moins que vous ne regardiez pas à la dépense et que vous disposiez de tout le temps nécessaire, vous n'aurez probablement pas le loisir de tous les installer (il est aussi possible que votre disque dur ne suffise pas à les loger !) Pour vous aider dans votre choix, nous les avons répartis dans plusieurs catégories correspondant aux formats de fichiers les plus courants.

Audio

Les modules externes et afficheurs les plus utiles se trouvent certainement dans le domaine audio (comme RealAudio, TrueSpeech et StreamWorks). Ces trois modules permettent d'écouter un son pendant son transfert. RealAudio est le format de fichier audio le plus populaire. L'afficheur du même nom est donc le plus utile.

Sachez cependant que la plupart des formats audio ne peuvent être joués qu'après leur complet téléchargement (il est parfois nécessaire d'attendre une bonne dizaine de minutes avant que le moindre son ne sorte des hauts-parleurs). RealAudio, TrueSpeech et StreamWorks sont les trois formats audio les plus courants joués en direct. Ils sont utilisés par les stations de radio et par les sites d'archives audio. Vous pouvez par exemple écouter les nouvelles sur le site National Public Radio à l'adresse **http://www.npr.org**. Vous pouvez aussi écouter des extraits musicaux sur le site Underground Music Archives à l'adresse **http://www.iuma.com**. La Figure 8.1 représente le navigateur Netscape pendant l'émission d'un son RealAudio en provenance du site NPR.

Lors de vos voyages sur le Web, vous rencontrerez certainement d'autres formats audio :

- **.AU, .AIF, .AIFF, .AIFC et .SND.** Ces formats sonores sont couramment utilisés sur UNIX et Macintosh. Votre navigateur est sans doute à même de jouer ces formats audio sans avoir à y ajouter un module externe ou un afficheur.

Figure 8.1 : L'afficheur RealAudio en action sur le site NPR.

- **.WAV.** Ce format est utilisé sous Windows. Votre navigateur est sans doute à même de jouer ce format audio sans nécessiter un module externe ou un afficheur.
- **.MID, .RMI.** Ces formats correspondent à des fichiers MIDI (*Musical Instrument Digital Interface*). Vous aurez certainement besoin d'un module externe ou d'un afficheur pour les jouer (Netscape 3 est fourni avec un module externe pré-installé capable de jouer des fichiers MIDI).

Le format MIDI n'est pas très répandu, mais il intéresse un certain nombre de musiciens. La plupart des sites MIDI sur le Web proposent des morceaux en téléchargement (MIDI est un système utilisé pour créer de la musique en utilisant des ordinateurs et des instruments électroniques).

Certains afficheurs sont automatiquement disponibles

Sur la plupart des systèmes d'exploitation, vous pouvez utiliser des programmes existants comme afficheurs. Sous Windows par exemple, les fichiers MIDI peuvent être joués dans le Lecteur multimédia. Sur un Macintosh, si vous possédez le traitement de texte Word, vous pouvez l'utiliser comme afficheur pour les fichiers .DOC au format Word.

Autres formats de documents

Il existe aussi des modules externes et des afficheurs permettant de lire un grand nombre de formats de documents diffusés sur le Web. Le format Adobe Acrobat est particulièrement utile. Il s'agit d'un format hypertexte largement utilisé sur le Web qui permet aux auteurs de placer un document multipage dans un seul fichier. Ce document peut être lu indépendamment de la plate-forme dans un visualisateur Adobe Acrobat. De nombreux auteurs ont un faible pour Acrobat, car il leur permet d'effectuer des mises en page bien plus sophistiquées que sur le Web. Vous rencontrerez souvent des liens qui pointent vers des fichiers au format Acrobat dans des pages Web. La Figure 8.2 représente un exemple de fichier au format Acrobat.

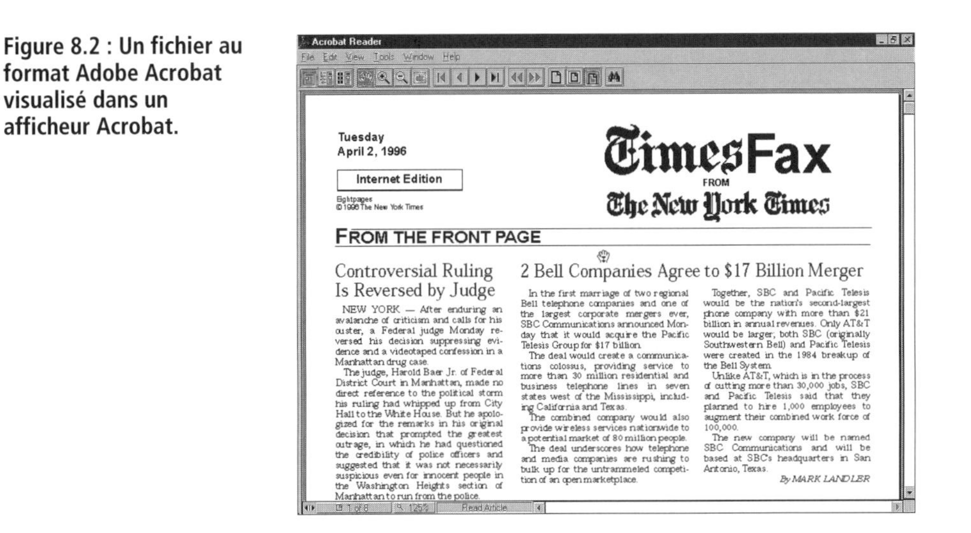

Tuesday
April 2, 1996

Internet Edition

Eightpages
© 1996 The New York Times

TimesFax
FROM
The New York Times

FROM THE FRONT PAGE

Controversial Ruling Is Reversed by Judge

NEW YORK — After enduring an avalanche of criticism and calls for his ouster, a Federal judge Monday reversed his decision suppressing evidence and a videotaped confession in a Manhattan drug case.

The judge, Harold Baer Jr. of Federal District Court in Manhattan, made no direct reference to the political storm his ruling had whipped up from City Hall to the White House. But he apologized for the remarks in his original decision that prompted the greatest outrage, in which he had questioned the credibility of police officers and suggested that it was not necessarily suspicious even for innocent people in the Washington Heights section of Manhattan to run from the police.

2 Bell Companies Agree to $17 Billion Merger

In the first marriage of two regional Bell telephone companies and one of the largest corporate mergers ever, SBC Communications announced Monday that it would acquire the Pacific Telesis Group for $17 billion.

The deal would create a communications colossus, providing service to more than 30 million residential and business telephone lines in seven states west of the Mississippi, including California and Texas.

The combined company would also provide wireless services nationwide to a potential market of 80 million people.

The deal underscores how telephone and media companies are rushing to bulk up for the untrammeled competition of an open marketplace.

Together, SBC and Pacific Telesis would be the nation's second-largest phone company with more than $21 billion in annual revenues. Only AT&T would be larger; both SBC (originally Southwestern Bell) and Pacific Telesis were created in the 1984 breakup of the Bell System.

Unlike AT&T, which is in the process of cutting more than 30,000 jobs, SBC and Pacific Telesis said that they planned to hire 1,000 employees to augment their combined work force of 100,000.

The new company will be named SBC Communications and will be based at SBC's headquarters in San Antonio, Texas.

By MARK LANDLER

Figure 8.2 : Un fichier au format Adobe Acrobat visualisé dans un afficheur Acrobat.

Vous trouverez aussi des modules externes et des afficheurs capables d'afficher des documents Microsoft Word, Envoy et PostScript.

Le monde de la 3D

Le module externe Live3D peut être utilisé dans Netscape pour afficher les images 3D que vous pourrez trouver sur le Web (voir Figure 8.3). Il est possible que ce module externe ait été automatiquement installé lors de l'installation de Netscape (certaines versions de Netscape sont fournies avec). D'autres modules externes et afficheurs 3D sont disponibles.

VRML

Certaines images 3D sont au format VRML : Virtual Reality Modeling Language.

Avez-vous réellement besoin d'un tel module ou afficheur ? Probablement que non ! Après avoir visité quelques sites 3D, les nouveautés se font rares. De plus, les images 3D sont longues à charger. Peut être qu'un jour, elles feront partie intégrante du Web, mais en attendant, elles restent marginales.

Figure 8.3 : Vous pouvez vous déplacer autour ou à l'intérieur de ces immeubles. Cette technique est intéressante à expérimenter, mais vite lassante, car beaucoup trop lente.

Vidéo

La vidéo sur le Web est assez populaire malgré sa relative incompatibilité avec les vitesses de transfert actuelles : il peut être nécessaire d'attendre plusieurs heures pour rapatrier des fichiers vidéo de grande taille. Quant aux fichiers de petite taille, ils ne contiennent que des séquences très courtes.

Pour être réellement exploitable, la vidéo sur le Web doit être accessible en prise directe sur l'Internet. Si vous utilisez un modem pour vous connecter, les temps d'attente vous sembleront insupportables.

Si vous souhaitez faire un essai, de nombreux modules externes et afficheurs sont disponibles. Les formats vidéo les plus courants sont AVI (peut-être directement affichable par votre navigateur), QuickTime et MPEG. A noter aussi le nouveau format vidéo VIV qui consiste en des fichiers AVI compressés, jouables pendant leur lecture. La Figure 8.4 correspond à l'utilisation d'un module externe vidéo dans Netscape. Dans sa version 3.0, Netscape est fourni avec un module externe capable de lire des fichiers AVI. Vous pourrez cependant vous procurer d'autres modules externes video compatibles AVI plus performants.

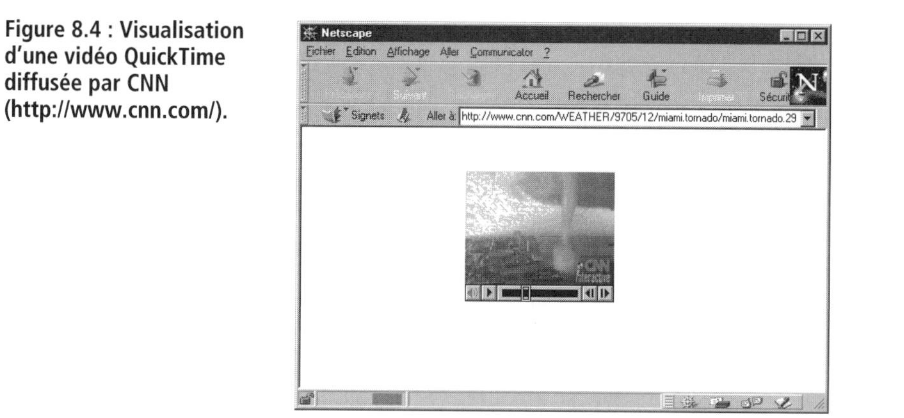

Figure 8.4 : Visualisation d'une vidéo QuickTime diffusée par CNN (http://www.cnn.com/).

Vidéo en direct

Nous vous avons déjà présenté le format RealAudio, jouable pendant son téléchargement. Depuis peu, le même principe est utilisé en vidéo. Plus besoin d'attendre le chargement complet d'une vidéo pour la visualiser, elle peut désormais être affichée pendant son chargement.

Animations

Malgré le peu de formats d'animations couramment utilisés, les modules externes et afficheurs concernant les animations sont très nombreux. De nombreuses sociétés définissent un module externe/afficheur qui exploite un format propriétaire. Malgré une profusion des logiciels, très peu de pages Web contiennent des animations. Le format le plus couramment utilisé est certainement celui de Macromedia, pouvant être visualisé à l'aide du module externe Shockwave. (Une petite précision : une vidéo est un film mettant en scène des personnages et objets réels, alors qu'une animation est un dessin animé).

Autres types de fichiers

Vous pouvez trouver des modules externes et des afficheurs pour toutes sortes de fichiers au format inhabituel. Certains d'entre eux ne sont pas des programmes destinés à gérer un type particulier de fichiers, mais sont plutôt des extensions du navigateur, comme :

- **Carbon Copy.** Module externe pour Netscape qui permet de prendre le contrôle sur un PC distant à travers l'Internet.
- **Chemscape Chime.** Module externe destiné à la manipulation de modèles chimiques 2D et 3D.
- **EarthTime.** Module externe qui affiche l'heure locale dans huit villes du monde.
- **ISYS Hindsight.** Module externe qui enregistre toutes les pages Web visitées et permet d'effectuer des recherches off-line.
- **Look@Me.** Permet de visualiser l'écran d'un autre internaute.
- **Net-Install.** Module externe destiné à automatiser le transfert et l'installation de logiciels sous l'Internet.

Des exemples ?

Un bon point de départ pour avoir un aperçu des différents formats multimédias est la page de Netscape mentionnée précédemment. Pour chaque module externe ou afficheur, vous trouverez des liens vers des sites Web qui proposent des fichiers au format approprié.

Seuls les formats de fichiers qui ont été cités dans les pages précédentes sont couramment utilisés dans le Web. N'installez que les modules externes/afficheurs nécessaires sur les sites que vous avez l'habitude de fréquenter.

Il n'est pas nécessaire d'installer ces modules externes/afficheurs immédiatement. Attendez plutôt de tomber sur un lien vers un fichier d'un type non reconnu par votre navigateur. La section suivante va vous montrer comment installer un module externe ou un afficheur.

Installer un module externe

L'installation d'un module externe est simple. Téléchargez le fichier correspondant sur le Web et placez-le dans un dossier dédié (voir Chapitre 19). Exécutez le fichier (par exemple en double-cliquant dessus) pour lancer l'installation. Le programme peut s'exécuter immédiatement, mais vous pouvez aussi voir s'afficher une liste de fichiers extraits de l'archive. Dans ce dernier cas, vous devrez exécuter le fichier setup.exe (ou install.exe) après la décompression.

Suivez les instructions affichées sur l'écran. Lorsque l'installation est terminée, votre navigateur doit être capable d'activer le module externe lorsque cela sera nécessaire.

Dans certains cas, le navigateur peut vous indiquer qu'il a besoin d'un module externe pour exécuter un lien sur lequel vous venez de cliquer. Si vous voyez une boîte de dialogue similaire à celle de la Figure 8.5, cela signifie que vous avez tenté d'utiliser un type de fichier non reconnu par le navigateur. Cliquez simplement sur le bouton **Get the Plugin** pour obtenir des informations sur le module externe et le télécharger.

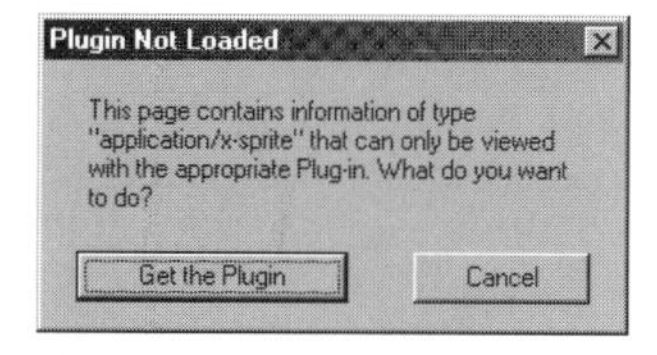

Figure 8.5 : Cette boîte de dialogue s'affiche lorsque vous cliquez sur un lien correspondant à un fichier dont le format n'est pas reconnu par votre navigateur.

Installer un afficheur

Les afficheurs sont souvent plus difficiles à installer que les modules externes. Mais rassurez-vous, le processus est loin d'être surhumain. Nous discernerons deux types d'installation. Le premier type correspond aux anciennes versions Windows de Netscape, ainsi qu'aux versions Macintosh et Unix de Netscape. Vous devez indiquer au navigateur quel type de fichiers correspond à quel afficheur. Le deuxième type correspond à Internet Explorer et à la version Windows de Netscape 4.0. L'association est définie par le système d'associations propre à Windows. Par exemple, les fichiers d'extension WAV sont par défaut associés au magnétophone. Cela signifie que si vous double-cliquez sur un fichier d'extension WAV, ce dernier sera chargé et joué dans le magnétophone. Internet Explorer et Navigator 4.0 utilisent ce même type d'associations pour déterminer quel programme doit être exécuté afin de visualiser un type de fichier particulier.

Installer un afficheur dans Netscape

Nous allons nous intéresser à l'installation d'un afficheur dans la version Windows de Netscape Navigator. Le processus est similaire dans toutes les versions de Netscape, ainsi que dans d'autres navigateurs. Notez cependant que si vous utilisez la version 4.0 de Navigator, les associations fichiers/programmes de Windows seront modifiées par l'installation de l'afficheur.

Supposons que vous ayez cliqué sur un lien que vous jugez intéressant. Si Netscape affiche la boîte de dialogue **Format de fichier inconnu**, vous devez lui indiquer la démarche à suivre.

Si vous cliquez sur le bouton **Informations supplémentaires**, Netscape ouvre une autre fenêtre dans le navigateur. Cette fenêtre contient des informations et un lien grâce auquel vous pouvez télécharger l'afficheur.

Vous pouvez aussi appuyer sur le bouton **Choisir une application** pour définir une association entre le type de fichier pointé et un des afficheurs installés sur votre système. La boîte de dialogue ci-après est affichée :

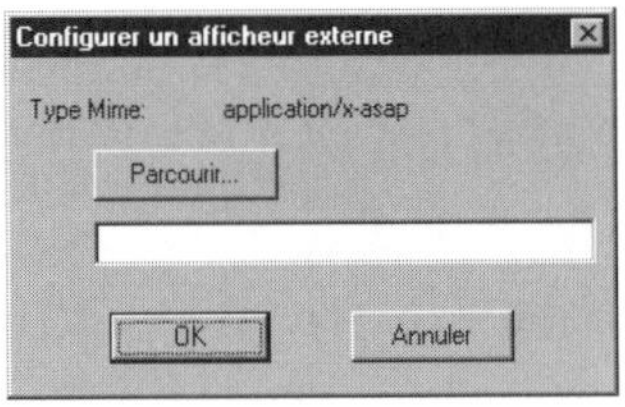

Figure 8.6 : La boîte de dialogue ConFigure External Viewer permet de définir une association entre un format de fichier et un afficheur.

Cliquez sur le bouton **Browse** puis désignez l'afficheur qui est capable de gérer ce type de fichier (reportez-vous si nécessaire à l'Annexe A pour accéder à un ensemble de sites sur lesquels vous pourrez télécharger des afficheurs). Double-cliquez sur le programme pour placer son nom dans la boîte de dialogue **ConFigure External Viewer**. Appuyez sur le bouton **OK**. L'afficheur est référencé dans Netscape.

Le fichier correspondant au lien sur lequel vous avez cliqué va maintenant être téléchargé, puis il sera envoyé à l'afficheur que vous venez de définir.

Initialisation préalable de Netscape

Vous pouvez aussi initialiser Netscape avant de vous rendre sur un site contenant un format de fichier inconnu. Lancez la commande **Préférences Générales** dans le menu **Options** et sélectionnez l'onglet **Utilitaires**. La boîte de dialogue affichée a l'aspect de la Figure 8.7. Dans Navigator 4.0, lancez la commande **Préférences** dans le menu **Edition**, ouvrez si nécessaire la catégorie **Navigateur** puis cliquez sur l'entrée **Applications**.

Figure 8.7 : La boîte de dialogue Préférences permet de réaliser des associations afficheur/type de fichier.

L'option Inconnu

Dans le cas où l'option ***Inconnu : Interroger l'utilisateur*** *est sélectionnée, aucun afficheur n'est associé au type de fichier sélectionné. Dans ce cas, Netscape demande ce qu'il doit faire d'un tel fichier lorsqu'il le rencontre.*

La zone de liste centrale répertorie un certain nombre de types de fichiers. Si nécessaire, vous pouvez la compléter en appuyant sur le bouton **Créer Nouveau type**. Pour configurer un afficheur, sélectionnez-le dans la liste et sélectionnez une des actions proposées. Vous pouvez demander à Netscape de sauvegarder le fichier sur disque. Dans le cas qui nous intéresse, sélectionnez plutôt **Lancer l'application** puis sélectionnez le bouton **Parcourir** pour désigner l'application à utiliser comme afficheur.

Installer un afficheur dans Internet Explorer

Internet Explorer utilise un système d'associations comparable, mais ici, le paramétrage ne se contente pas d'agir au niveau d'Internet Explorer : les associations interviennent au niveau de Windows.

Lorsque vous cliquez sur un type de fichier inconnu, Internet Explorer affiche la boîte de dialogue de la Figure 8.8. Il est donc nécessaire de lui indiquer ce qu'il doit faire du fichier. Sélectionnez **L'ouvrir en utilisant un programme de votre ordinateur** et appuyez sur le bouton **OK.** Le fichier est transféré puis il tente de s'ouvrir.

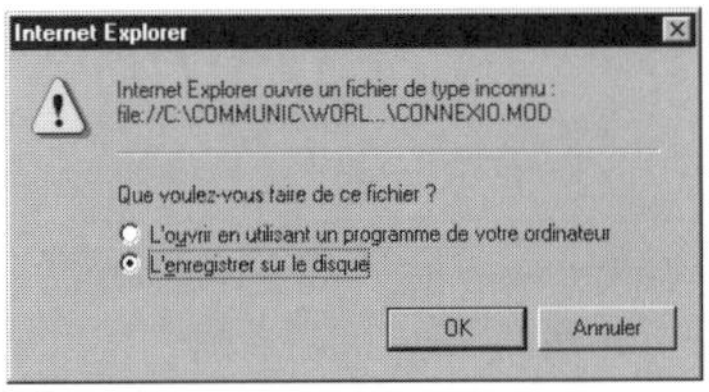

Figure 8.8 : Si Internet Explorer ne reconnaît pas le type d'un fichier, il affiche cette boîte de dialogue.

La boîte de dialogue **Ouvrir avec** est alors affichée (voir Figure 8.9). Entrez un nom pour ce type de fichier dans la zone de texte, sélectionnez un afficheur dans la liste, puis validez. Si l'afficheur ne se trouve pas dans la liste, appuyez sur le bouton **Autres**, puis sélectionnez l'afficheur dans la nouvelle boîte de dialogue.

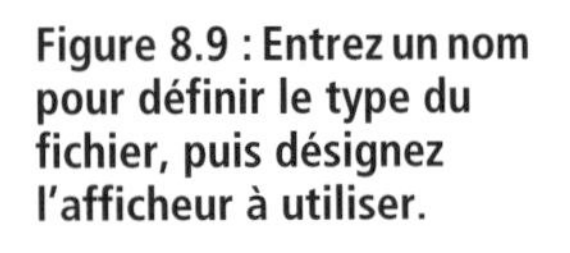

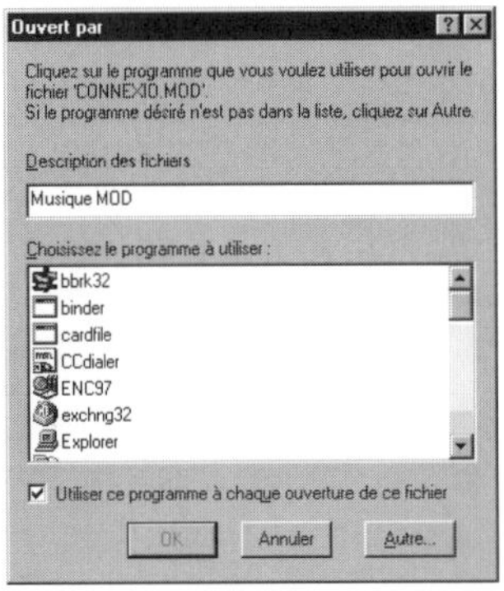

Figure 8.9 : Entrez un nom pour définir le type du fichier, puis désignez l'afficheur à utiliser.

Tout comme dans Netscape, vous pouvez paramétrer un afficheur avant d'en avoir besoin. Pour ce faire, vous allez afficher la boîte de dialogue **Types de fichiers**. Cette dernière est accessible à partir de l'explorateur de fichiers ou d'Internet Explorer. Dans l'explorateur de fichiers, lancez la commande **Options** dans le menu **Affichage** puis sélectionnez l'onglet **Types de fichiers**. La boîte de dialogue de la Figure 8.10 est alors affichée.

Pour ajouter un afficheur, appuyez sur le bouton **Nouveau type** puis initialisez la boîte de dialogue affichée. Vous devez entrer la description du type (petit texte explicatif), l'extension utilisée par ce type de fichiers, le type de MIME et les actions à accomplir. Cliquez sur le bouton **Nouveau** et tapez **Open** dans la zone de texte **Action**. Appuyez sur le bouton **Parcourir** et désignez l'application à utiliser en tant qu'afficheur.

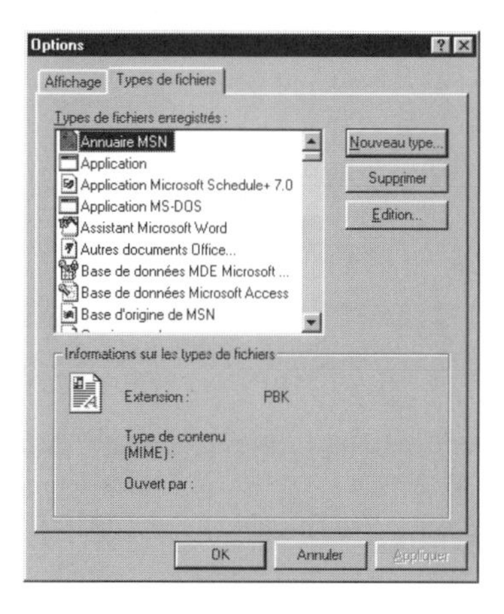

Figure 8.10 : L'onglet Types de fichier de la boîte de dialogue Options permet de définir de nouveaux afficheurs.

Vous avez dit MIME ?

MIME est l'abréviation de Multipurpose Internet Mail Extensions. Ce standard a été initialement défini pour la transmission des fichiers dans des courriers électroniques, mais il sert aussi à identifier le format des fichiers sur le Web. Vous trouverez des informations détaillées sur le format MIME aux adresses suivantes : ***http://sd-www.jsc.nasa.gov/mime types/*** *et sur* ***http://home .netscape.com/assist/helper_apps/mime.html.***

Résumé

- Les navigateurs peuvent manipuler de nombreux types de fichiers : HTML, textes, graphiques et sons en sont quelques exemples. Lorsqu'un navigateur rencontre un format de fichier inconnu, il tente de communiquer le fichier à un module externe ou à un afficheur.
- Les modules externes et les afficheurs permettent de jouer ou d'afficher des fichiers non reconnus par les navigateurs. Ces deux outils sont légèrement différents : un module externe affiche le fichier dans la fenêtre du navigateur alors qu'un afficheur est un programme annexe qui s'exécute sans modifier le contenu de la fenêtre du navigateur.
- Il existe plusieurs centaines de modules externes et d'afficheurs adaptés aux multiples formats de fichiers transportés sur le Web. La plupart ne sont que très rarement utilisés.

- Les modules externes sont plus pratiques que les afficheurs. Cependant, n'hésitez pas à utiliser un afficheur si ses caractéristiques sont plus intéressantes que celles du module externe correspondant.
- Lorsqu'un navigateur rencontre un type de fichier inconnu, il vous demande ce qu'il doit en faire. Vous pouvez lui demander d'utiliser un module externe ou un afficheur.

Définissez vos propres pages Web

Dans ce chapitre

- Votre première page Web en 10 minutes
- Remplacer la page d'accueil par défaut
- Pourquoi définir des pages Web ?
- Les formats ASCII et HTML
- Les liens hypertexte
- Rattacher plusieurs pages Web à la page d'accueil
- Raccourcis pour vous épargner la saisie d'URL intéressants

Vous venez à peine d'apprendre à vous connecter au Net, et vous pourriez tout à coup en devenir un acteur ? A première vue, cela paraît peu plausible.

Et pourtant, si ! Créer des pages Web est en effet si simple que vous allez y parvenir à l'issue des quelques pages de ce chapitre. La création d'une page Web élémentaire peut ne prendre qu'une dizaine de minutes. Pour arriver à ce résultat, vous allez un peu tricher grâce à un modèle dans lequel vous n'aurez qu'à remplir les "blancs".

Une première page Web

Voici le code correspondant à votre première page Web. Saisissez scrupuleusement les lignes ci-après dans un éditeur de texte et sauvegardez le document dans un fichier texte (les pages Web sont des fichiers texte ASCII). Utiliser un traitement de texte pour la saisie n'est pas forcément une bonne idée, car ils ont une fâcheuse tendance à insérer des codes de contrôle (guillemets, espaces insécables, tirets cadratins, etc.) qui peuvent avoir du mal à être convertis en texte ASCII. Il est donc préférable d'utiliser un simple éditeur de texte.

```
<HTML>
<HEAD>
<TITLE>Ma première page Web - Remplacez ce texte si vous le voulez</TIT-
LE>
<HEAD>
<BODY>
<H1>Remplacez ce texte par un autre quelconque</H1>
Placez un texte de votre choix sur cette ligne.<P>
<H2>Placez le nom du premier sous-titre ici.</H2>
<A HREF="http://www.mcp.com">Site Web Macmillan</A><P>
<A HREF="un autre URL">Titre de l'URL</A><P>
<A HREF="un autre URL">Titre de l'URL</A><P>
<A HREF="un autre URL">Titre de l'URL</A><P>
<A HREF="un autre URL">Titre de l'URL</A><P>
<H2>Placez le nom du deuxième sous-titre ici.</H2>
Placez du texte et des liens ici.
<H2>Placez le nom du troisième sous-titre ici.</H2>
Placez du texte et des liens ici.
<H2>Placez le nom du quatrième sous-titre ici.</H2>
Placez du texte et des liens ici.
</BODY>
</HTML>
```

Pour obtenir ce listing

Vous pouvez obtenir cette page Web en adressant un message à ***ciginternet@mcp.com****. Placez simplement le mot* ***ownweb*** *dans le champ sujet du message. Lorsque vous aurez reçu la réponse à votre message, sauvegardez-la au format texte. Ouvrez le fichier dans un éditeur de texte et supprimez tout ce qui se trouve avant la ligne <HTML>.*

La Figure 9.1 représente cette première page Web chargée dans un navigateur.

Figure 9.1 : Voici l'allure de la page-modèle précédente dans un navigateur Web.

Netscape - [Ma première page Web - Remplacez ce texte si vous le voulez]
Fichier Edition Affichage Aller Communicator ?

Remplacez ce texte par un autre quelconque

Placez un texte de votre choix sur cette ligne.

Placez le nom du premier sous-titre ici.

Site Web Macmillan

Titre de l'URL

Titre de l'URL

Titre de l'URL

Titre de l'URL

Placez le nom du deuxième sous-titre ici.

Placez du texte et des liens ici

Placez le nom du troisième sous-titre ici.

Ne vous inquiétez pas si vous ne comprenez pas les codes qui se trouvent dans le document. Vous aurez toutes les explications nécessaires un peu plus loin.

Vous allez d'abord intervenir sur le code à plusieurs endroits. Commencez par le texte compris entre les marqueurs <TITLE> et </TITLE>. Le texte que vous taperez apparaîtra dans la barre de titre du navigateur (voir figure ci-avant). Dans un deuxième temps, modifiez le texte compris entre les marqueurs <H1> et </H1>. Ce que vous taperez apparaîtra dans la partie supérieure du document. Vous pouvez par exemple utiliser le même texte qu'entre les marqueurs <TITLE> et </TITLE> (les auteurs de pages Web font souvent cela).

Qu'est-ce qu'un marqueur ?

Un marqueur est un mot clé délimité par les signes "<" et ">". On utilise des marqueurs pour donner des indications au navigateur quant à la façon d'afficher le texte.

Vous pouvez maintenant supprimer ou remplacer le texte qui se trouve à la suite du marqueur </H1>. Remarquez le marqueur de passage à la ligne <P> à la fin de chaque paragraphe. Remplacez les niveaux de titre suivants (entre les marqueurs <H2> et </H2>) par des thèmes qui vous sont chers. Si, par exemple, vous vous intéressez à la musique, placez le mot "Musique" entre les deux premiers marqueurs de niveau 2. Les autres titres de niveau 2 pourront être, par exemple "Finances" et "Loisirs". Cette page est la vôtre. Remplissez-la comme bon vous semble. Vous pouvez rapidement visualiser le résultat des modifications effectuées : sauvegardez le document et appuyez sur le bouton **Recharger** (Navigator) ou **Actualiser** (Internet Explorer) dans la barre de boutons.

Avant de changer les marqueurs <A HREF>, observez le premier d'entre eux :

```
<A HREF="http://www.mcp.com">Site Web Macmillan</A><P>
```

Les mots "Site Web Macmillan" sont utilisés comme lien hypertexte. Ils apparaissent dans la page Web (voir Figure 9.1). L'URL du site est placé dans le marqueur <A>, à la suite du mot HREF : **http://www.mcp.com**. En vous servant de cet exemple, définissez d'autres liens comme bon vous semblera. Vous pouvez par exemple remplacer cette ligne :

```
<A HREF="un autre URL">Titre de l'URL</A><P>
```

Par la suivante :

```
<A HREF="http://www.iuma.com">Internet Underground Music Archive</A><P>
```

Attention

Marqueurs par paire

Assurez-vous de ne pas avoir supprimé un signe "<" ou ">". Si cela se produisait, le contenu de la page Web pourrait être radicalement modifié.

Remplacez les liens "génériques" par les liens des pages Web que vous souhaitez visiter. Pour gagner du temps en écriture, vous pouvez ajouter de nouveaux liens par un simple copier-coller à partir d'une ligne contenant un lien existant. Modifiez alors les informations contenues dans les nouvelles lignes. Lorsque tous les liens ont été définis, sauvegardez le document et cliquez sur le bouton **Recharger** (Navigator) ou **Actualiser** (Internet Explorer) dans la barre de boutons. Vous découvrez votre première page Web réalisée en moins de dix minutes !

Utilisez cette page comme page d'accueil

Lorsque la page Web précédente a été définie, vous pouvez demander à votre navigateur de l'utiliser comme page d'accueil. Dans Internet Explorer, commencez par afficher cette page dans le navigateur. Lancez alors la commande **Options** dans le menu **Affichage** et sélectionnez l'onglet **Exploration** (voir Figure ci-après). Sélectionnez **Page de démarrage** dans la liste déroulante **Page** (Internet Explorer utilise le terme **page de démarrage** pour désigner la page d'accueil). Cliquez enfin sur le bouton **Page** courante.

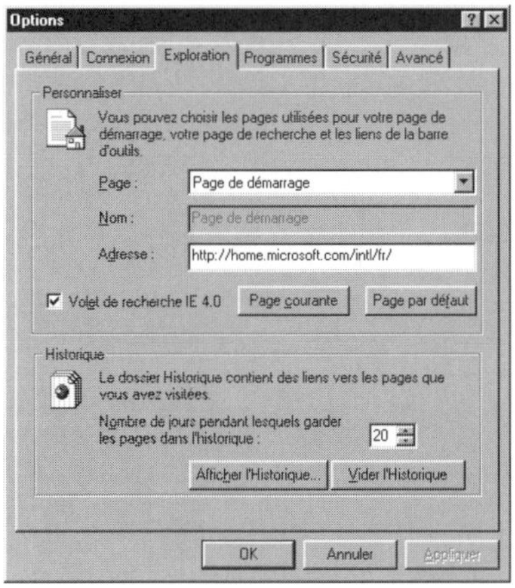

Figure 9.2 : Dans Internet Explorer, il suffit de cliquer sur le bouton Page courante pour que la page courante devienne la page d'accueil.

Pour définir la page d'accueil dans Netscape Navigator 4, affichez la page dans le navigateur, lancez la commande **Préférences** dans le menu **Edition**, cliquez sur l'entrée **Navigateur** et appuyez sur le bouton **Utiliser la page courante**. Dans Navigator 3, lancez la commande **Préférences générales** dans le menu **Options** et sélectionnez l'onglet **Aspect**. Remplissez la zone de texte. Le navigateur démarre avec le nom complet du fichier HTML à utiliser (disque, chemin et nom). Vous pouvez par exemple taper **c:\program files\netscape\navigator\ownweb.htm** pour référencer le fichier **ownweb.htm** qui se trouve dans le répertoire **program files\netscape\navigator** du disque C:.) Appuyez sur le bouton **OK**.

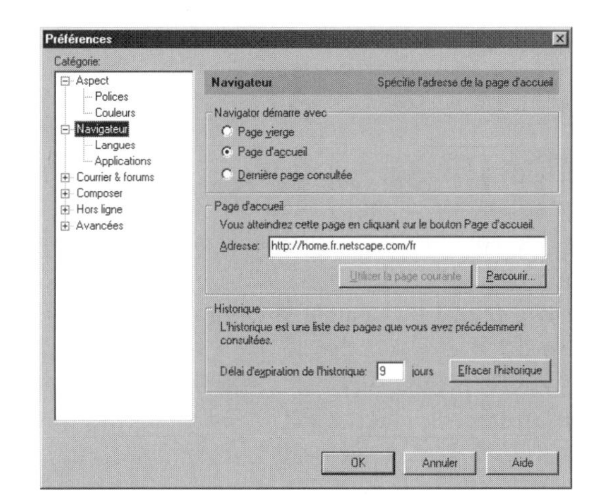

Figure 9.3 : La définition d'une page d'accueil dans Navigator 4 s'effectue selon le même processus que dans Internet Explorer.

Lorsque vous relancerez le navigateur, la page d'accueil spécifiée sera affichée. Vous pourrez aussi accéder à tout moment à cette page en appuyant sur le bouton **Accueil** (Netscape) ou **Démarrage** (Internet Explorer).

Pourquoi définir des pages Web ?

Il existe plusieurs bonnes raisons qui pourront vous inciter à créer des pages Web. Si vous définissez une page d'accueil sur votre disque dur, son chargement sera bien plus rapide que si elle se trouve sur le Web. La plupart des navigateurs sont configurés pour utiliser par défaut une page d'accueil située sur le site de leur constructeur. Si la page Web du constructeur vous convient, copiez-la sur votre disque dur et modifiez la page d'accueil en conséquence.

La deuxième bonne raison est que chaque personne utilise le Web à sa façon : une page d'accueil créée par une tierce personne ne contient pas forcément tous les liens qui vous sont utiles et, à l'inverse, elle contient peut-être des liens qui ne vous sont d'aucune utilité. Dans ce cas, vous devez être à même de modifier et de compléter votre page d'accueil. Vous pouvez aussi définir une page d'accueil contenant plusieurs documents utiles (un concernant votre travail, un autre en rapport avec la musique, un autre relatif aux groupes de nouvelles, etc.).

La dernière raison, et non la moindre, est que vous pouvez placer sur le Web une page Web contenant des informations personnelles ou concernant votre travail. Vous pouvez ne pas vous limiter à la sauvegarde locale de votre page Web : en envoyant votre page à votre fournisseur d'accès, vous pouvez la rendre accessible au reste du monde...

Les bases du langage HTML

Maintenant que vous savez à quel point il est simple de créer une page Web, vous allez en apprendre un peu plus sur le langage HTML (HyperText Markup Language), qui est le langage du Web et se compose de marqueurs délimités par les signes "<" et ">".

Les fichiers HTML sont de simples fichiers texte universellement reconnus par la plupart des programmes, toutes plates-formes confondues.

Il est important d'avoir à l'esprit que les éditeurs de texte (comme le bloc notes et SimpleText) créent de simples fichiers texte, alors que les traitements de texte ne le font pas par défaut. Ces derniers sont des éditeurs de texte évolués qui formatent les documents en utilisant des méthodes incompatibles avec le standard ASCII. Un document issu d'un traitement de texte peut par exemple contenir des attributs de caractères (italique, gras, souligné, etc.), des caractères spéciaux (guillemets français, signe de copyright, tirets cadratins, espaces insécables, etc.) et des consignes concernant l'espacement des paragraphes. Si vous utilisez un traitement de texte pour créer vos fichiers HTML, pensez à les sauvegarder au format texte pur et non au format utilisé par défaut dans ce traitement de texte.

Les fichiers HTML sont des fichiers texte spécialement étudiés pour être lus dans des navigateurs Web. Ils utilisent le même jeu de caractères que n'importe quel autre fichier texte, mais sont basés sur des conventions propres aux navigateurs Web. Ces conventions reposent sur l'utilisation de marqueurs délimités par les caractères "<" et ">". Ces marqueurs ont une signification particulière, ils sont interprétés par le navigateur au moment de l'affichage du document.

Affichage interprété

Ce terme est utilisé pour caractériser la traduction opérée par les navigateurs lors de l'affichage de pages Web. Le texte est affiché en accord avec les attributs de formatage spécifiés dans les marqueurs HTML.

Vous avez défini précédemment votre première page Web et savez donc à quoi ressemblent ces marqueurs. Nous allons en examiner certains d'un peu plus près.

- **<TITLE> </TITLE>.** Le texte placé entre ces deux marqueurs est le titre du document. Ce texte n'apparaît pas dans le corps du document. Il est affiché dans la barre de titre par Netscape et Internet Explorer et est utilisé dans l'historique et le carnet d'adresses.
- **<H1> </H1>.** Ces marqueurs correspondent au premier niveau de titre. En utilisant les marqueurs <H2>, <H3>, <H4>, <H5> et <H6>, vous pouvez définir jusqu'à six niveaux de titre.
- **<P>.** Ce marqueur provoque un passage à la ligne. Ce n'est pas parce que vous changez de ligne dans le code source d'un document HTML que ce changement sera effectué dans le navigateur. Il est donc nécessaire d'utiliser le marqueur <P> à la fin de chaque paragraphe. Dans la plupart des cas, les marqueurs vont par deux. Ils sont presque identiques, à ceci près que le deuxième commence par un "/" comme dans <H1> </H1>. Le marqueur <P> est une exception.

Majuscules ou minuscules

La casse des caractères utilisés dans les marqueurs importe peu. Vous pouvez tout aussi bien utiliser les mots title, TITLE, Title, TItLE ou TiTlE pour définir le marqueur <TITLE>.

- **<A>**. Ce marqueur (appelé ancre) permet de définir un lien hypertexte :

```
<A HREF="http://www.mcp.com">Site Web Macmillan</A><P>
```

Délimité par des guillemets, l'URL est placé à l'intérieur du marqueur <A>, après le mot HREF. A la suite du marqueur <A>, vous devez placer un texte quelconque. Ce texte sera utilisé comme lien hypertexte dans la page Web. Le marqueur </A> définit la fin du lien hypertexte. Dans l'exemple précédent, un marqueur <P> a été utilisé pour provoquer un passage à la ligne afin de s'assurer que le lien se trouverait seul sur une ligne.

Ancres

Les marqueurs <A HREF=url"> sont souvent appelés "ancres" (anchors). Ce terme est couramment utilisé pour faire référence aux liens hypertexte des pages Web.

Un mot à propos des paragraphes

Les navigateurs Web ne gèrent pas les paragraphes de la même façon que les traitements de texte. Lorsqu'un document contient plusieurs caractères d'espacement consécutifs, ces derniers sont compressés dans le navigateur. Seul le marqueur <P> provoque un passage à la ligne avec insertion d'une ligne vierge entre deux paragraphes.

Dans certains cas, il peut être nécessaire de supprimer la ligne vierge entre les deux paragraphes. Pour ce faire, vous utiliserez le marqueur
 à la place du marqueur <P>.

Les marqueurs <P> et </P>

Comme nous venons de le voir, le marqueur </P> n'est pas obligatoire à la suite du marqueur <P>. C'est la raison pour laquelle peu de concepteurs de pages Web l'utilisent.

Ne vous arrêtez pas en si bon chemin

Il est très simple de définir un ensemble de documents hiérarchiquement liés. Pourquoi ne pas définir une page d'accueil qui renvoie sur plusieurs autres pages locales ? Dans chacune d'elles, vous pourriez placer des liens en rapport avec un sujet donné.

Supposons que vous désiriez définir un document contenant des liens vers des sites musicaux qui vous intéressent. Définissez ce document en utilisant la même technique que précédemment, puis sauvegardez-le sur disque dans le même répertoire que la page d'accueil. Donnez par exemple le nom MUSIC.HTM à ce document.

Après avoir créé plusieurs pages de ce type (une pour la musique, une pour les arts, une pour l'écologie, etc.), vous pouvez les référencer dans votre page d'accueil en utilisant un marqueur <A HREF>. Vous êtes maintenant un auteur de pages Web !

Pour ne pas saisir les URL

Il existe des moyens pour éviter d'avoir à saisir des URL dans la page d'accueil. Une des méthodes consiste à afficher la page qui vous intéresse en cliquant sur un lien. L'URL de la page se trouve dans la zone **Adresse**, dans la partie supérieur de la fenêtre. Mettez cette adresse en surbrillance et appuyez sur **Ctrl-C** (vous pouvez aussi lancer la commande **Copier** dans le menu **Edition**). Il suffit maintenant de coller le contenu du Presse-papiers dans votre page d'accueil.

Vous pouvez aussi copier l'URL à partir d'un lien hypertexte. Pointez le lien et faites un clic droit. Si vous utilisez un Macintosh, maintenez le bouton de la souris enfoncé pendant une seconde ou deux. Sélectionnez **Copier le raccourci** dans Internet Explorer. Sélectionnez **Copier l'adresse** du lien dans Netscape.

L'adresse URL peut aussi provenir du carnet d'adresses ou, dans certains cas, de l'historique. Dans Internet Explorer, vous pouvez ouvrir les favoris (ce terme est utilisé pour désigner le carnet d'adresses). Lancez la commande **Organiser les favoris** dans le menu **Favoris**. Faites un clic droit sur une entrée et sélectionnez **Propriétés**. Sous l'onglet **Raccourci Internet**, copiez l'URL à partir de la zone de texte **URL cible**.

Dans Netscape, les mêmes actions peuvent être accomplies en ouvrant le carnet d'adresses. Lancez la commande **Carnet d'adresses** dans le menu **Fenêtre** (ou **Carnet d'adresses** dans le menu **Communicator**). Faites un clic droit sur une entrée, sélectionnez **Propriétés** et copiez l'URL à partir de la zone texte **Nom**. Vous pouvez aussi lancer la commande **Enregistrer sous** dans le menu **Fichier** pour enregistrer le carnet d'adresses dans un fichier HTML. Par la suite, ce fichier pourra être ouvert dans un éditeur de texte afin de copier/coller les liens intéressants.

Vous et votre fournisseur d'accès

Pour publier une page Web, vous devez procéder selon deux étapes :

1. Définissez la page à publier.
2. Placez la page sur un serveur Web, de façon à ce qu'elle soit accessible aux autres internautes.

La plupart des services en ligne et des fournisseurs d'accès permettent à leurs abonnés de publier leurs propres pages Web. Certains de ces services permettent à chaque abonné de publier 1 ou 2 Mo de données (pages Web, fichiers graphiques, sons, etc.). Contactez votre fournisseur pour connaître la taille maximale autorisée pour stocker vos données et l'adresse où vous pourrez les placer.

En général, vous utiliserez FTP (voir Chapitre 14) pour transférer vos données sur le serveur Web. Certains services en ligne utilisent d'autres méthodes. Renseignez-vous directement.

Besoin d'aide ?

La plupart des services en ligne proposent des programmes pour vous aider à créer vos pages Web et à les poster sur le serveur approprié. Parcourez les diverses pages de votre service en ligne pour prendre connaissance de ce qu'il vous propose.

Résumé

- Définir une page d'accueil est une opération très simple. En utilisant le modèle proposé dans ce livre, il ne vous faudra guère plus de dix minutes pour y parvenir.
- Les marqueurs HTML sont délimités par les caractères "<" et ">".
- Dans la plupart des cas, les marqueurs fonctionnent par paire, comme <TITLE>Ma page d'accueil</TITLE>
- Les marqueurs indiquent au navigateur quel texte doit être affiché dans la barre de titre, comme en-tête de paragraphe, lien hypertexte, etc.
- Pour définir un lien, utilisez le marqueur <A HREF="URL">Texte du lien</A> en précisant l'URL et le texte à afficher dans le lien.

- Si vous indiquez le nom d'un fichier à la place de l'URL, le navigateur va rechercher le fichier spécifié dans le même répertoire que le document.
- Vous pouvez remplacer la page d'accueil par défaut de votre navigateur par une qui vous est propre.
- Après avoir créé une page Web, vous pouvez l'envoyer à votre fournisseur d'accès pour la rendre accessible à tous les internautes.

INTERNET

Chapitre 10

Le push

Dans ce chapitre

- Le push place des informations toujours actualisées sur le bureau de Windows
- Les deux principaux programmes de push : Netcaster de Netscape et le Bureau actif de Microsoft
- Définir des canaux sur le bureau
- Trouver d'autres canaux que ceux proposés par défaut
- Les autres programmes de push : Pointcast, BackWeb, Websprite, etc.

Dans ce chapitre, nous allons nous intéresser à un tout nouveau service Internet : le *push*. Ce service s'apparente à un navigateur Web automatisé : la connexion aux sites qui vous intéressent et l'acheminement des données correspondantes se fait sans votre intervention.

Après avoir installé un programme de push sur votre ordinateur, vous lui indiquez les sites qui vous intéressent et leur fréquence de mise à jour. Vous pouvez :

- rapatrier les dernières nouvelles du site CNN toutes les 10 minutes ;
- afficher automatiquement les prévisions de la météo tous les matins ;
- surveiller les changements effectués sur un site Web qui vous tient à cœur.

Lorsque le programme de push est actif (il est possible de l'activer automatiquement au démarrage de l'ordinateur), les données provenant des sites sélectionnés sont automatiquement lues et rapatriées sur le bureau de votre ordinateur.

Lors de votre apprentissage du push, vous entendrez immanquablement parler du *Webcasting*. Ce terme désigne une technique utilisée par certaines sociétés pour diffuser des informations auprès d'un ensemble de personnes. Un peu comme une émission de radio ou de télévision.

Le push est-il un réel outil de productivité ?

Les sociétés à l'origine du push clament que ce système peut augmenter la productivité d'une entreprise dans de larges proportions. La société Gartner qui a effectué une étude mettant en relation l'utilisation de l'outil informatique et la productivité dans une entreprise a montré qu'en moyenne, chaque employé dépense plus de 30 000 francs par an dans un travail non productif sur son ordinateur. Le push est tellement simple à mettre en œuvre qu'il peut être tentant de demander le rapatriement d'informations non directement utiles à l'entreprise. La lecture des dernières nouvelles ou des résultats sportifs peut-elle vraiment augmenter la productivité ?

Pour conclure, si tous les produits informatiques sont censés améliorer la productivité d'une entreprise, très peu y parviennent, et personnellement, je pense que le push n'en fait pas partie.

Plusieurs acteurs, mais deux réels concurrents

De nombreux programmes de push ont vu le jour, mais, comme on pouvait s'y attendre, seuls les deux ténors habituels s'affrontent réellement : Netscape et Microsoft. Ces deux sociétés proposent une version bêta (c'est-à-dire en cours de développement, mais assez avancée pour que l'on puisse se faire une idée) librement téléchargeable de leur navigateur. Lorsque vous lirez ces lignes, Netcaster (le programme de push de Netscape), et le Bureau actif (le programme de push de Microsoft) seront certainement disponibles en version définitive. Notez à ce sujet que Windows 98 (la nouvelle mouture de Windows, disponible probablement courant 1998) sera livré avec le Bureau actif.

Netscape et Microsoft ne sont pas les seules sociétés à l'origine de programmes de push. PointCast a été le premier programme de push réellement populaire sur Internet. BackWeb et Castanet ont aussi beaucoup fait parler d'eux. Plusieurs autres programmes moins connus (comme Websprite) offrent quelques spécificités intéressantes.

Si vous utilisez Netscape ou Internet Explorer, vous n'aurez pas à vous connecter à un site Internet pour rechercher, télécharger puis installer un programme de push : il vous suffira de mettre à jour votre navigateur en téléchargeant la prochaine version.

Les autres sociétés qui proposent des programmes de push ont rapidement réalisé qu'elles n'étaient pas de taille à s'affronter aux deux géants. Par exemple, Marimba, la société qui est à l'origine de Castanet, s'est associée avec Netscape pour fournir une centaine de "canaux" Castanet accessibles dans Netcaster.

Un rapide aperçu de Netcaster

Vous utiliserez certainement Netcaster, le programme de push de Netscape (du moins jusqu'à ce que le Bureau actif soit disponible). Vous pouvez lancer Netcaster avec la commande **Netcaster** dans le menu **Communicator** de Navigator, avec le raccourci-clavier **Ctrl-8** ou à partir du bouton **Démarrer**.

Les sources d'informations utilisées par Netcaster sont appelées des "canaux". Tous les canaux sont mémorisés dans le la section **My Channels** du panneau de contrôle (drawer) de **Netcaster** (voir Figure 10.1). Remarquez l'onglet sur la partie gauche qui permet d'ouvrir ou de fermer le drawer. (Lorsque ce dernier est actif, il est toujours affiché en avant-plan. Vous devez donc le fermer pour pouvoir travailler avec une autre application.)

Figure 10.1 : Le drawer de Netcaster.

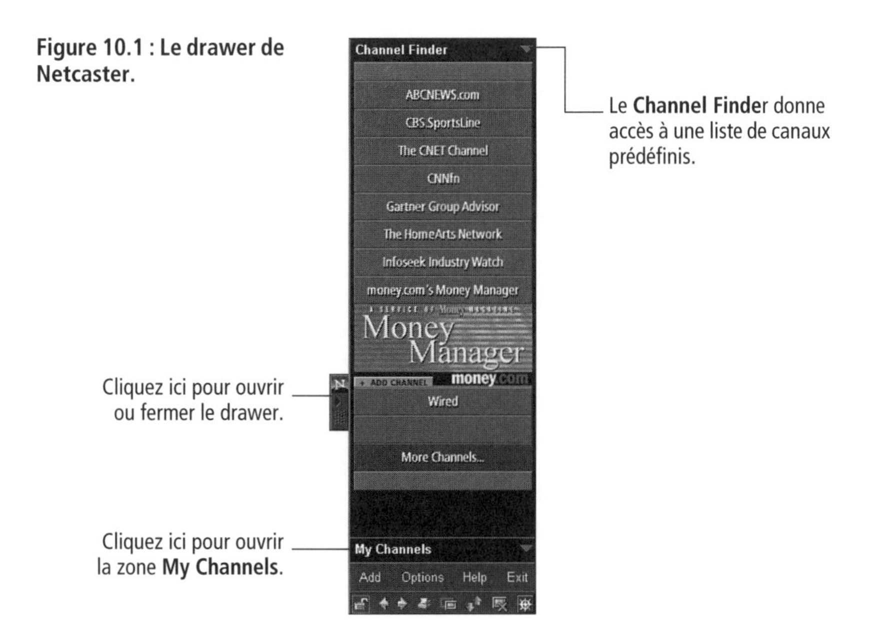

Quels types d'informations peut-on mettre dans un canal ?

Lorsque le push a fait son apparition, les canaux d'information étaient peu nombreux. Aujourd'hui, les deux programmes de push les plus courants (Netcaster et le Bureau actif) permettent d'utiliser des pages Web quelconques en tant que canaux d'information. Ainsi, vous pouvez choisir de visualiser de façon automatique l'évolution d'un site Web qui vous est cher, afficher périodiquement les programmes TV ou les nouveautés relatives au monde de la voile. Le choix des canaux vous appartient.

Deux techniques peuvent être utilisées pour choisir un canal, en d'autres termes pour indiquer au programme de push quelles informations il doit récupérer. Vous pouvez :

1. Choisir un canal dans la liste prédéfinie (Channel Finder).
2. Désigner manuellement un site Web particulier.

Utilisation de Channel Finder

Cliquez sur la barre **Channel Finder** pour visualiser tous les canaux prédéfinis. Pour obtenir plus d'informations sur un des canaux de la liste, il suffit de cliquer dessus pour afficher son logo et le bouton **+Add Channel**. Cliquez sur ce bouton pour ouvrir afficher les informations relatives à ce canal (voir Figure 10.2).

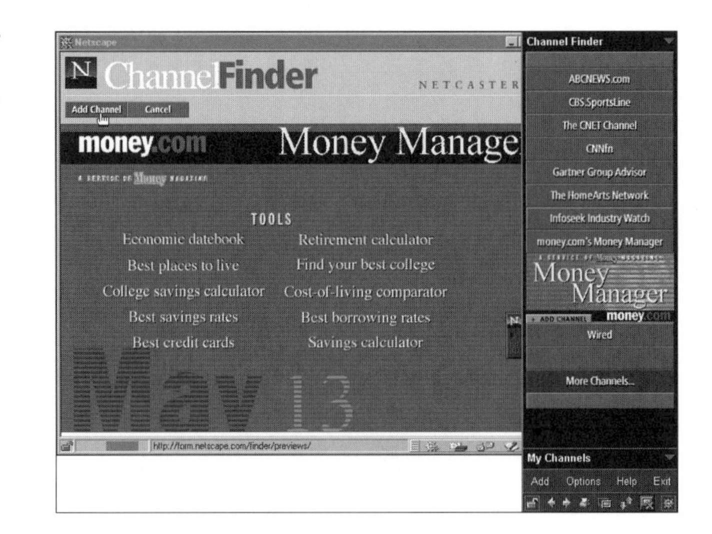

Figure 10.2 : Cliquez sur un canal puis sur le bouton +ADD CHANNEL pour ajouter le canal à votre collection.

Si vous décidez de conserver ce canal, appuyez sur le bouton **Add Channel** dans la partie supérieure de la fenêtre. Dans le cas contraire, appuyez sur le bouton **Cancel**.

Comme le montre la Figure 10.3, un appui sur le bouton **Add Channel** déclenche l'affichage d'une boîte de dialogue (il se peut qu'une fenêtre vous demandant d'enregistrer Netcaster soit affichée au préalable). Cette boîte de dialogue affiche le nom du canal (ce nom peut être modifié si vous le souhaitez) et l'adresse URL de la page Web. Comme vous pouvez le remarquer, il est aussi possible de définir la fréquence de la mise à jour. Si vous désasctivez la case **Update this channel or site every**, le canal n'est pas activé. Il ne sera donc pas mis à jour. Pour rendre actif le canal, cochez cette case et définissez la fréquence de la mise à jour (entre 30 minutes et 1 semaine) dans la liste déroulante.

Figure 10.3 : Indiquez à Netcaster la fréquence de la mise à jour du canal sélectionné.

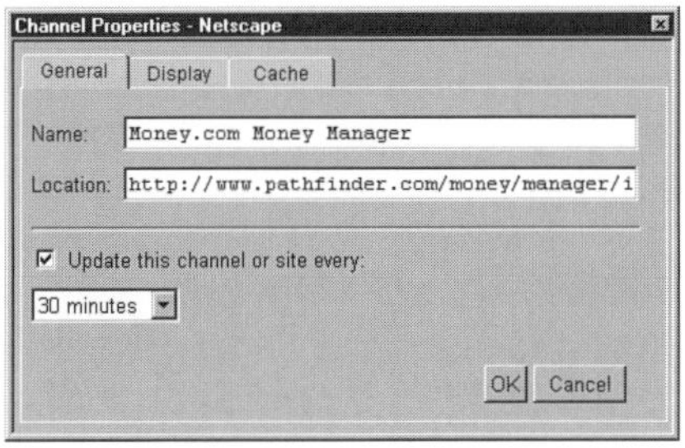

L'affichage de ce canal peut s'effectuer de deux manières différentes. Cliquez sur l'onglet **Display**, puis sélectionnez **Default Window** ou **Webtop Window** (voir Figure 10.4). Si vous sélectionnez la première option, les informations sont affichées dans la fenêtre du navigateur. Si vous sélectionnez la deuxième option, les informations sont affichées sur le bureau de Windows. Nous étudierons plus loin ce qui différencie ces deux modes d'affichage.

Figure 10.4 : Choisissez le mode d'affichage des informations : dans une fenêtre classique ou sur le bureau de Windows.

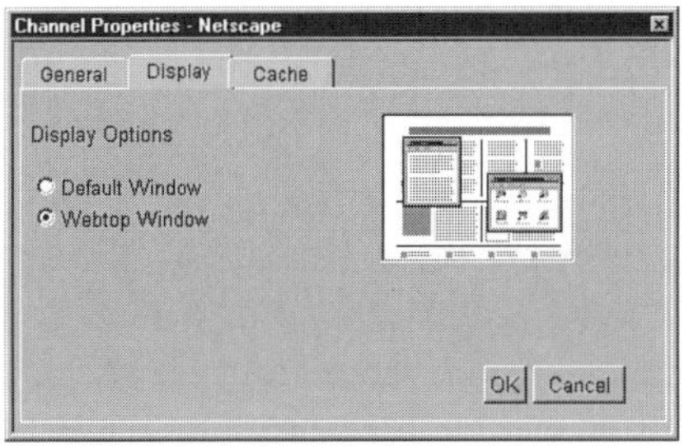

Cliquez maintenant sur l'onglet **Cache** pour afficher la boîte de dialogue de la Figure 10.5. Ici, vous pouvez choisir la taille du cache utilisé par Netcaster. Ce cache est réservé aux données lues sur les canaux. Il est différent du cache du navigateur (si nécessaire, reportez-vous au Chapitre 6 pour en savoir plus au sujet des caches propres au navigateur). Vous pouvez aussi définir le nombre de "niveaux" qui doivent être explorés par le canal. Par exemple, si le canal fait une recherche sur un niveau, seule la page principale sera renvoyée. Si le canal fait une recherche sur deux niveaux, la page principale ainsi que toutes les pages qui lui sont liées seront rapatriées. Le téléchargement de plusieurs niveaux peut demander un espace disque et un temps de connexion non négligeables. L'avantage est que, une fois rapatriées, les pages sont affichées très rapidement puisqu'elles se trouvent sur le disque dur.

A titre d'exemple, si vous rapatriez les données d'un canal de nouvelles sur deux niveaux, vous pourrez visualiser les titres ainsi que les articles correspondants, que vous soyez connecté ou déconnecté du réseau. En mode déconnecté, les données seront lues directement dans le cache et aucune connexion ne sera nécessaire.

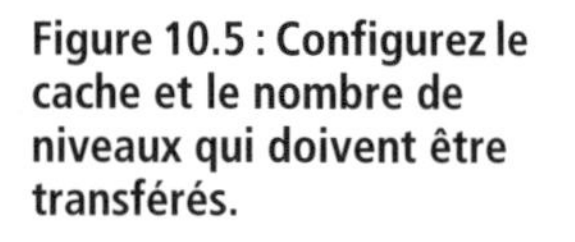

Figure 10.5 : Configurez le cache et le nombre de niveaux qui doivent être transférés.

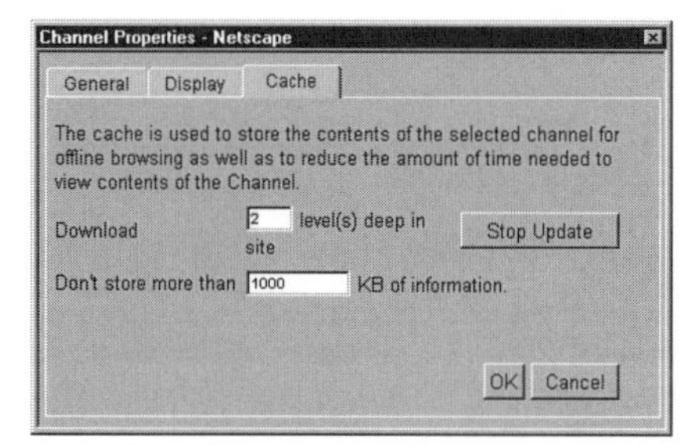

Faites bien attention lorsque vous choisirez le nombre de niveaux à explorer. Les canaux affichés dans le Channel Finder sont des cas d'école. Il n'y a donc aucun problème à choisir une exploration sur trois niveaux. Par contre, si vous demandez une exploration sur trois niveaux à partir d'un site Web réel, vous irez à la catastrophe si les pages du site visé contiennent de nombreux liens : cette tâche peut demander plusieurs heures !

Remarquez aussi le bouton de commande **Stop Update** qui peut être utilisé pour interrompre la réception de données en provenance d'un canal. Pour ouvrir la boîte de dialogue des propriétés d'un canal, affichez la zone **My Channels** dans le drawer, faites un clic droit sur le nom d'un canal et choisissez **Propriétés**.

Si aucun des canaux du Channel Finder ne vous intéresse, cliquez sur la barre **More Channels** pour afficher une liste de plus de 100 nouveaux canaux.

Définition d'une page Web en tant que canal

Il est possible d'utiliser une page Web quelconque en tant que canal. En d'autres termes, vous pouvez demander à Netcaster de récupérer automatiquement des informations sur une ou plusieurs des dizaines de millions de pages Web existantes. Cliquez sur le libellé **Add** dans la partie inférieure du drawer pour afficher la boîte de dialogue des propriétés que vous avez déjà utilisée précédemment. Paramétrez cette boîte de dialogue comme nous l'avons indiqué auparavant. N'oubliez pas de préciser le nom du canal et l'adresse URL de la page Web.

Utilisation des canaux

Pour utiliser vos canaux, cliquez sur la barre **My Channels** dans le drawer pour faire apparaître la liste des canaux que vous avez sélectionnés. Cliquez ensuite sur le canal que vous désirez ouvrir.

Si vous avez sélectionné l'option **Default Window**, les données sont affichées dans la fenêtre du navigateur. Ce paramétrage est tout indiqué si la page Web est souvent utilisée pour débuter une session Web.

Si vous avez sélectionné l'option **Default Webtop**, les données sont affichées sur le bureau de Windows (voir Figure 10.6).

Les deux types d'affichage s'utilisent de la même façon, mais dans le cas d'un affichage **Default Webtop**, l'onglet **Netcaster**, la barre d'outils Webtop et l'icône de Netscape Communicator sont affichés dans la partie inférieure droite de l'écran.

Les boutons de la barre d'outils Webtop effectuent les actions suivantes :

- affichage des informations relatives à la sécurité de la page affichée ;
- déplacements dans l'historique des pages visualisées ;
- impression de la page courante ;
- masquage ou affichage du Webtop ;
- affichage du Webtop en avant-plan ou en arrière-plan du bureau de Windows ;
- fermeture du Webtop ;
- ouverture d'une fenêtre dans le navigateur.

Testez ces boutons pour mieux comprendre leur fonctionnement. Vous pouvez par exemple faire passer le Webtop en arrière-plan pour qu'il se comporte comme un simple

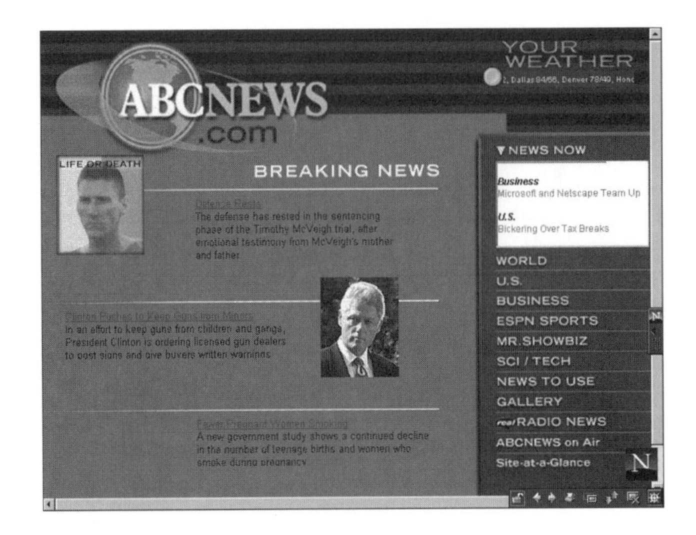

Figure 10.6 : Le paramétrage Default Webtop affiche les données sur le bureau de Windows.

papier peint. Si vous lancez un programme, sa fenêtre est affichée au premier plan du Webtop. (Dans la version actuelle de Netcaster, la fenêtre du Webtop masque les éventuelles icônes affichées sur le bureau de Windows.)

Le Bureau actif de Microsoft

Le Bureau actif est comparable à Netcaster. Ces deux systèmes déposent des données issues du Web sur le bureau de Windows. Même si nous ne nous intéressons qu'au push dans cette partie, vous devez savoir qu'en activant le Bureau actif de Microsoft, vous modifierez le fonctionnement du bureau de Windows (par exemple, le double clic sur une icône est remplacé par un simple clic).

Pour ajouter des chaînes (c'est le terme utilisé par Microsoft pour désigner les canaux d'information) sur le Bureau actif, vous devez ouvrir la boîte de dialogue des propriétés de l'affichage. Cliquez à droite sur une portion inoccupée du bureau et sélectionnez **Propriétés** dans la liste. Cliquez sur l'onglet **Bureau** pour afficher une boîte de dialogue de la Figure 10.7 (il se peut que la boîte de dialogue affichée sur votre ordinateur soit quelque peu différente si votre version du Bureau actif est plus récente).

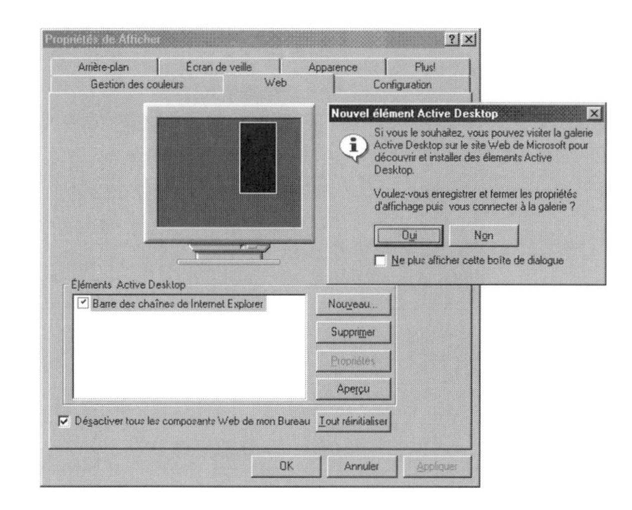

Figure 10.7 : Les canaux sont définis dans cette boîte de dialogue.

Pour définir une nouvelle chaîne, appuyez sur le bouton **Nouveau**, sélectionnez **Site Web** dans la boîte de dialogue puis appuyez sur le bouton **OK**. Une nouvelle boîte de dialogue est affichée. Entrez l'adresse du site Web à surveiller, puis appuyez sur le bouton **OK**. Indiquez la fréquence de mise à jour des données dans la nouvelle boîte de dialogue (cliquez sur le bouton **Autres** si vous voulez modifier la fréquence par défaut). Appuyez enfin sur le bouton **OK** puis sur le bouton **Oui** pour ajouter le nouveau canal.

Les chaînes sont affichées sur le bureau dans des fenêtres dont la taille et la position peuvent être librement choisies. Pour modifier la taille d'une fenêtre, pointez son coin inférieur droit et déplacez la souris en maintenant le bouton gauche enfoncé. Pour déplacer une fenêtre, pointez son coin supérieur gauche et déplacez la souris en maintenant le bouton gauche enfoncé.

La fenêtre d'une chaîne fonctionne à la manière d'Internet Explorer : vous pouvez cliquer sur les liens pour accéder aux pages correspondantes ou utiliser le clic droit pour afficher le menu contextuel habituel.

Les autres programmes de push

Les autres programmes de push sont assez proches des deux ténors dont nous venons de parler : après avoir défini un canal d'information et une fréquence de mise à jour, les données ainsi désignées sont automatiquement affichées sur le bureau. Seul Webprice, permet d'utiliser un site Web quelconque comme canal d'informations, sans se limiter à

Figure 10.8 : Ici, la chaîne est affichée sur le bureau.

un certain nombre de canaux prédéfinis. Ce programme vous indique lorsque le contenu du site choisi a été modifié et permet de visualiser rapidement la page correspondante. Pour essayer un de ces logiciels, rendez-vous sur les sites suivants (ils peuvent en général être essayés gratuitement).

- BackWeb

  http://www.backweb.com/

  Près de 40 canaux : arts, jeux, éducation, musique, sports, finance, etc.

- Castanet

  http://www.marimba.com/

  Près de 100 canaux accessibles à travers Netcaster. CBS Sportsline, MapQuest, Wall-StreetWeb, MapQuest, PlaySite, SameGame, Astrology.net, etc.

- NETdelivery

  http://www.netdelivery.com/

  Ce site regroupe diverses associations qui proposent des informations, des produits et des services à des personnes qui partagent un même centre d'intérêt. Pour l'instant, seul le canal CyberSeniors dédié aux plus de 50 ans est disponible.

- PointCast

  http://www.pointcast.com/

C'est certainement le programme de push le plus connu. Il donne accès à plusieurs centaines de canaux : Boston Globe, Chicago Tribune, CNN, News, New York Times, TechWeb, Sports, etc.

- Websprite

  http://www.websprite.com/

  Ce programme donne accès à une vingtaine de canaux prédéfinis : affaires, informations techniques, sports, actualité, etc. Contrairement aux autres programmes, Websprite peut effectuer un push sur une page Web quelconque. Il vous avertit de tout changement (éventuellement sous une forme parlée si vous êtes équipé en conséquence) dans les pages sélectionnées.

Encore quelques nouveaux termes

Microsoft a défini le format **CDF** (*Channel Data Format*) pour caractériser les systèmes de push. Les auteurs de pages Web peuvent utiliser les marqueurs du langage **XML** (*Extended Meta Language*) pour identifier les portions de pages Web destinées au push. Grâce à ces marqueurs, il peuvent définir la meilleure façon d'afficher les données ou encore se faire un peu de publicité. Les programmes de push qui se connecteront à ce site ne rapatrieront que les informations ainsi définies.

Le format CDF a été adopté par plusieurs concepteurs de programmes de push, comme PointCast, NackWeb et MailBank, le créateur de Websprite. D'autres sociétés (comme Netscape bien entendu) ont préféré ignorer ce format.

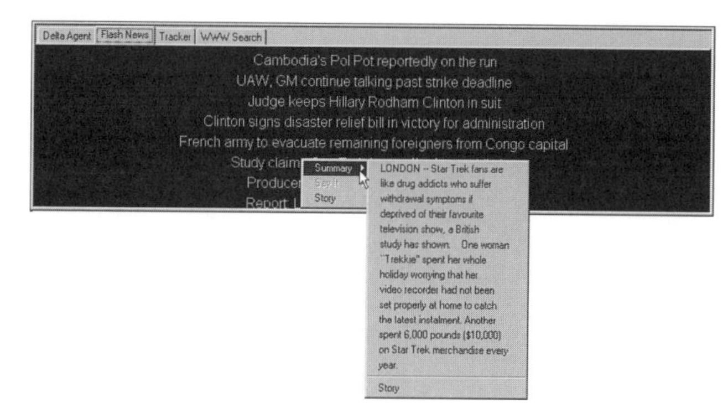

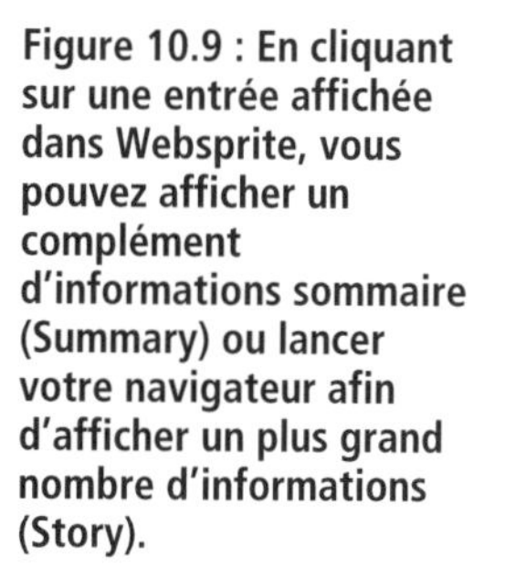

Figure 10.9 : En cliquant sur une entrée affichée dans Websprite, vous pouvez afficher un complément d'informations sommaire (Summary) ou lancer votre navigateur afin d'afficher un plus grand nombre d'informations (Story).

Résumé

- Les programmes de push sont capables de rapatrier les informations dont vous avez besoin sur le Web sans aucune intervention extérieure. Il suffit de préciser l'adresse où les trouver et la fréquence de mise à jour.
- Les deux principaux programmes de push sont **Netcaster** de Netscape et le **Bureau actif** de Microsoft. De nombreux autres programmes sont aussi disponibles (BackWeb, PointCast, Websprite, etc.).
- En général, les programmes de push donnent accès à une liste de canaux prédéfinie, parfois fort conséquente.
- Certains programmes de push, comme NetCaster, le Bureau actif de Microsoft et Websprite, permettent de définir un push sur une page Web quelconque.

INTERNET

Partie 2

LES AUTRES COMPOSANTES DU NET

Même si la presse semble se focaliser sur le Web, l'Internet ne se limite pas à ce seul service d'informations. Il donne aussi accès des milliers de groupes de discussion (groupes de nouvelles et listes de diffusion), à une bibliothèque géante de fichiers appelée FTP, à un système d'accès aux fichiers FTP appelé Archie et à un système de menus (moins populaire) appelé Gopher. Ajoutons à cela le dialogue en direct (chat) et la possibilité d'échanger des informations vocales (voice on the Net) entre correspondants éloignés.

Par l'intermédiaire de Telnet, vous pourrez même exécuter des logiciels sur des ordinateurs distants, par exemple pour jouer. Même si vous n'utilisez pas toutes les possibilités offertes par le Net, il y a fort à parier que vous trouverez plusieurs sujets dignes d'intérêt dans cette partie.

INTERNET

Chapitre 11

Les groupes de nouvelles

Dans ce chapitre

- Qu'est-ce qu'un groupe de nouvelles ?
- Qu'y trouve-t-on ?
- Rechercher des groupes de nouvelles existants
- Qu'est-ce que UseNet ?
- Choix d'un lecteur de nouvelles

Dans ce chapitre, un des services Internet les plus dangereux vous est présenté : les groupes de nouvelles. Après y avoir goûté, de nombreuses personnes ont du mal à s'en passer. Si votre personnalité n'est pas assez forte, vous pourrez être littéralement accaparé, à un tel point que votre vie réelle vous semblera secondaire ! Vous passerez plusieurs heures par jour à lire les messages envoyés tout autour du monde sur des sujets aussi divers que les randonnées dans la brousse australienne, l'opéra, les femmes de grande taille ou les hommes de petite taille, etc.

Ce n'est pas pour autant que vous devez vous tenir à l'écart des groupes de nouvelles. Ils peuvent être intéressants et très utiles.

Qu'est-ce qu'un groupe de nouvelles ?

Les BBS (*Bulletin Board Systems*) sont des systèmes informatiques qui permettent, entre autres, d'échanger des messages publics et privés. Les autres utilisateurs du BBS peuvent lire vos messages et vous pouvez lire les leurs. Il existe des milliers de BBS dans le monde. Chacun d'entre eux possède ses propres centres d'intérêts. De nombreuses sociétés informatiques et associations professionnelles ont aussi un BBS, utilisé par les premières pour diffuser un support technique auprès de leurs clients et par ces dernières pour permettre l'échange de messages et les discussions entre membres.

Un service d'information tel que Compuserve ou America Online consiste essentiellement en plusieurs centaines de BBS (appelés forums dans le langage Compuserve). Plutôt que de retenir plusieurs centaines de numéros de téléphone (un pour chaque BBS), vous faites un seul numéro, et vous avez immédiatement accès à tous ces BBS.

Vous avez vu que l'Internet consiste en une multitude de réseaux reliés entre eux. Le grand nombre de réseaux interconnectés explique la diversité des groupes de discussion. Dans le langage Internet, ces groupes de discussion sont appelés "groupes de nouvelles". Il en existe des centaines sur tous les sujets imaginables. Chaque fournisseur d'accès souscrit à un certain nombre d'entre eux (3 000, 6 000, parfois même 15 000 ou 20 000).

Que faut-il entendre par le terme "*souscrire*" ? Ces groupes de nouvelles sont distribués sur le Net par un système appelé UseNet (on les appelle parfois des UseNet groups). UseNet distribue quelque 30 000 groupes (ce nombre est en perpétuel changement). Chaque fournisseur d'accès choisit quels groupes il désire rendre accessibles à ses abonnés en y souscrivant.

Si votre fournisseur d'accès a souscrit à un groupe particulier, vous pourrez lire les messages de ce groupe et y ajouter les vôtres. En d'autres termes, vous ne pourrez accéder qu'aux groupes auxquels votre fournisseur d'accès a souscrit. Comme vous le verrez par la suite, les messages sont accessibles par l'intermédiaire d'un programme spécifique capable de recevoir et d'afficher les messages en provenance du serveur de nouvelles de votre fournisseur d'accès.

Si vous n'avez jamais utilisé un groupe de nouvelles (ou un autre type de forum ou de BBS), vous ne vous rendez probablement pas compte de la puissance de ce système. Vous pourrez pour commencer vous intéresser aux groupes de nouvelles "alt". En voyageant sur le Net, il est possible de trouver du travail, de se faire des amis, d'obtenir la réponse à certaines questions (bien plus rapidement que si vous vous rendiez chez votre libraire) et d'avoir la critique des outils informatiques que vous utilisez dans votre travail. Prenez simplement garde à ne pas être happé par ce service et à y consacrer tous vos loisirs.

Serveurs de nouvelles publics

Si votre fournisseur d'accès n'a pas souscrit à un groupe de nouvelles qui vous intéresse, demandez-lui s'il ne peut pas combler cette lacune. Dans la négative, vous devriez pouvoir trouver votre bonheur en vous adressant à un serveur de nouvelles public. Connectez-vous à l'un de ces sites pour avoir des informations sur les serveurs publics.

http://www.yahoo.com/News/Usenet/Public_Access_USENET_Sites/
http://www. reed.edu/~greaber/query.html
http://www.geocities.com/SiliconValley/Pines/3959/usenet.html

Nouvelles ?

*Le terme **nouvelles** (news) provient de l'univers UNIX. Lorsque vous entendez parler de nouvelles ou de news sur le Net, le mot n'a que très rarement un sens journalistique.*

Vous pouvez utiliser ces groupes de nouvelles à des fins personnelles ou professionnelles, discuter de vos passions avec d'autres personnes qui ont les mêmes goûts, comme l'algèbre (groupe **alt.algebra.help**) ou les antiquités (**rec.antiques**). Mais vous pouvez aussi faire des choses plus "sérieuses", par exemple, trouver un emploi dans un centre de recherches nucléaires (**helpnet.jobs**), rapatrier un logiciel pour un projet de biologie (**bionet.software**) ou trouver des éléments intéressants sur les événements dans le sud de l'Afrique afin de réaliser un article sur le sujet.

Les groupes de nouvelles ci-après représentent une fraction infime de ce que vous pourrez trouver sur le Net.

- **alt.ascii-art.** Images créées à l'aide de caractères ASCII.
- **alt.comedy.british.** Discussions sur le théâtre anglais.
- **alt.current-events.russia.** Nouvelles de la Russie d'aujourd'hui (certains messages sont en mauvais anglais, d'autres sont en russe...).
- **alt.missing-kids.** Informations sur les enlèvements d'enfants.
- **bit.listserv.down-syn.** Discussions sur le syndrome dépressif.
- **comp.research.japan.** Informations sur la recherche informatique au Japon.
- **misc.forsale.** Liste d'articles à vendre.
- **rec.skydiving.** Groupe consacré aux amateurs de parachutisme.

- **sci.anthropology.** Groupe consacré aux amateurs d'anthropologie.
- **sci.military.** Discussions sur la science et l'armée.
- **soc.couples.intercultural.** Groupe dédié aux couples multiraciaux.

Si vous vous intéressez à un sujet particulier, recherchez le nom du groupe de nouvelles correspondant et voyez si votre fournisseur d'accès y a souscrit.

Y avez-vous accès ?

Il existe un nombre tellement important de groupes de nouvelles que toutes ces informations demandent une grande capacité de stockage. Si votre fournisseur d'accès a souscrit à quelque 3 000 de ces groupes, il lui faudra certainement plusieurs dizaines de méga-octets pour stocker toutes les informations correspondantes. C'est la raison pour laquelle les fournisseurs d'accès choisissent les groupes de nouvelles "les plus intéressants". Vous ne trouverez en particulier aucun fournisseur qui ait souscrit à la totalité des groupes de nouvelles. Cela parce que certains d'entre eux n'intéressent qu'un nombre très limité d'internautes, d'autres n'ont qu'un intérêt local, d'autres encore ne concernent que certaines sociétés, etc.

Définir un nouveau groupe de nouvelles

Un sujet vous tient particulièrement à cœur et vous voudriez créer un groupe de nouvelles à ce sujet : renseignez-vous sur la façon de procéder dans le groupe news.groups, ou contactez votre fournisseur d'accès.

Vous savez maintenant à quoi vous attendre en ce qui concerne les groupes de nouvelles. A vous de voir si les groupes auxquels a souscrit votre fournisseur d'accès sont dignes d'intérêt. Dans le cas contraire, demandez lui s'il ne pourrait pas s'inscrire aux groupes qui vous intéressent (si vous n'en faites rien, il ne saura jamais quels sont les sujets auxquels s'intéressent ses abonnés).

Listes de groupes de nouvelles

Afin d'obtenir la liste des groupes auxquels a souscrit votre fournisseur d'accès, connectez-vous au serveur de nouvelles de ce dernier en utilisant un système de lecture de nouvelles approprié.

Si vous ne trouvez pas le groupe que vous recherchez, comment obtenir la liste de ceux auxquels votre fournisseur d'accès n'a pas souscrit ? De nombreux sites sont en mesure de vous fournir ces informations. Vous pouvez par exemple consulter le service Liszt (**http://www.liszt.com/news/**) qui regroupe quelque 17 000 groupes de nouvelles, Tile.Net (**http://www.tile.net/**, voir Figure 11.1) et Info Center (**http://sunsite.unc.edu/usenet-i/**). Vous consulterez aussi la page de recherche de groupes de nouvelles et de listes de diffusion (**http://www.synapse.net/~radio/finding.htm**). Bien entendu, vous pouvez faire appel à un site de recherche Web (voir Chapitre 21). Utilisez par exemple Yahoo! (**http://www.yahoo.com/News/Usenet/Newsgroup_Listings/**).

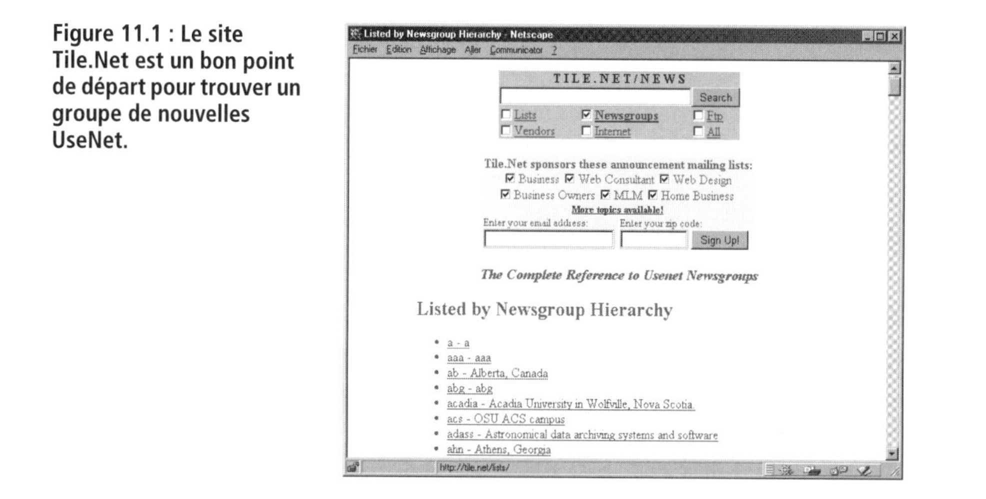

Figure 11.1 : Le site Tile.Net est un bon point de départ pour trouver un groupe de nouvelles UseNet.

D'où proviennent les groupes de nouvelles ?

Partout dans le monde, de nombreuses personnes créent des groupes de nouvelles sur leur ordinateur personnel. De nombreux administrateurs en créent aussi. Chaque site peut en avoir (consacrés aux services du fournisseur d'accès, à l'usage du service, aux événements locaux, etc.).

La majorité des groupes de nouvelles font partie du système UseNet. Tout comme l'Internet, UseNet repose sur un chaînage mondial de réseaux. Il n'appartient à personne et chacune de ses composantes est la propriété de ses instigateurs. UseNet est indépendant de tout type de réseau, y compris de l'Internet (d'autant plus qu'il est né avant). Il repose sur un ensemble de consentements mutuels visant à partager des informations.

Le nom des groupes de nouvelles

Les groupes modérés

Certains groupes de nouvelles sont dits "modérés". Cela signifie qu'un ou plusieurs modérateurs lisent les messages qui y sont déposés et décident de l'opportunité de les diffuser. Cela afin que les messages ne dévient pas du but que s'est fixé le groupe.

Nous allons maintenant nous intéresser aux noms des groupes de nouvelles. Ces derniers ressemblent étrangement aux noms des sites accessibles via l'Internet. Ils consistent en plusieurs noms séparés par des points décimaux. Cela vient du fait que, tout comme les sites Internet, les groupes de nouvelles dépendent d'un système hiérarchique. Le nom le plus à gauche représente le niveau hiérarchique supérieur. Voici quelques "racines" de groupes UseNet :

comp Sujets en relation avec l'informatique.

news Informations sur les groupes de nouvelles (programmes permettant d'accéder aux messages de ces groupes, recherche et utilisation de groupes de nouvelles, etc.).

rec Divertissements, hobbies, sports, arts, etc.

sci Sujets scientifiques : débats sur les sciences exactes (physique, chimie, etc.) et sur les sciences sociales.

soc Gamme étendue de questions de société : types de société, cultures et sous-cultures, sociopolitique, etc.

talk Débats sur la politique, la religion et sur tout ce qui est sujet à controverse.

misc Divers : demandes d'emploi, objets à vendre, forum pour les professions paramédicales. Bref, un peu de tout.

Les groupes de nouvelles ne sont pas tous de véritables groupes Usenet. Plusieurs d'entre eux sont locaux (même s'ils sont distribués dans le monde par Usenet). Les groupes de nouvelles de ce type sont qualifiés d'alternatifs. Voici quelques-unes de leurs racines :

alt Sujets alternatifs : on y trouve un peu de tout. Ce groupe de nouvelles a été créé de façon "non autorisée", pour gagner du temps et s'épargner des tracas.

bionet Biologie.

bit Groupes de nouvelles du réseau BITNET.

biz Monde des affaires et la publicité.

clari	Groupes de nouvelles du Clarinet venant de sources "officielles" et commerciales : bulletins d'informations de l'agence de presse UPI et diverses rubriques de presse.
courts	Droit et juristes.
de	Groupes de nouvelles en allemand.
fj	Groupes de nouvelles en japonais.
gnu	Groupes de nouvelles du Free Software Foundation.
hepnet	Débats sur l'énergie et la physique nucléaires.
ieee	Groupes de nouvelles de l'Institute of Electrical and Electronics' Engineers.
info	Listes de diffusion de l'université d'Illinois.
k12	Débats sur les enseignements primaire et secondaire.
relcom	Groupes de nouvelles en russe, essentiellement répartis dans l'ancienne Union soviétique.
vmsnet	Pour les utilisateurs d'ordinateurs VAX/VMS.

Vous trouverez parfois d'autres groupes de nouvelles, tels que :

brasil	Groupes en relation avec le Brésil.
Birmingham	Groupes en relation avec Birmingham (Grande-Bretagne).
podunk	Groupe d'intérêts local sur la tour de Podunk.
thisu	Groupe universitaire de thisu.

Passer au niveau supérieur

Les groupes cités dans la section précédente correspondent au sommet de la hiérarchie. En dessous de chacun de ces groupes, il en existe d'autres. Par exemple, dans le groupe alt, vous trouverez la catégorie 3d (alt.3d) qui contient des messages en rapport avec l'imagerie 3D. Le sous-groupe 3d se trouve dans le groupe alt, car il a été vraisemblablement créé sans passer par la voie légale : ses créateurs n'ont pas voulu passer par les étapes réglementaires pour créer un nouveau groupe de nouvelles. Ils l'ont donc placé dans le groupe alt qui est accessible à tous.

Dans ce groupe alt, vous trouverez aussi le sous-groupe alt.animals dans lequel les discussions sont axées sur les animaux. Ce groupe est un bon exemple de la multiplicité des niveaux hiérarchiques des groupes de nouvelles. Plutôt que de poster un message à l'attention du groupe alt.animals, vous choisissez par exemple un des sous-groupes suivants :

- **alt.animals.dolphins**
- **alt.animals.felines.lions**
- **alt.animals.felines.lynxes**
- **alt.animals.delines.snowleopards**
- **alt.animals.horses.icelandic**
- **alt.animals.humans**

Toutes les aires utilisent le même type de classement hiérarchique. Par exemple, dans le groupe **bionet**, vous trouverez les sous-groupes **bionet.genome.arabidopsis** (informations sur le projet Arabidopsis), bionet.genome.chrom22 (discussions sur le chromosome 22) et **bionet.genome.chromosomes** (discussions d'ordre général sur les chromosomes).

Passons à la pratique

Maintenant que vous savez ce qu'est un groupe de nouvelles, vous voulez certainement les utiliser. Les groupes de nouvelles stockent les messages dans des fichiers texte. Pour accéder au groupe de votre choix, utilisez un outil dédié qui permettra de trier et de filtrer les informations.

Si vous utilisez un service en ligne, vous êtes déjà en possession d'un tel outil. Son niveau de qualité varie d'un service à l'autre. Par exemple, le programme relatif aux nouvelles sur MSN est de très bonne qualité alors que celui de Compuserve est assez médiocre (en tout cas lors de nos derniers essais). Les navigateurs couramment fournis avec les kits de connexion Internet (Netscape 2 et 3 et Internet Explorer) contiennent un outil d'accès aux groupes de nouvelles (voir Figure 11.2). Vous pouvez aussi utiliser un outil dédié aux groupes de nouvelles. Sur Windows, vous utiliserez par exemple Internet News de Microsoft, Free Agent ou le lecteur de nouvelles intégré de Netscape 3.0. Sur Macintosh, il s'agira de NewsWatcher, Nuntius ou le lecteur de nouvelles de Netscape. Il existe aussi de nombreux outils commerciaux. La plupart d'entre eux sont fournis avec d'autres produits tels que Internet Chameleon, SuperHighway Access et Internet in a Box.

Pour les utilisateurs d'UNIX

Si vous utilisez encore une interface de type "ligne de commande", envoyez un courrier électronique à l'adresse suivante : ***ciginternet@mcp.com*** *en précisant news dans la ligne* ***Objet du message****. Vous recevrez en retour les Chapitres 15 et 16 de la première édition de ce livre (en anglais) qui expliquent comment utiliser un outil de lecture UNIX.*

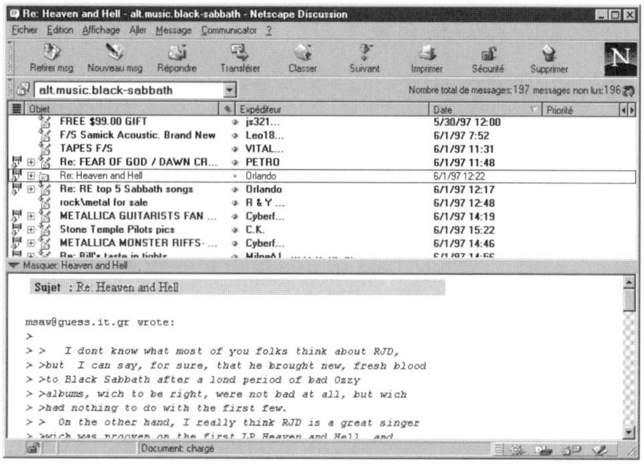

Figure 11.2 : Collabra, l'outil dédié aux groupes de nouvelles de Netscape Communicator.

Dans le chapitre suivant, vous allez apprendre à utiliser le lecteur de nouvelles de Netscape 3.0. Si vous utilisez un autre outil pour accéder aux groupes de nouvelles, le principe de base sera identique, même si les commandes ne sont pas exactement les mêmes. Bien sûr, chaque programme a ses particularités. Vous avez donc intérêt à en utiliser plusieurs afin de trouver celui qui vous convient le mieux (reportez-vous à l'Annexe A pour voir comment trouver puis télécharger un programme sur le Net).

Résumé

- Un groupe de nouvelles est une aire dans laquelle les personnes qui ont un même intérêt ou une même passion peuvent déposer des messages publics, et engager ainsi des débats et des discussions.
- Il existe des groupes de nouvelles sur tous les sujets possibles et imaginables. Si un sujet particulier n'est pas traité, il le sera probablement dans un avenir proche.
- Les noms des groupes de nouvelles reposent sur une hiérarchie. Chaque groupe peut contenir un ou plusieurs sous-groupes.
- Les principaux services en ligne ont leur propre outil de lecture de nouvelles. Si vous utilisez les services d'un fournisseur d'accès, il se peut aussi qu'il vous fournisse un outil de lecture de nouvelles. Si vous êtes à la recherche d'un lecteur de nouvelles, consultez les "bibliothèques logicielles" listées dans l'Annexe A.

INTERNET

Chapitre 12

Votre lecteur de nouvelles

Dans ce chapitre

- Démarrer le lecteur de nouvelles
- Lire et répondre à des messages
- Affecter la mention "lu" à des messages
- Le codage ROT13
- Envoyer et recevoir des fichiers binaires
- Caractéristiques spéciales des lecteurs de nouvelles

Dans ce chapitre, nous allons passer à la pratique. Comme indiqué précédemment, nous prenons en exemple le lecteur de nouvelles intégré de Netscape 3.0. Bien entendu, si vous êtes abonné à un service en ligne, vous pouvez utiliser le lecteur de nouvelles propre à ce service. Par exemple, dans MSN, les groupes de nouvelles sont représentés par des icônes. La plupart des BBS MSN (BBS est le terme utilisé par MSN pour désigner les forums) contiennent des icônes qui donnent accès à des groupes de nouvelles. Double-cliquez sur une icône pour rejoindre le groupe de nouvelles ou utilisez le terme **Go To** pour désigner le BBS à rejoindre. Tapez **GO INTERNET** (dans Compuserve) ou simplement **Internet** (dans MSN) pour avoir des informations concernant les lecteurs de nouvelles.

Il existe de nombreux lecteurs de nouvelles. Tous différents, ils possèdent cependant quelques caractéristiques communes. Consultez la documentation du vôtre pour connaître ses particularités. Même si vous n'utilisez pas le lecteur de nouvelles de Netscape, il peut vous être utile de parcourir les pages qui suivent, car elles vous donneront un aperçu des fonctions disponibles dans la plupart des programmes similaires.

Un petit mot sur la configuration

Avant d'entrer dans le vif du sujet, quelques mots sur l'initialisation du lecteur de nouvelles et sur l'inscription aux groupes de nouvelles qui vous intéressent. Si vous passez par un service en ligne, aucune initialisation n'est nécessaire : tout le travail a été fait à votre place. Si vous utilisez les services d'un fournisseur d'accès, il est possible que vous ayez à configurer le logiciel.

Première étape : vous indiquez au lecteur de nouvelles l'adresse du serveur correspondant (c'est le service utilisé pour lui envoyer les messages). Demandez cette information à votre fournisseur d'accès, et consultez la documentation de votre lecteur de nouvelles pour savoir où la spécifier. Le nom du serveur de nouvelles sera par exemple **news.big.internet.service.com** ou encore **news.zip.com**.

La deuxième étape consiste à s'inscrire aux groupes de nouvelles qui vous intéressent. Dans le chapitre précédent, il était spécifié que le fournisseur d'accès devait s'inscrire à un ensemble de groupes de nouvelles. De votre côté, vous devez aussi vous inscrire aux groupes de nouvelles qui vous intéressent afin de vous assurer qu'ils sont bien disponibles chez votre fournisseur d'accès. Tous les lecteurs de nouvelles ne nécessitent pas cette étape. Ainsi, l'abonnement à MSN rend inutile l'inscription à certains groupes. La plupart des lecteurs de nouvelles exigent cependant le téléchargement de la liste des groupes de nouvelles proposés par le fournisseur d'accès (cette opération se fait à l'aide d'une commande dans le lecteur de nouvelles). Vous devez alors préciser les groupes auxquels vous désirez accéder. Il suffit pour cela de cliquer sur les différents intitulés pour voir apparaître les messages qu'ils contiennent.

Choisissez votre lecteur de nouvelles

la plupart des services en ligne proposent leur propre lecteur de nouvelles. Si votre service en ligne donne accès à l'Internet à travers une connexion TCP/IP, vous aurez le loisir d'utiliser un autre lecteur de nouvelles, par exemple, le lecteur de nouvelles intégré à Netscape ou Internet News de Microsoft. Pour ce faire, vous devrez vous connecter à l'un des serveurs publics cités dans le Chapitre 11. En effet, les serveurs des services en ligne sont rarement accessibles à travers une connexion TCP/IP : leur accès est réservé au lecteur de nouvelles propriétaire. Renseignez-vous auprès de votre service en ligne.

Votre première connexion

La Figure 12.1 représente le lecteur de nouvelles de Netscape qui sera employé dans chacun des exemples cités.

Pour vous connecter au serveur de nouvelles en utilisant Netscape, lancez la commande **Nouvelles Netscape** dans le menu **Fenêtre.** Dans la fenêtre du lecteur de nouvelles, lancez la commande **Afficher tous les forums** du menu **Options** pour obtenir la liste des groupes de nouvelles mis à disposition par le fournisseur d'accès. Le téléchargement des informations correspondantes effectué, la liste des groupes de nouvelles accessibles s'affiche alors (voir Figure 12.1). Cette liste correspond aux groupes accessibles par votre fournisseur d'accès et non à la totalité de ceux distribués par UseNet (reportez-vous au Chapitre 11 pour avoir des informations complémentaires). Faites un clic droit sur un nom de groupe et sélectionnez **S'abonner.** Vous pouvez aussi choisir la commande **Ajouter un forum** du menu **Edition.**

Où se trouvent les groupes de nouvelles alt. ?

Si vous êtes abonné à un service en ligne, il se peut que vous n'ayez pas immédiatement accès aux groupes de nouvelles alt, ainsi qu'à quelques autres groupes. Dans ce cas, rendez-vous sur le forum (ou le BBS) Internet afin d'avoir des informations sur la façon d'activer ces groupes.

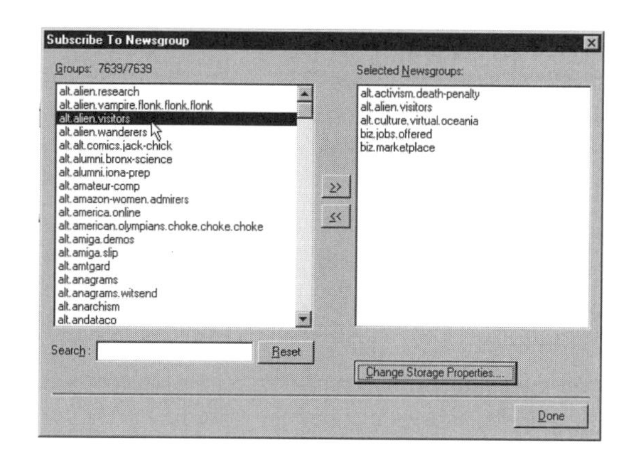

Figure 12.1 : Le volet supérieur gauche liste les forums disponibles.

Quelques instants après la connexion, vous pouvez voir la liste des groupes auxquels vous avez souscrit. Si vous le souhaitez, vous pourrez ensuite vous abonner à d'autres groupes. Pour cela, il vous suffira de faire un clic droit sur un groupe et de sélectionner **S'abonner**. Vous pouvez aussi exécuter la commande **Afficher les nouveaux forums** dans le menu **Options** pour ne visualiser que les groupes qui ont été sélectionnés récemment (les fournisseurs d'accès sélectionnent en permanence de nouveaux groupes). Enfin, la commande **Afficher tous les forums** du menu **Options** permet de retourner à la liste complète des groupes de nouvelles disponibles sur le serveur.

Double-cliquez sur un des groupes de nouvelles auquel vous avez souscrit pour obtenir la liste des messages disponibles sur ce groupe (voir Figure 12.2). Certains groupes de nouvelles peuvent ne contenir aucun message. Dans ce cas, aucune information ne sera affichée dans la colonne Total. Il se peut aussi que certains messages apparaissant dans la liste ne soient plus disponibles sur le serveur.

Figure 12.2 : Double-cliquez sur un groupe de nouvelles pour afficher les en-têtes des messages correspondants.

Tous les messages ne sont pas affichés

Tous les messages ne sont pas forcément affichés en une seule fois. Certains lecteurs de nouvelles permettent de choisir le nombre de messages à télécharger chaque fois (dans le menu **Options** *ou* ***Préférences****). Si vous désirez accéder à un groupe de nouvelles surchargé, vous ne verrez qu'une partie de ses messages. Vous devrez alors lancer une commande pour accéder à l'intégralité de l'information.*

Aperçu général

Certains messages sont en retrait par rapport aux autres. Cela signifie qu'ils font partie d'un même fil de discussion (aussi appelé conversation). Qu'est-ce qu'un fil de discussion ? Supposons que vous postiez un message qui n'est pas une réponse à un autre message inscrit dans un groupe de nouvelles. Un peu plus tard, une autre personne lit votre message et y répond. En tant que réponse, ce dernier message fait partie du fil de discussion que vous avez créé. Si, par la suite, un nouvel intervenant rebondit sur la réponse, le nouveau message fera aussi partie du fil de discussion (le temps nécessaire pour qu'un message parvienne à tous les lecteurs de nouvelles intéressés est généralement de plusieurs jours).

Si vous cliquez sur la petite icône, le fil de discussion est clôturé. Seul le message à l'origine du fil de discussion s'affiche. L'icône se transforme en un "+". Cliquez sur cette icône pour développer à nouveau le fil de discussion (lorsqu'un message précédé de l'icône "-" n'est suivi d'aucun message indenté, cela signifie qu'il n'est pas à l'origine d'un fil de discussion). La plupart des lecteurs de nouvelles (mais pas tous) sont en mesure de gérer les fils de discussion d'une manière similaire.

Pour lire un message, il suffit de double-cliquer sur son en-tête. Comme vous pouvez le voir dans la Figure 12.3, le lecteur de nouvelles lit le message et l'affiche dans la partie inférieure de la fenêtre.

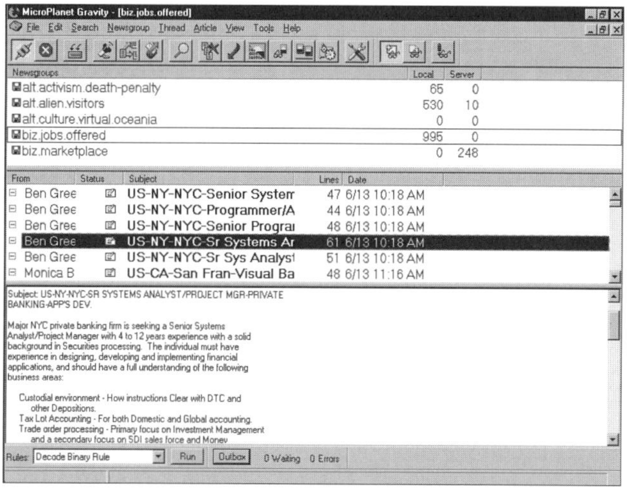

Figure 12.3 : Ce message est issu du groupe de nouvelles world-net.support.

Où sont passés tous les messages ?

Lors de la première ouverture d'un groupe de nouvelles, vous voyez apparaître tous les messages relatifs aux groupes sélectionnés. La durée de vie d'un message dépend de la fréquentation du groupe de nouvelles et de l'espace disque qui lui est alloué chez le fournisseur d'accès. Il est possible que tous les messages disparaissent !

Tous les messages ne seront pas nécessairement affichés lors de votre prochaine connexion. Il se peut que seuls les messages marqués "non lu" apparaissent.

Nous avons bien spécifié les messages *marqués* non lus. En effet, le lecteur de nouvelles n'est pas en mesure de connaître les messages que vous avez effectivement lus. Il affecte la mention "lu" aux messages qu'il suppose avoir été consultés. En général, il est aussi possible de marquer un message comme lu, même s'il ne l'a pas été.

Marquage des messages

La plupart des lecteurs de nouvelles attribuent la marque "lu" aux messages que vous avez ouverts. Si nécessaire, vous pouvez aussi affecter la marque "lu" à un message qui ne l'a pas été. Cela permettra de ne pas en afficher le contenu lors des prochaines sessions. Supposons par exemple que vous ayez identifié dans une conversation un ensemble de messages sans intérêt. Affectez alors la marque "lu" au fil de discussion pour ne pas afficher les messages correspondants lors de vos prochaines connexions. Il se peut aussi que les messages soient dignes d'intérêt, mais que leurs en-têtes montrent qu'aucun ne vous concerne directement. Dans ce cas, attribuez la marque "lu" à la totalité des messages. De la sorte, seuls les nouveaux messages seront affichés lors de la prochaine session.

Les méthodes permettant de marquer les messages sont multiples. Dans le lecteur de nouvelles de Netscape, par exemple, vous pouvez :

- Cliquer sur l'en-tête d'un message et appuyer sur le bouton **Mention Lu pour tout**. Cette action affecte la marque "lu" à la totalité des messages du groupe de nouvelles.
- Cliquer à droite sur le nom d'un groupe de nouvelles et sélectionner **Mention Lu pour le forum** afin d'affecter la marque Lu à tous les messages du groupe de nouvelles sélectionné.
- Cliquer à droite sur l'en-tête d'un message et sélectionner **Mark as Read** ou **Mark Thread as Read** dans le menu.
- Lancer la commande **Mention Lu pour le fil de discussion** dans le menu **Message** pour affecter la marque "lu" à la totalité des messages du fil de discussion.

Les lecteurs de nouvelles gèrent différemment la marque "lu". Le lecteur de nouvelles de Netscape, par exemple, peut n'afficher que les messages non lus ou la totalité des messages. Pour ce faire, sélectionnez **Messages non lus seulement** ou **Afficher tous les messages** dans le menu **Options**. D'autres lecteurs de nouvelles peuvent utiliser des icônes particulières ou griser le texte de l'en-tête des messages marqués comme lus.

Articles

Tout comme les articles d'un journal, les messages d'un groupe de nouvelles sont parfois appelés "articles".

Réafficher les messages marqués "lu"

Il est généralement possible de réafficher les messages marqués "lu". Dans le serveur de nouvelles de Netscape, vous utiliserez la commande ***Afficher tous les messages*** *du menu* ***Options****. Par contre, si le message a été supprimé chez fournisseur d'accès (pour donner de la place aux nouveaux messages), vous ne pourrez plus le réafficher. La prochaine fois, pensez à utiliser la commande* ***Enregistrer le(s) message(s) sous*** *du menu* ***Fichier*** *(ou une commande équivalente) pour sauvegarder les messages qui vous semblent importants.*

Certains lecteurs de nouvelles permettent d'indiquer "non lu" sur des messages déjà lus. Cela permet de réafficher lors de la prochaine session un message important déjà consulté.

Se déplacer de message en message

De nombreuses méthodes permettent de vous déplacer de message en message. Comme nous l'avons vu, vous pouvez double-cliquer (un simple clic suffit dans certains lecteurs de nouvelles) sur les messages à afficher. Il existe aussi des commandes pour afficher le message suivant ou précédent, le fil de discussion suivant ou précédent et, dans certains cas, le message non lu ou le fil de discussion suivant ou précédent.

La plupart des lecteurs sont aussi capables d'effectuer une recherche dans les messages. Dans le lecteur de nouvelles de Netscape, il suffit de lancer la commande **Rechercher** dans le menu **Edition** pour afficher une boîte de dialogue de recherche. Vous pouvez alors rechercher un texte dans l'en-tête des messages ou dans le corps des messages. Il est possible de limiter la recherche aux groupes sélectionnés ou au contraire de l'étendre à tous ceux auxquels vous avez souscrit. Vous pouvez même indiquer si la recherche doit porter sur les seuls messages transférés dans le lecteur de nouvelles ou sur tous les messages qui se trouvent dans le serveur.

Sauvegarde et impression

Si vous trouvez un message que vous souhaitez conserver, sauvegardez-le ou imprimez-le. Ne vous contentez pas de lui affecter la marque "non lu", car les messages n'ont pas une durée de vie illimitée...

La plupart des lecteurs de nouvelles sont dotés de la commande **Enregistrer sous** (ou **Enregistrer**) ou d'un bouton de commande équivalent (menu **Fichier**). La commande **Imprimer** dans le menu **Fichier** est aussi assez courante. Si ces commandes sont absentes, vous pouvez toujours sélectionner le texte, le placer dans le Presse-papier et le coller dans une autre application, comme un traitement de texte ou un programme de courrier électronique.

Participer à un groupe de nouvelles

Voici quelques techniques pour envoyer des messages ou répondre à d'autres. Ces commandes sont celles du lecteur de nouvelles de Netscape. Elles seront sensiblement différentes dans un autre programme. Vous pouvez :

- Envoyer un nouveau message (c'est-à-dire commencer un nouveau fil de discussion). Lancez la commande **Publier une réponse** dans le menu **Message** ou cliquez sur le bouton **Publier la réponse** dans la barre d'outils.
- Répondre à l'auteur d'un message et publier la réponse dans le groupe de nouvelles. Lancez la commande **Publier et envoyer une réponse** dans le menu **Message** ou cliquez sur le bouton **Publier et répondre.** Dans un autre lecteur que celui de Netscape, cette commande pourra s'appeler "Répondre au groupe" ou quelque chose d'équivalent.
- Envoyer un message personnel dans un courrier électronique. Ce message n'apparaîtra pas dans le groupe de nouvelles. Lancez la commande **Envoyer une réponse** dans le menu **Message** ou cliquez sur le bouton **Répondre.** D'autres lecteurs de nouvelles utilisent une commande du style "Reply by E-mail".
- Envoyer un message dans un groupe de nouvelles ou répondre personnellement à un interlocuteur via un courrier électronique. Cette action est comparable à l'utilisation de la fenêtre de composition de courriers électroniques : il suffit d'entrer le message, puis d'appuyer sur le bouton **Transférer** (ou équivalent) pour l'envoyer.

Envoyer un message dans un groupe de nouvelles ou répondre personnellement à un interlocuteur via un courrier électronique est comparable à l'utilisation de la fenêtre de composition de courriers électroniques : il suffit d'entrer le message, puis d'appuyer sur le bouton **Transférer** (ou équivalent) pour l'envoyer.

Le codage ROT13

De temps en temps, en particulier dans les groupes de nouvelles au contenu douteux, vous pouvez tomber sur des messages incompréhensibles. Les caractères de chaque mot semblent être mélangés, comme si le message était crypté.

Ce que vous êtes en train de visualiser porte un nom : **ROT13**. Il s'agit d'un codage par substitution très simple (chaque caractère est remplacé par un autre). Malgré les apparences, le texte d'un tel message n'est pas très difficile à lire. L'abréviation ROT13 vient du terme **rotated 13**. En d'autres termes, chaque lettre a été remplacée par la lettre située treize places plus loin dans l'alphabet : le A est remplacé par le N, le B par le O, le C par le P, etc. Pour obtenir le message original, il suffit d'opérer la substitution inverse.

Pour ceux d'entre vous qui n'ont pas de temps à perdre, il existe une solution très simple. Dans le lecteur de nouvelles de Netscape, lancez la commande **Décoder (ROT13)** dans le menu **Affichage**, et, comme par magie, le texte devient lisible. Pour avoir un aperçu de ce qu'est un message ROT13, il suffit d'appliquer cette commande sur un message non codé (voir Figure 12.4). Pour envoyer un message codé, vous utiliserez une commande de codage dans la fenêtre de composition du message. Par exemple, dans le lecteur de nouvelles de Netscape, vous utiliserez la commande **Décoder (ROT13)**.

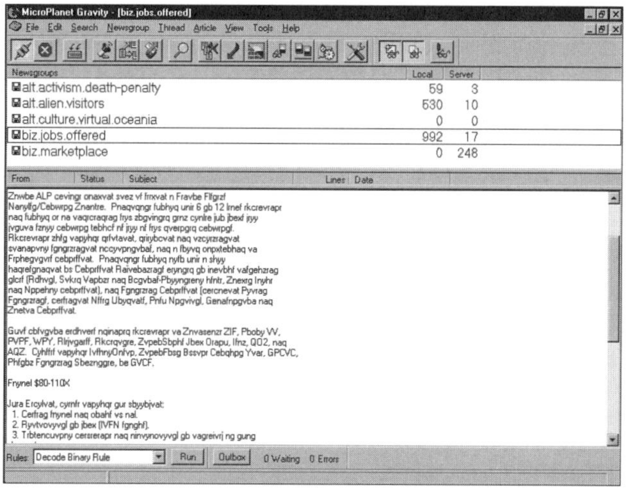

Figure 12.4 : Un exemple de message ROT13.

Pourquoi coder un message avec un système aussi simple à contourner ? ROT13 n'est pas utilisé comme un moyen de codage impossible à décrypter. C'est plutôt une façon détournée de prévenir le lecteur : "Si vous vous choquez facilement, il vaut mieux ne pas décoder ce message". Les messages ROT13 sont souvent très crus, choquants ou simplement désagréables. C'est à vous de décider, en toute connaissance de cause, si vous désirez ou non accéder à ce type d'information.

Des images et des sons dans le texte

Les messages des groupes de nouvelles sont constitués de simples textes et, de fait, il est impossible d'y placer un caractère appartenant à un autre code. Pour y insérer un fichier (une image, un son, un document issu d'un traitement de texte, etc.), vous devrez le convertir au format texte. Quelques-uns des lecteurs de nouvelles récents faciliteront le processus : en l'automatisant, ils permettront d'attacher des fichiers MIME ou uuencodés à vos messages. Certains lecteurs de nouvelles sont capables de convertir ces fichiers "à la volée" et de les afficher dans le corps du message. D'autres les convertissent automatiquement dans leur format original.

A titre d'exemple, voici la démarche à suivre pour envoyer un fichier dans le lecteur de nouvelles de Netscape :

1. Lancez la commande **Publier une réponse** ou **Envoyer une réponse** pour ouvrir la fenêtre de composition de messages.
2. Lancez la commande **Joindre un fichier** dans le menu **Fichier** ou appuyez sur le bouton **Fichier joint** dans la barre d'outils. Appuyez sur le bouton **Joindre un fichier** dans la boîte de dialogue **Fichiers joints** et sélectionenz le fichier à attacher.
3. Appuyez sur le bouton **Ouvrir** puis sur le bouton **OK**. Le nom du fichier sélectionné apparaît dans la boîte de dialogue **Fichiers joints** (voir Figure 12.5).

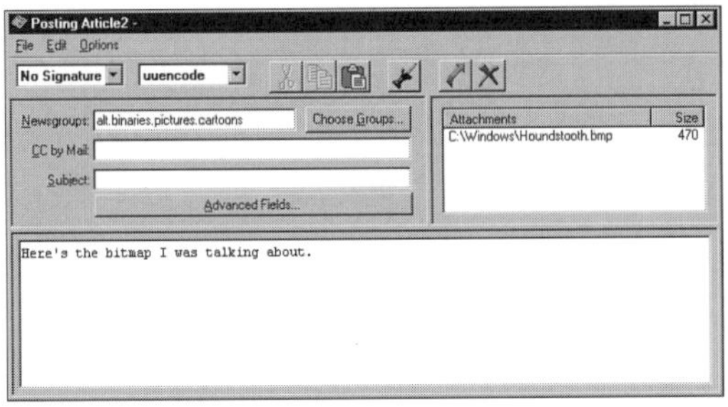

Figure 12.5 : La plupart des lecteurs de nouvelles permettent de joindre des fichiers uuencodés ou MIME aux messages envoyés dans un groupe de nouvelles.

4. Choisissez le type de codage dans la boîte de dialogue **Fichiers joints : Tel quel** ou **Convertir en texte normal**.
5. Envoyez le message contenant le fichier attaché. Le nom du fichier apparaîtra dans l'en-tête du message.

La Figure 12.6 vous montre comment s'affiche un message contenant un fichier joint dans le lecteur de nouvelles de Netscape, lorsque la commande **Fichiers incorporés** est sélectionnée dans le menu **Affichage**.

De nombreux lecteurs de nouvelles sont en mesure de convertir automatiquement certains formats de fichiers : .GIF, .JPEG et dans certains cas .BMP. Si un tel fichier est placé dans un message, il apparaîtra donc en clair lorsque vous afficherez le message (voir Figure 12.6).

Si vous utilisez un lecteur de nouvelles qui ne possède aucun outil de décodage

Vous pouvez toujours sauvegarder le message sur disque et vous servir d'un programme de conversion, comme Wincode (programme Windows qui convertit les fichiers uuencodés), munpack (programme DOS qui convertit les fichiers MIME) ou Yet Another Base64 Decoder (programme Macintosh qui convertit les deux formats de codage).

Figure 12.6 : Dans le lecteur de nouvelles de Netscape, les fichiers graphiques sont affichés en clair.

Commandes optionnelles

Certains lecteurs possèdent des capacités dont nous n'avons pas parlé. Ainsi, il est possible de demander au programme de marquer tous les messages dont l'en-tête contient un mot particulier. Gravity (un lecteur de nouvelles en langue anglaise possède une barre d'outils supplémentaire qui donne accès à un ensemble de commandes exécutées automatiquement. En fonction du contenu de l'en-tête et du message, on peut le supprimer, afficher des boîtes de dialogue spéciales ou encore le sauvegarder dans un fichier texte. Dans certains lecteurs, il suffit de cliquer sur l'adresse e-mail ou sur l'URL qui apparaît dans un message pour déclencher l'ouverture de la fenêtre de composition d'un courrier électronique ou l'exécution du navigateur.

Vous en savez maintenant assez pour tester plusieurs lecteurs et trouver le petit plus qui fera la différence.

Un dernier avertissement

Les groupes de nouvelles peuvent être très intéressants. Vous y trouverez en effet des messages sur tous les sujets qui vous passionnent de près ou de loin. Mais attention à ne pas vous laisser captiver, ils peuvent prendre une place démesurée dans votre existence !

Résumé

- Lancez votre lecteur de nouvelles, puis téléchargez la liste des groupes depuis votre serveur. Vous devrez peut-être vous inscrire aux groupes qui vous intéressent (chaque lecteur opérant différemment).
- Un bon lecteur de nouvelles permet de visualiser les messages par fil de conversation, de telle sorte que vous puissiez avoir une vision précise des messages concernant le même sujet.
- ROT13 est un système de codage qui permet d'éviter l'affichage de messages susceptibles de choquer. La plupart des lecteurs possèdent une commande ROT13 qui décode les messages ROT13 et les affichent en clair.
- Vous pouvez placer des fichiers binaires dans un message en utilisant le codage UUENCODE ou MIME.
- Les nouveaux lecteurs permettent de décoder les fichiers attachés UUENCODE et MIME en interne. Si le vôtre n'est pas capable de le faire, vous devez faire appel à un programme externe tel que Wincode ou munpack (pour Windows et DOS) ou Yet Another Base64 (pour Macintosh). Vous pouvez aussi changer de lecteur.

INTERNET

Chapitre 13

Les listes de diffusion et les forums Web

Dans ce chapitre

- De nouveaux groupes de discussion
- Comment fonctionnent les listes de diffusion
- Listes manuelles et automatiques
- Les listes LISTSERV
- Rechercher des listes de diffusion intéressantes
- S'inscrire à une liste de diffusion
- Les forums Web

Si les groupes de nouvelles ne vous suffisent pas, vous pouvez opter pour une de leurs variantes : les listes de diffusion ou les forums Web.

La différence entre ces deux types de services se situe dans le mode de distribution des messages. Alors que les groupes de nouvelles sont accessibles à l'aide d'un lecteur dédié, les listes de diffusion sont diffusées par l'intermédiaire des boîtes aux lettres électroniques, et les forums Web diffusent les messages par l'intermédiaire de formulaires placés sur des sites Web. Le site Liszt (**http://www.liszt.com**) recense quelque 71 618 listes de diffusion, mais leur nombre réel est certainement bien plus élevé. Pour peu qu'un internaute dispose de temps et fasse montre de persévérence, il pourra définir un forum de discussion sur son site Web. Ces forums sont assez difficiles à débusquer. Le site Reference.com (**http://www.reference.com**) les estime à quelque 25 000. Nous allons dans un premier temps nous intéresser aux listes de diffusion.

Comment fonctionnent les listes de diffusion ?

Une adresse électronique est associée à chaque liste de diffusion. La première étape consiste à vous inscrire à la liste qui vous intéresse (nous verrons comment par la suite). Chaque fois qu'une personne adresse un message à une liste de diffusion à laquelle vous vous êtes abonné, vous recevez une copie du message. Inversement, chaque fois que vous envoyez un message à la liste, toutes les personnes qui y sont inscrites le reçoivent.

Dans le Chapitre 12, vous avez appris qu'il était nécessaire d'utiliser un programme particulier (appelé lecteur de nouvelles) pour accéder aux groupes de nouvelles. En ce qui concerne les listes de diffusion, aucun programme spécialisé n'est nécessaire. Il suffit d'utiliser un outil pour lire et écrire des messages électroniques, en utilisant les techniques conventionnelles.

Il existe des centaines de listes de diffusion sur le Net. Voici quelques suggestions qui vous aideront à trouver celles qui peuvent vous intéresser.

- A l'aide de votre navigateur Web, connectez-vous au site Liszt qui est la principale liste de listes de diffusions (**http://www.liszt.com**). Vous pouvez aussi essayer le site Tile.net (**http://www.tile.net**). Vous y trouverez une série de listes classées par sujets et par noms.
- Rendez-vous sur le site **http://www.lsoft.com/lists/listref.html**, où vous accéderez au catalogue officiel des serveurs LISTSERV. Ce catalogue recense 13 000 des 47 000 listes de diffusion existantes.
- Envoyez un message à l'adresse **listserv@listserv.net**. Dans le corps du texte, entrez simplement **list global nom** où **nom** est le mot que vous voulez utiliser pour effectuer une recherche dans les noms et/ou les sujets des listes de diffusion. Vous pouvez, par exemple, taper **list global geo** pour obtenir en retour un courrier contenant les listes qui s'intéressent à la géographie.
- Recherchez une liste de diffusion en utilisant un site de recherche (voir Chapitre 21). Vous pouvez aussi vous connecter au site **http://www.yahoo.com//Computers_and_Internet/Internet/Mailing_Lists/**.

Groupes tempérés

Certaines listes de diffusion sont dites "tempérées". Tout comme les groupes de nouvelles "modérés", ces listes de diffusion sont soumises à une censure publique : toutes les personnes qui y accèdent peuvent décider quels sont les messages qui doivent être effacés et ceux qui doivent rester.

- Connectez-vous au groupe de nouvelles **news.announce.newusers**. Il n'est pas rare d'y trouver un répertoire de listes de diffusion (consultez les Chapitres 11 et 12 pour en savoir plus sur les groupes de nouvelles).
- Tenez-vous informé par le bouche à oreille. En visitant des groupes de nouvelles et listes de diffusion qui vous intéressent, vous apprendrez à vous connecter à des listes de diffusion privées.

Les différents types de listes

Les listes de diffusion peuvent être :

- administrées manuellement ;
- automatisées.

Certaines sont administrées par un opérateur humain. Cela concerne en général des services privés, accessibles uniquement par invitation. Les autres listes utilisent un programme spécial (serveur de courrier) qui ajoute automatiquement votre nom à la liste lorsque vous vous y inscrivez. Il s'agit dans la plupart des cas de listes publiques, ouvertes à tous les utilisateurs.

Les listes automatisées les plus courantes sont les LISTSERV. Elles sont rattachées au programme LISTSERV et sont diffusées sur le Net à travers le réseau BITNET.

Il existe d'autres programmes que LISTSERV. Majordomo est un des plus courants. Pour définir une nouvelle liste de diffusion comprenant un nombre d'abonnés limité, il n'est pas nécessaire de faire appel à un programme spécialisé : il est facile d'administrer manuellement de telles listes.

Quelques listes sont exécutées à partir de comptes Internet UNIX par l'intermédiaire d'utilitaires très simples d'emploi. A titre d'exemple, un utilisateur UNIX peut paramétrer un utilitaire pour qu'il envoie une copie de tous les messages parvenant dans une boîte à lettres à plusieurs destinataires.

Utilisation d'un groupe LISTSERV

Beaucoup d'utilisateurs ne font pas la différence entre les groupes de diffusion et LISTSERV. Les groupes LISTSERV sont un des principaux types de listes de diffusion, mais ces dernières ne sont pas toutes de type LISTSERV. Le terme **LISTSERV** se réfère à un serveur de courrier très populaire. Les listes de diffusion administrées par ce programme sont connues sous les appellations "groupes LISTSERV", "listes LISTSERV" ou simplement "LISTSERV". LISTSERV est né sur le réseau BITNET. Mais aujourd'hui, la plupart des serveurs LISTSERV fonctionnent sur des machines UNIX connectées à l'Internet. Il existe quelque 4 000 listes de diffusion LISTSERV qui s'intéressent à des sujets très différents, comme le confirme le tableau ci-après :

Un extrait des listes de diffusion LISTSERV

Liste de diffusion	Sujet
9NOV89-L@DB0TUI11.BITNET	Evénements concernant le mur de Berlin
AAPOR50@USCVM.BITNET	Association américaine de sondage
AATG@INDYCVM.BITNET	Association américaine pour les professeurs allemands
ABSLST-L@CMUVM.BITNET	Association de sociologues noirs
ACADEMIA@TECHNION.BITNET	Forum de l'éducation supérieure en Israël
ACADEMIA@USACHVM1.BITNET	Mathématiciens chiliens
ACCESS-L@PEACH.EASE.LSOFT.COM	Microsoft Access
ACCI-CHI@URIACC.BITNET	Economie politique et érudition chinoises
ADA-LAW@NDSUVM1.BITNET	Infractions à la loi américaine
ADD-L@HUMBER.BITNET	Alcool au volant
AE@4SJSUVM1.BITNET	Energies alternatives

Liste de diffusion	Sujet
CHRISTIA@FINHUTC	Groupe de discussion chrétien
H-RUSSIA@MSU.EDU	Liste historique Russe H-Net
HESSE-L@UCSBVM.UCSB.EDU	Hermann Hesse
ISO8859@JHUVM	Caractères ASCII et EBCDIC
L-HCAP@NDSUVM1	Education des personnes handicapées
OHA-L@UKCC.BITNET	Association d'Histoire
ONO-NET@UMINN1.BITNET	Yoko Ono
PALCLIME@SIVM.BITNET	Paléoclimat, paléoécologie du méso-zoïque et du cénozoïque
PFTFI-L@ICNUCEVM.BITNET	Projet de télécommunication UO Firenze
PHILOSOP@YORKVM1	Philosophie
SCAN-L@UAFSYSB.BITNET	Radio
SCR-L@MIZZOU1.BITNET	Etude de la réhabilitation cognitive
SCREEN-L@UA1VM.UA.EDU	Etudes sur le cinéma et la télévision
SEXADD-L@KENTVM.BITNET	Forum d'échanges pour les fous du sexe, les personnes dépendantes et contraintes
SFER-L@UCF1VM.BITNET	Ecologie du sud de la Floride
SHAMANS@UAFSYSB.BITNET	Influence du Net sur la religion
SHEEP-L@LISTSERV.UU.SE	Personnes intéressées par les moutons
SIEGE@MORGAN.UCS.MUN.CA	Armement médiéval
SKATE-IT@ULKYVM.BITNET	Patinage

Liste de diffusion	Sujet
SKEPTIC@JHUVM.BITNET	Le club des sceptiques
SLAVERY@UHUPVM1.UH.EDU	Histoire de l'esclavage, abolition et émancipation
SLDRTY-L@LISTSERV.SYR.EDU	Membres de Solidarity, organisation socialiste basée à Détroit
SLLING-L@YALEVM.BITNET	Langage des signes
SPACESCI@UGA.BITNET	Abrégé du site sci.space.science
SS-L@UIUCVMD.BITNET	Syndrome de SS-L Sjogren
SWL-TR@TRIBU.BITNET	Ondes courtes en Turquie
TECTONIC@MSU.EDU	Géologie
TEX-D-L@DEARN.BITNET	Utilisateurs allemands de TeX
THEATRE@PUCC.BITNET	Théâtre
TIBET-L@IUBVM.BITNET	Tibet
TN-L@UAFSYSB.BITNET	Désordres neurologiques
TNT-L@UMAB.BITNET	TNT
TRANSY-L@UKCC.BITNET	Université de Transylvanie
TREPAN-L@BROWNVM.BITNET	Surnaturel
TVDIRECT@ARIZVM1.BITNET	Directeurs et producteurs de TV
UBTKD-L@UBVM.BITNET	Taekwondo
UIWAGE-L@ECUVM1.BITNET	Assurance perte d'emploi
UNCJIN-L@ALBNYVM1.BITNET	Informations sur la justice criminelle des Nations Unies
UNIX-WIZ@NDSUVM1.BITNET	Aides sur UNIX

Liste de diffusion	Sujet
UNLBIO-L@UNLVM.BITNET	Centre de biotechnologie UNL
UTOPIA-L@UBVM.BITNET	Utopies et utopistes
VAMPYRES@GUVM.BITNET	Tout ce qui touche aux vampires
VEGAN-L@TEMPLEVM.BITNET	Végétaliens
VETTE-L@EMUVM1.BITNET	Corvettes
VOEGLN-L@LSUVM.BITNET	Ecrits et philosophie de Eric Voegelin
VWAR-L@UBVM.BITNET	Guerre du Vietnam
WEIMING@ULKYVM.BITNET	Nouvelles de Chine
WHR-L@PSUVM.BITNET	Histoire des femmes
WORCIV-L@UBVM.BITNET	Civilisation mondiale
WVMS-L@WVNVM.BITNET	Les classes du futur de la NASA (maths et sciences)
XTROPY-L@UBVM.BITNET	"Extropie"
YACHT-L@HEARN.BITNET	Rendez-vous des amateurs de voile

Ces exemples donnent simplement un léger aperçu de tout ce que l'on peut trouver dans les listes de diffusion. Les adresses données ici proviennent de listes LISTSERV. Vous trouverez aussi de nombreux autres types de listes qui traitent de sujets tout aussi intéressants.

Les adresses LISTSERV

Les adresses LISTSERV se composent de trois parties : le nom du groupe, le nom du site et la plupart du temps le suffixe **.BITNET**. Par exemple, l'adresse suivante correspond à une liste répertoriant les événements concernant le mur de Berlin : **9NOV89-L@DB0TUI11.BITNET**. Le nom du groupe est **9NOV89-L**, et le nom du site est **DB0TUI11**. Comme vous pouvez le constater en consultant le tableau précédent, l'adresse de certaines listes de diffusion ne se termine pas par le suffixe **.BITNET** (**TECTONIC@MSU.EDU** par exemple).

Les sites sont des ordinateurs sur lesquels fonctionne le programme LISTSERV. Chaque site peut donner accès à plusieurs dizaines de groupes LISTSERV. Ainsi, le site brownvm loge les forums ACH-EC-L, AFRICA-L et AGING-L et de nombreux autres.

Inscription

Lorsque vous aurez trouvé une liste de diffusion intéressante, vous devrez envoyer un message au site LISTSERV (et non au groupe !) correspondant pour vous y inscrire. Cette petite formalité ne vous coûtera rien : la grande majorité des listes est totalement gratuite. Le corps du message (et non le champ Sujet) doit simplement contenir les mots suivants :

SUBSCRIBE *groupe Prénom Nom*

Supposons par exemple que vous souhaitiez vous inscrire à la liste actnow-1 située sur le serveur **LISTSERV brownvm.** Vous enverrez un message à l'adresse **listserv@brownvm.bitnet** en indiquant dans le corps du message **SUBSCRIBE actnow-1 Peter Kent**.

Comme vous le remarquez sur la Figure 13.1, le message est envoyé à **listserv@site** (dans ce cas **listserv@brownvm.bitnett**), et le message d'inscription ne contient que le nom du groupe (et non son adresse complète).

Quelques détails à ne pas oublier

Certains programmes de courrier électronique ne permettent pas de laisser le champ Sujet vierge. Dans ce cas, entrez une information quelconque dans ce champ (le chiffre 1 par exemple). Si, par défaut, votre programme de courrier électronique insère une signature (nom, adresse, etc.) à la fin du message, pensez à dévalider cette option. Dans le cas contraire, vous obtiendrez un message d'erreur du site LISTSERV.

Dans certains cas, un message sera envoyé par la liste de diffusion. Il vous informera que vous êtes inscrit dans la liste et vous donnera quelques informations sur cette dernière et sur les commandes que vous pourrez utiliser. Il est possible aussi que vous receviez un message vous demandant de confirmer votre inscription. Dans ce cas, suivez les instructions qui vous seront données. Vous recevrez enfin un message vous indiquant comment travailler avec la liste de diffusion. Lisez ce message avec attention : il contient des informations importantes. Lorsque votre inscription sera effective, vous pouvez attendre l'arrivée de messages ou en envoyer à la liste. Ces derniers doivent être transmis à l'adresse complète de la liste (**actnow-1@brownvm.bitnet,** par exemple).

Figure 13.1 : L'inscription à une liste de diffusion est élémentaire (le programme de messagerie AK-mail est utilisé dans cet exemple).

Annuler l'inscription

Lorsque vous ne voudrez plus recevoir les messages relatifs à la liste de diffusion, vous devrez annuler votre inscription. Pour cela, vous enverrez un autre message au serveur LISTSERV **listserv@nom du site** (**listserv@brownvm.bitnet** par exemple) en inscrivant cette fois **SIGNOFF actnow-1** (par exemple) dans le corps du message.

La Figure 13.2 est un exemple de message envoyé pour annuler l'inscription à une liste de diffusion. Répétons que le message doit être envoyé à l'adresse **listserv@nom du site** (et non à l'adresse complète de la liste). De même, assurez-vous que seul le nom de la liste (pas l'adresse complète) apparaît après le mot SIGNOFF.

Résumé des messages

Pour ne pas surcharger votre boîte à lettres, vous pouvez demander au serveur de vous envoyer un seul message par jour contenant tous les messages reçus sur la liste de diffusion pendant la journée. Pour arriver à ce résultat, vous enverrez le message ***set nom_liste digest*** *(comme* ***set actnow-1 digest****) au serveur* ***listserv@nom du site****. Attention, toutes les listes de diffusion ne supportent pas ce mode de fonctionnement.*

Vous pourrez utiliser la commande ***Find*** *de votre programme de courrier électronique ou sauvegarder le message reçu dans un fichier texte pour localiser les messages qui vous intéressent. Pour annuler ce mode, vous enverrez le message* ***set listname nodig*** *au serveur.*

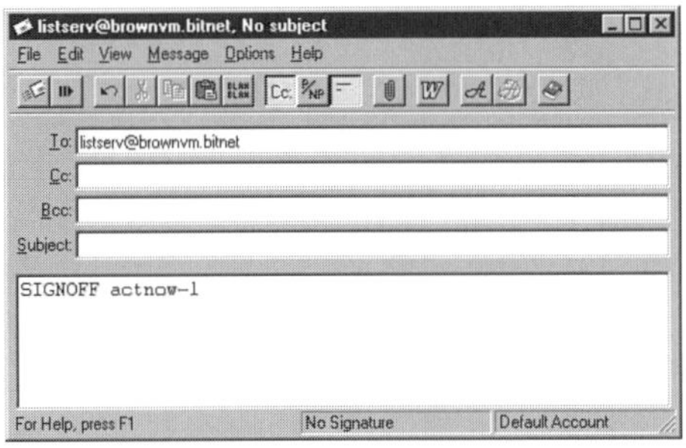

Figure 13.2 : Annuler l'inscription à une liste de diffusion est tout aussi simple.

Personnaliser le comportement du serveur

En envoyant des messages au serveur LISTSERV, vous pouvez définir la façon dont les messages de la liste doivent être gérés. Vous pouvez :

- Demander au serveur de vous envoyer un accusé de réception à chaque message que vous avez reçu (peu de listes sont ainsi configurées par défaut).
- Obtenir des informations sur un autre utilisateur de la liste.
- Demander au serveur de ne pas fournir les informations vous concernant aux autres utilisateurs de la liste.
- Demander une suspension temporaire des messages en provenance de la liste (lorsque vous partez en congé par exemple).
- Demander à ne recevoir que l'intitulé des messages et non les messages complets.
- Demander l'émission d'un message particulier et faire des recherches dans les anciens messages.

Lorsque vous vous inscrivez à une nouvelle liste de diffusion, vous pouvez lui demander des informations sur son fonctionnement en envoyant le message info au serveur **listserv@nom du site**. Un document contenant les diverses commandes acceptées par le serveur vous sera envoyé en retour.

N'oubliez pas

*Lorsque vous voulez envoyer un message à la liste, adressez-le à **Nom_liste@Nom_site**. Pour tout autre type de message (inscription, annulation de l'inscription, changement des options, demande d'informations, etc.), vos messages doivent être adressés à **listserv@Nom_site**. Si vous envoyez ce type de message à la liste, vous ne manquerez pas d'être rappelé à l'ordre par ses utilisateurs. N'ayez crainte, vous n'êtes pas le seul à faire ce genre de confusion ! Aujourd'hui, certains serveurs sont en mesure d'intercepter les messages contenant des commandes qui sont adressés à une liste. Ces messages sont alors retournés sans avoir été transmis.*

Plusieurs commandes peuvent être envoyées dans un même message. Par exemple, vous pouvez envoyer le message suivant à l'adresse **listserv@nom du site** :

list

query nom_liste

info ?

Ces commandes demandent au serveur de vous envoyer le nom des listes de diffusion dont il s'occupe (**list**). La commande **query nom_liste** retourne les options que vous avez sélectionnées et la commande **info ?** retourne le guide d'utilisation de la liste. Lorsque cela sera fait, vous pourrez vous servir de la commande **info nom_doc** pour obtenir une documentation spécifique sur un sujet donné (le message **INFO REFCARD** peut être envoyé à certains serveurs pour obtenir un document dans lequel toutes les commandes sont soulignées).

Utilisation de Majordomo

Le deuxième programme couramment utilisé pour gérer des listes de diffusion est **Majordomo**. Pour vous inscrire sur un tel serveur, envoyez un message à **majordomo@Nom_site** (par exemple **majordomo.usa.net**, **majordomo@big.host.com**, etc.). Dans le corps du programme, précisez **subscribe *liste Prénom Nom***.

Le message d'inscription est donc le même que sur un serveur LISTSERV. Le message d'annulation de l'inscription est quelque peu différent :

unsubscribe *Nom_groupe*.

Lorsque vous enverrez des messages à la liste, utilisez l'adresse **Nom_liste@Nom_site**.

Programmes utilisés dans les listes de diffusion

Plusieurs programmes peuvent être utilisés pour gérer des listes de diffusion. Dans certains cas, il sera inutile d'envoyer votre nom : entrez simplement la commande ***subscribe group*** *(ou* ***join group****). Certains programmes de listes de diffusion nécessitent que la commande soit placée dans la ligne* ***Subject*** *et non dans le corps du message.*

Listes administrées par un opérateur humain

Certaines listes sont gérées par un opérateur humain qui lit les messages d'inscription et ajoute manuellement chaque membre à la liste.

Parfois, vous devrez envoyer un message dans la boîte à lettres de cet opérateur en lui demandant poliment de vous inscrire. Mais la plupart du temps, vous devrez envoyer votre message dans une adresse dédiée, intitulée par exemple **Nom_liste-request@Nom_site**. Supposons que la liste **goodbeer** se trouve sur le site **bighost.com**. L'adresse à laquelle vous enverrez votre message demandant l'inscription pourra être **goodbeer-request@bighost.com**. Après vous être inscrit, les messages destinés à la liste seront envoyés à l'adresse **goodbeer@bighost.com**.

Gestion des courriers relatifs à une liste de diffusion

Comme vous avez pu le voir, il est très simple de travailler avec une liste de diffusion : lorsqu'un message est envoyé à la liste, il est automatiquement routé vers votre boîte à lettres. Pour répondre à un de ces messages, il suffit d'utiliser la fonction de réponse de votre programme de courrier (voir Chapitre 3). Dans la plupart des cas, le message est envoyé à la bonne adresse. Vérifiez cependant que l'adresse dans l'en-tête du message est bien celle de la liste. Dans certaines listes de diffusion, l'adresse de retour envoyée dans l'en-tête du message n'est pas l'adresse du groupe, mais celle de la personne à l'origine du message. Dans quelques programmes de courrier électronique, vous pourrez utiliser la commande **Répondre à tous** pour envoyer votre réponse à la liste et non à la personne qui est à l'origine du message. Si votre programme de courrier ne possède pas cette commande, vous devrez entrer manuellement l'adresse de la réponse.

Pour transmettre un message concernant un nouveau sujet, il suffit de l'envoyer à l'adresse de la liste.

Dans certains cas, il sera plus agréable de travailler avec un groupe de nouvelles qu'avec une liste de diffusion. En effet, les fils de discussion ne sont pas toujours gérés par les programmes de messagerie. Il est donc plus difficile de rattacher questions et réponses. Certains programmes de messagerie (comme Netscape Messenger par exemple) s'acquittent pourtant de cette tâche. L'ordre d'émission des messages d'une liste de diffusion n'est pas forcément chronologique. Vous pouvez donc recevoir un message répondant à une question dont vous ne connaissez pas encore la teneur. C'est pourquoi, vous aurez tout intérêt à utiliser le résumé des messages (digest) dont nous avons déjà parlé, ce qui permettra de classer au mieux les messages.

Outils de filtrage

Vous devriez vous intéresser à l'outil de filtrage des messages de votre logiciel de messagerie. Cet outil permet en effet de ranger les messages reçus dans différents dossiers en fonction de leur provenance. Il est même possible de supprimer automatiquement les messages qui ne présentent aucun intérêt pour vous.

Les forums Web

Les forums Web sont des groupes de discussion diffusés par l'intermédiaire d'un site Web. Il s'agit généralement (mais non exclusivement) de forums techniques relatifs à une société qui désire répondre aux questions de ses utilisateurs.

La localisation des forums Web est une tâche assez difficile. Vous pouvez cependant vous connecter au site Reference (**http://www.reference.com**) qui recense quelques forums Web, mais qui n'établit pas (pour le moment) une liste exhaustive. Vous pouvez aussi faire une recherche sur le terme "Web forums" sur le site **Altavista** (voir Chapitre 21). Vous obtiendrez en retour plusieurs centaines de réponses non classées. A l'heure actuelle, je n'ai pas eu l'occasion de trouver un site qui donne une liste conséquente de forums Web.

Pour utiliser un forum Web, il suffit de s'y connecter avec un navigateur. Les messages sont affichés dans des formulaires. Vous utiliserez aussi un formulaire pour saisir vos propres messages et vos réponses à des messages existants (voir Figure 13.3).

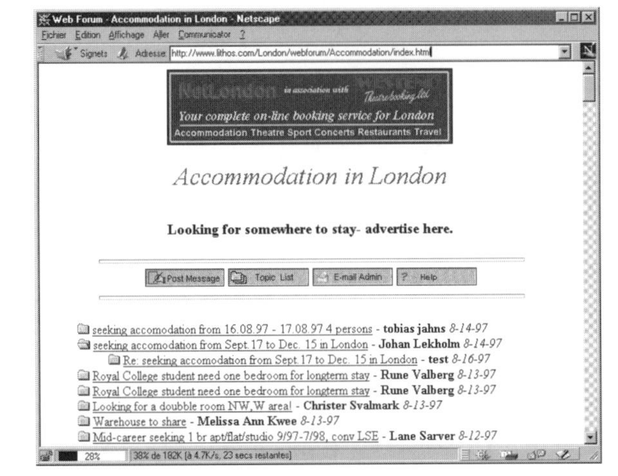

Figure 13.3 : Un des quelque 25 000 forums. Celui-ci est Web, destiné à faciliter la recherche d'un logement à Londres.

Résumé

- Une liste de diffusion est un groupe de discussion dans lequel les messages sont échangés par l'intermédiaire de la messagerie électronique.
- Les listes de diffusion peuvent être administrées par un opérateur humain ou par un programme tel LISTSERV ou Majordomo.
- Pour vous inscrire à une liste LISTSERV, placez le texte **subscribe *Nom_Liste Prénom Nom*** dans le corps d'un message adressé à l'adresse **listserv@Nom_Liste**.
- Pour annuler l'inscription à une liste LISTSERV, envoyez le texte **SIGNOFF Nom_Liste** dans le corps d'un message.
- Pour vous inscrire à une liste Majordomo, placez le texte **SUBSCRIBE *Nom_Liste Prénom Nom*** dans le corps d'un message adressé à l'adresse du serveur (comme **majordomo@bighost**) et non à l'adresse de la liste.
- Pour annuler l'inscription à une liste Majordomo, utilisez la commande **UNSUBSCRIBE** (et non la commande **SIGNOFF**).
- Pour vous inscrire à une liste gérée manuellement, adressez un message à la personne qui en est responsable et demandez-lui de vous inscrire. Dans certains cas, le message devra être envoyé à l'adresse **Nom_liste-request@Nom_Site.**
- Après vous être inscrit à une liste, vous pouvez envoyer un courrier contenant le simple mot "info" dans le corps du message pour obtenir en retour un ensemble d'informations sur les commandes qui peuvent être envoyées à la liste.
- Il existe plusieurs centaines de forums Web. Pour les localiser, vous pouvez faire une recherche sur le terme "**Web forums**" dans Altavista.

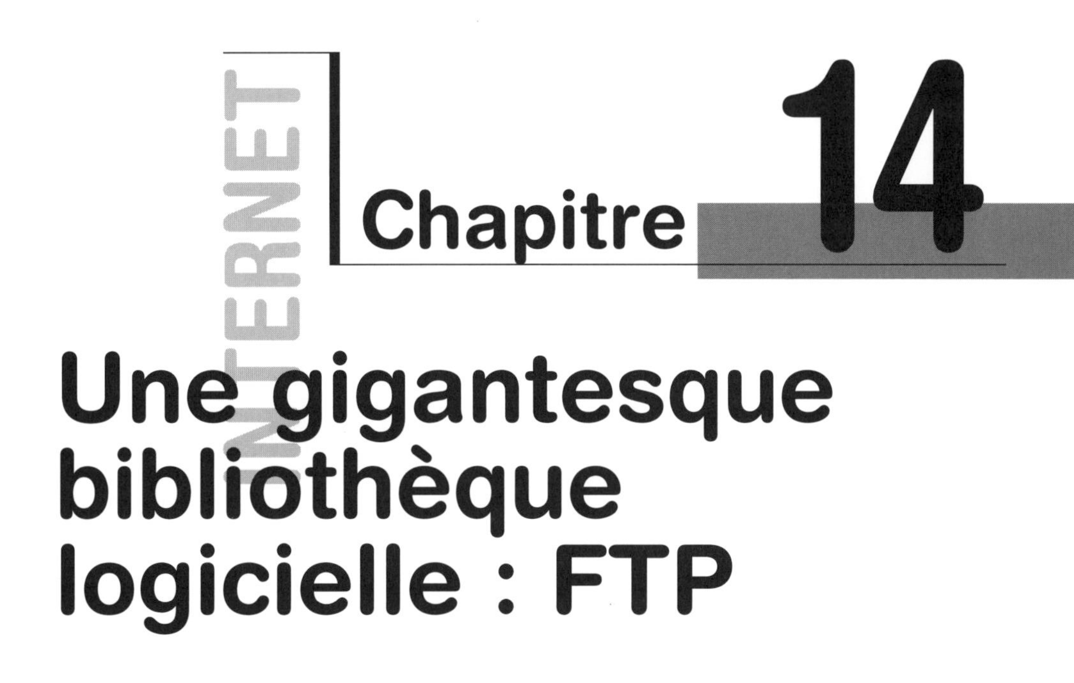

Une gigantesque bibliothèque logicielle : FTP

Dans ce chapitre

- Qu'est-ce que le FTP ?
- FTP peut être simple ou difficile à utiliser
- FTP et navigateur
- Rechercher des fichiers dans un site FTP
- FTP dans un programme dédié
- A propos des fichiers compressés
- Protection contre les virus informatiques

L'Internet est une vaste bibliothèque informatique dans laquelle vous pourrez trouver tous les types de fichiers imaginables. Des freewares (programmes utilisables gratuitement) et des sharewares (programmes utilisables en échange d'une faible somme) de tout type : musiques, images, vidéos, images 3D, documents hypertexte, etc.

Dans les Chapitres 5 à 9, vous avez fait connaissance avec le Web. De nombreux fichiers peuvent y être téléchargés, mais vous pouvez aussi faire appel à un autre système appelé FTP. A l'origine, FTP était conçu pour transférer des fichiers entre machines UNIX situées dans des instituts de recherche distants.

Les sites FTP sont très nombreux sur l'Internet. Ils donnent accès à plusieurs millions de fichiers. Si certains d'entre eux sont privés, la plupart sont publics. En recourant à FTP, vous pourrez localiser un fichier situé en Autriche, en Australie, en Alabama, etc. Ce fichier pourra être téléchargé sur le conseil d'un ami, après avoir visualisé le contenu d'un "répertoire" Internet ou encore à la suite d'un message issu d'un groupe de nouvelles. Il peut s'agir d'un programme du domaine public ou shareware, d'un document contenant des informations qui vous intéressent, d'une image, d'un livre ou de toute autre chose.

Dans certains cas, vous devrez obtenir une autorisation pour rapatrier le fichier recherché sur votre ordinateur. Ce sera, par exemple, le cas pour accéder aux fichiers utilisés par un chercheur dans un centre de recherches dépendant d'une université ou de l'Etat. Pour vous connecter à un répertoire contenant des fichiers non publics, vous aurez recours à un login et un mot de passe particuliers.

Pour vous connecter à un répertoire public, aucune autorisation ne vous sera demandée. L'accès à ce type de répertoires est connu sous le nom "ftp anonyme". Il suffit de vous connecter sous le nom "**anonymous**" et d'utiliser votre nom de boîte à lettres comme mot de passe. Si vous travaillez sur une plate-forme texte UNIX, vous devrez entrer ces informations au clavier. Dans tous les autres cas, le programme utilisé le fera à votre place.

Rechercher un fichier avec Archie

Pour télécharger un fichier dont vous connaissez le nom, vous pourrez localiser les sites où le trouver en utilisant Archie (voir Chapitre 15).

Avant de vous lancer, quelques conseils concernant l'utilisation de FTP. Si possible, connectez-vous en dehors des heures de bureau, par exemple le soir ou le week-end. Pendant la journée, il est souvent difficile, pour cause d'encombrement, d'y accéder. Il n'est d'ailleurs pas rare de voir s'afficher un message vous indiquant qu'il serait préférable de vous connecter en dehors des heures de bureau. Parfois même, la connexion sera impossible dans certaines plages horaires. Bien évidemment, vous devrez tenir compte de la localisation du site pour connaître son décalage horaire.

Les différents types d'accès FTP

A l'origine, le système FTP fonctionnait sous la forme d'une ligne de commande : il était nécessaire d'entrer des commandes et d'appuyer sur la touche **Entrée** pour les valider. En retour, diverses informations s'affichaient, mais à un rythme peut-être trop rapide pour vous laisser le temps de les lire (à moins que vous ne connaissiez la commande magique permettant de ralentir ou de suspendre l'affichage). Après avoir pris connaissance de ces informations, vous deviez entrer une autre commande, ainsi de suite... Si les habitués d'UNIX raffolent de ce genre de pratique, l'utilisateur moyen est souvent un peu dérouté.

Dans les années 90 (un an ou deux avant l'avènement de l'Internet), les accès FTP ont été facilités grâce au système Gopher (voir Chapitre 16). Gopher supprime l'étape des commandes texte : les fichiers sont sélectionnés dans des menus. L'inconvénient majeur de ce type de systèmes réside dans le fait que seuls les fichiers répertoriés par les auteurs des menus Gopher sont accessibles.

Un peu plus tard sont apparus les programmes FTP graphiques dont les plus performants sont **CuteFTP** et **WS_FTP** (shareware Windows), **Fetch** et **Anarchie** (shareware Macintosh). Reportez-vous à l'Annexe A pour savoir comment les télécharger. Il existe de nombreux autres programmes FTP, en particulier sous Windows. La plupart d'entre eux fonctionnent à la souris et permettent de visualiser les listes de fichiers. Avec eux, le FTP est un vrai plaisir...

Aujourd'hui, vous pouvez visiter les sites en utilisant votre navigateur Web ou un programme dédié. Les répertoires apparaissent sous la forme de listes. Chaque entrée peut être cliquée pour développer l'arborescence, visualiser un fichier texte ou en télécharger un autre.

Dans ce chapitre, nous allons voir comment se servir d'un navigateur pour visiter des sites FTP. S'il est vrai que les manipulations sont élémentaires, il se peut pourtant que vous ayez à faire appel à un outil FTP dédié. Les outils dédiés au FTP seront étudiés à la fin de ce chapitre.

Première expérience du FTP

A titre d'exemple, vous allez vous rendre sur le site **ftp://ftp.dartmouth.edu/**, vous téléchargerez ainsi le programme **fetch**. Vous possédez l'adresse du site, mais pas le répertoire dans lequel se trouve le fichier. Vous devrez donc le retrouver à partir de cette adresse.

Le nom d'un site FTP

*Prenons quelques instants pour analyser le nom d'un site FTP. L'en-tête **ftp://** indique au navigateur qu'il s'agit d'un site FTP. La partie suivante correspond au nom du site : **ftp.dartmouth.edu**. Elle identifie l'ordinateur sur lequel se trouve le fichier recherché. Le nom du site peut être suivi d'un nom de répertoire, comme **pub/software/mac**. C'est dans ce répertoire que le navigateur ira chercher le fichier à télécharger.*

Lancez votre navigateur. Cliquez sur la zone **Adresse**. Tapez **ftp://ftpdartmouth.edu** (ou **ftp://** suivi de l'adresse du site à visiter) puis appuyez sur la touche **Entrée**. Dans les versions récentes, il est possible d'omettre l'en-tête **ftp://** à condition que le nom du site débute par **ftp**. Dans notre exemple, nous aurions pu taper **ftp.dartmouth.edu** dans la zone **Adresse**.

Avec un peu de chance, au bout de quelques instants, la fenêtre du navigateur affichera quelque chose qui ressemblera à la Figure 14.1. Si le site est surchargé, vous obtiendrez probablement un message indiquant qu'il est impossible de vous connecter. Dans ce cas, vérifiez que le nom du site est correct. S'il l'est, réessayez plus tard : le site peut être fermé ou simplement surchargé.

Nom ou numéro ?

Un site FTP peut être repéré par un nom (leo.nmc.edu) ou par un numéro (192.88.242.239).

Figure 14.1 : Si vous avez découvert le FTP par des programmes fonctionnant en ligne de commande, vous apprécierez le navigateur à sa juste valeur.

```
Répertoire de / - Netscape
Fichier Edition Affichage Aller Communicator ?
Signets  Adresse: ftp://ftp.dartmouth.edu/

Dartmouth Macintosh software, including Blitzmail and Fetch, are in

                 /pub/software/mac

You can use the directories /incoming and /outgoing to exchange files
with Dartmouth College users.  Please do not abuse this service.

.afs/                    Mon Sep 09 00:00:00 1996 Directory
INDEX         422 Kb     Wed Sep 25 07:55:00 1996
INDEX.gz       56 Kb     Wed Sep 25 07:55:00 1996 GNU Zip Compressed
README          1 Kb     Tue Feb 13 00:00:00 1996
Students/                Wed Dec 13 00:00:00 1995 Directory
bin/                     Mon Mar 11 00:00:00 1996 Directory
dartmouth                Tue Sep 03 00:00:00 1996 Symbolic link
etc/                     Wed Apr 03 00:00:00 1996 Directory
incoming/                Wed Sep 25 05:47:00 1996 Directory
ls-lR         536 Kb     Wed Sep 25 07:55:00 1996
outgoing/                Wed Sep 25 00:18:00 1996 Directory
people/                  Wed Apr 09 18:57:00 1997 Directory
pub/                     Thu Aug 08 11:57:00 1996 Directory

Document: chargé
```

Remarquez au passage qu'il n'a pas été nécessaire d'entrer le login **anonymous** ou de préciser votre adresse électronique dans le mot de passe. Le navigateur s'est chargé de tout.

Par ailleurs, de nombreux auteurs de Web créant dans leurs pages des liens vers un site FTP, vous pouvez aussi, en cliquant sur un de ces liens, vous rendre sur le site FTP correspondant.

Répertoires et noms de fichiers

Dans le navigateur, les répertoires et les noms des fichiers apparaissent en tant que liens hypertexte. Les informations affichées dépendent du navigateur. Vous verrez ainsi apparaître une description (file ou directory par exemple) et la taille de chaque fichier. Vous saurez donc à quoi vous attendre avant de lancer un téléchargement. Très souvent, vous verrez aussi la date de création des fichiers et des icônes de répertoire ou de fichier seront affichées.

Sites FTP privés

Pour vous connecter à un site FTP privé, vous devez fournir un identificateur (login) et un mot de passe. Parfois, ces informations peuvent être entrées dans l'adresse du site : ***ftp://Nom_utilisateur:Mot_de_passe@Nom_Ordinateur/Répertoire/****. Par exemple, si vous entrez* ***ftp://joeb:1234tyu@ftp .sherwoodforest.com/t1/home/joeb****, le navigateur se connecte au site* ***sherwoodforet*** *d'adresse* ***ftp.sherwoodforest.com*** *et affiche le contenu du répertoire /t1/home/joeb. Le nom d'utilisateur est joeb et le mot de passe 1234tyu. Cette méthode n'est pas à conseiller, car elle sauvegarde (dans la plupart des navigateurs) le login et le mot de passe dans la zone de texte* ***Adresse****. Il sera plus prudent d'utiliser l'adresse* ***ftp://Nom_utilisateur@Nom _Ordinateur/Répertoire/****. Lorsque le navigateur se connectera au site FTP, il ouvrira une boîte de dialogue vous demandant d'entrer le mot de passe.*

Pour afficher le contenu d'un répertoire dans le navigateur, il suffit de cliquer sur son nom. Dans la plupart des cas, vous trouverez un lien permettant d'accéder au répertoire parent du répertoire courant (par exemple, "Up to higher level directory" dans Netscape). La Figure 14.2 illustre ce que l'on trouve en cliquant sur le lien **pub** dans le site **ftp.dartmuth.edu.** Ce répertoire contient généralement les fichiers librement téléchargeables. Dans cet exemple, le répertoire pub contient un seul fichier et de nombreux sous-répertoires.

Comment trouver des fichiers ?

Pour localiser un fichier, vous pourrez faire appel à Archie (voir Chapitre 15). Ce programme indique le nom du ou des sites où se trouve le fichier recherché.

Figure 14.2 : Le contenu du répertoire pub d'un site FTP.

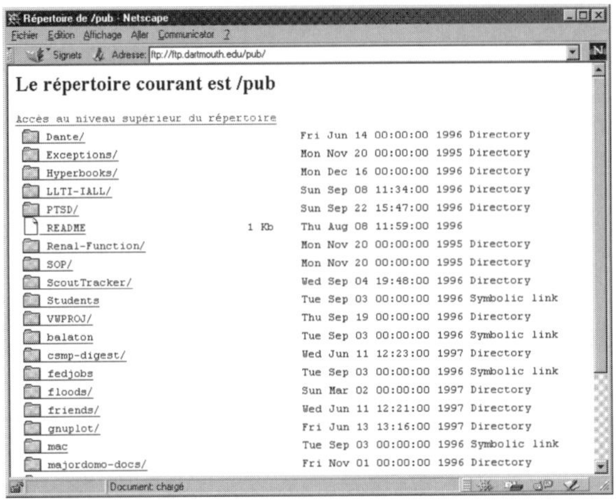

Répertoire de /pub - Netscape

Fichier Edition Affichage Aller Communicator ?

Signets Adresse: ftp://ftp.dartmouth.edu/pub/

Le répertoire courant est /pub

Accès au niveau supérieur du répertoire

Dante/		Fri Jun 14 00:00:00 1996	Directory
Exceptions/		Mon Nov 20 00:00:00 1995	Directory
Hyperbooks/		Mon Dec 16 00:00:00 1996	Directory
LLTI-IALL/		Sun Sep 08 11:34:00 1996	Directory
PTSD/		Sun Sep 22 15:47:00 1996	Directory
README	1 Kb	Thu Aug 08 11:59:00 1996	
Renal-Function/		Mon Nov 20 00:00:00 1995	Directory
SOP/		Mon Nov 20 00:00:00 1995	Directory
ScoutTracker/		Wed Sep 04 19:48:00 1996	Directory
Students		Tue Sep 03 00:00:00 1996	Symbolic link
VWPROJ/		Thu Sep 19 00:00:00 1996	Directory
balaton		Tue Sep 03 00:00:00 1996	Symbolic link
csmp-digest/		Wed Jun 11 12:23:00 1997	Directory
fedjobs		Tue Sep 03 00:00:00 1996	Symbolic link
floods/		Sun Mar 02 00:00:00 1997	Directory
friends/		Wed Jun 11 12:21:00 1997	Directory
gnuplot/		Fri Jun 13 13:16:00 1997	Directory
mac		Tue Sep 03 00:00:00 1996	Symbolic link
majordomo-docs/		Fri Nov 01 00:00:00 1996	Directory

Document: chargé

Lorsque vous cliquez sur un lien qui représente un fichier, le navigateur affiche ou joue le fichier si cela est possible (tout comme il l'aurait fait à partir d'une page Web). Dans le cas contraire, il essaie d'envoyer le fichier à l'application associée. S'il n'en existe pas, il vous demande ce qu'il doit en faire.

Rechercher un fichier

La recherche d'un fichier sur un site FTP n'est pas de tout repos : vous devrez vous déplacer intuitivement dans les répertoires du serveur. Dans cet exemple, nous allons rechercher le fichier **Fetch** qui fonctionne sur une plate-forme Macintosh.

Etant donné que votre navigateur est en mesure d'afficher des fichiers texte, tentez de trouver un fichier nommé INDEX, README DIRECTORY ou lorsque vous vous connecterez à un site FTP. Ces fichiers contiennent souvent des informations qui vous aideront à trouver ce que vous recherchez. Les sites les mieux organisés contiennent des fichiers textes qui donnent des informations sur leurs répertoires, et parfois même qui indexent leur contenu.

A la recherche d'indices

Le nom des répertoires est très souvent une bonne indication sur leur contenu : ainsi le répertoire mac contient certainement des fichiers en rapport avec le Macintosh, tout comme celui de windows des fichiers concernant Windows, ou celui de gif des images .gif, et ainsi de suite. Si vous savez précisément ce que vous recherchez, vous pouvez presque connaître le nom du répertoire à l'avance. Dans l'exemple précédent, il n'a pas été difficile de savoir dans quel répertoire se trouvait le fichier Fetch, puisqu'un message texte l'indiquait dès la première page (**/pub/software/mac**). Pour y accéder, trois clics ont suffit : un sur pub, un sur software et un sur mac.

Connexions FTP via le Web

De nombreux sites ftp sont désormais accessibles via des documents Web. Par exemple, au lieu de vous rendre sur le site **ftp://ftp.winsite.com/** (site de téléchargement bien connu), vous pourrez afficher la page **http://www.winsite.com/**. La connexion et la recherche y sont souvent plus faciles que sur le site FTP équivalent.

Si l'allure des adresses vous semble étrange

*Vous utiliserez souvent des adresses FTP complètes contenant l'adresse du site et le nom du répertoire (comme **ftp.dartmouth.edu/pub/software/mac**). Si vous travaillez sous MS-DOS ou Windows, l'adresse des sites FTP peut vous paraître inhabituelle. Ici, les "\" sont remplacés par des "/", car la plupart des sites sont basés sur des ordinateurs UNIX. De plus, le nom des répertoires est parfois exagérément long. Sous DOS, le nom d'un répertoire ne peut excéder 12 caractères, mais Windows 95 et UNIX autorisent les noms longs pour les répertoires et les fichiers.*

Téléchargement

Lorsque vous avez trouvé le fichier à télécharger, cliquez sur le lien correspondant et sauvegardez-le comme vous le feriez à partir d'un document Web (voir Chapitre 6). La figure ci-après correspond au téléchargement de Fetch.

La plupart des fichiers FTP ont été compressés afin de réduire leur taille et donc leur temps de téléchargement. Avant de pouvoir les utiliser, vous devez les décompresser. Ce dernier point est largement détaillé dans le Chapitre 19.

Dans l'exemple précédent, le fichier transféré est au format .hqx. Il contient un fichier .sit aisément extractible à partir d'un programme tel que Stuffit Expander.

Figure 14.3 : Quelques clics suffisent pour télécharger un fichier FTP.

Même nom, extension différente

Dans la plupart des sites FTP, vous rencontrerez des fichiers dont seuls les derniers caractères diffèrent, comme madoc.txt et madoc.zip par exemple. Le premier fichier est un simple fichier ASCII. Le deuxième est un fichier ZIP dont la taille est inférieure à celle du fichier texte. Si vous êtes en mesure de décompresser le fichier après son téléchargement, vous avez tout intérêt à rapatrier la version zipée.

Utiliser un programme dédié au FTP

Dans certains cas, vous devrez utiliser un programme de FTP dédié, car la connexion via le navigateur ne fonctionnera pas. Soit parce que le site en question est surchargé, soit parce que le navigateur n'est pas en mesure d'interpréter les informations envoyées par ce site. Notez cependant que la plupart des navigateurs récents (comme Netscape Navigator 3 et 4 par exemple) s'acquittent en général bien de cette tâche.

Il peut s'agir d'un site privé. Même si vous possédez le bon mot de passe, certains navigateurs sont incapables de l'utiliser. Ce problème se posera de moins en moins avec les nouvelles moutures des navigateurs (sachez par exemple que les versions actuelles de Netscape et d'Internet Explorer savent en tirer parti). Votre problème de connexion peut aussi provenir d'une incompréhension entre votre plate-forme et celle du serveur FTP.

Voici une autre bonne raison d'utiliser un programme dédié au FTP. Si vous utilisez un navigateur Web pour vos téléchargements, toute interruption du processus implique le renouvellement complet de l'opération en cours. Si, par exemple, vous rapatriez la dernière version du navigateur Netscape, qui pèse plus de 15 Mo, toute interruption, même quelques octets avant la fin du téléchargement vous obligera à reprendre l'opération depuis le début ! Si vous utilisez un programme dédié au FTP, comme l'excellent CuteFTP, le téléchargement pourra reprendre, sur certains sites, à l'endroit précis où il a été interrompu.

Si vous téléchargez de nombreux fichiers sur des sites FTP, et en particulier si ces fichiers sont volumineux, vous avez tout intérêt à utiliser un programme dédié au FTP. Mais attention, ne faites appel à ce type de programme que si les fichiers à télécharger se trouvent sur un site FTP et non sur un site Web. La Figure 14.4 représente le site FTP Shareware.com. Remarquez l'URL affichée en dessous de chaque lien. Un simple coup d'œil suffit pour savoir si le fichier se trouve sur un site FTP ou sur un site Web. Tous les sites Web qui permettent de télécharger des fichiers ne reprennent pas ce mode de présentation. Pour pallier à ce défaut, il suffit de pointer le lien qui vous intéresse. L'adresse URL du fichier est alors affichée dans la barre d'état.

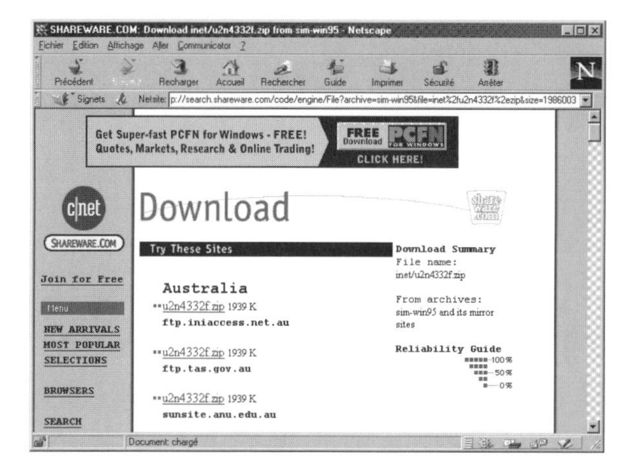

Figure 14.4 : Comme le montre la barre d'état du navigateur, le fichier pointé dans cette page Web se trouve sur un site FTP.

L'URL d'un lien peut être copiée dans le presse-papiers en utilisant le menu contextuel du navigateur. Si vous travaillez sous Windows, cliquez à droite sur le lien et choisissez une commande du type **Copier l'adresse du lien.** Si vous utilisez un Macintosh, pointez le lien et maintenez le bouton de la souris enfoncé jusqu'à l'apparition du menu contextuel. Une fois l'adresse URL dans le presse-papiers, il suffit de la passer au programme FTP pour télécharger le fichier. Si les raisons que nous venons d'évoquer ne vous semblent pas suffisantes, sachez qu'il est en général plus simple de se connecter à un site FTP à l'aide d'un programme dédié que par l'intermédiaire d'un navigateur Web. Vous pouvez même paramétrer le programme FTP de telle sorte qu'il tente automatiquement une nouvelle connexion si le site visé a refusé la précédente.

Quel programme utiliser ?

Il existe de nombreux programmes FTP de bonne qualité. Si vous travaillez sur Macintosh, essayez Fetch ou Anarchie. Si vous travaillez sous Windows, essayez WS_FTP ou CuteFTP. Pour connaître tous les autres programmes disponibles dans le domaine du freeware ou du shareware, reportez-vous à l'Annexe A. Etant donné que vous recherchez un programme capable de reprendre les téléchargements à l'endroit précis où ils ont été interrompus, vous devrez certainement vous enregistrer auprès de ses auteurs.

Passons maintenant à l'analyse rapide des possibilités de WS_FTP. Il s'agit d'une première approche de ce programme, juste pour que vous sachiez ce qui vous attend.

WS_FTP est très simple d'emploi. Rien à voir avec le FTP sous UNIX. Dans WS_FTP, toutes les commandes sont à portée de souris. Il existe même une liste de sites FTP préétablie dans laquelle il suffit de piocher pour se connecter : plus besoin d'entrer leur nom au clavier !

L'installation de WS_FTP ne pose aucun problème : il suffit d'exécuter le fichier d'installation. Au lancement de WS_FTP, la boîte de dialogue **Session Profile** est affichée (voir Figure 14.5). Vous pouvez choisir un des sites FTP prédéfinis ou entrer l'adresse d'un autre site. Appuyez sur le bouton **New** pour effacer les zones de texte et procédez comme suit :

1. Entrez un nom facile à retenir et caractéristique du site FTP dans la zone **Profile Name**.
2. Entrez le nom du site FTP dans la zone **Host Name**.
3. Si vous le connaissez, entrez le type de l'ordinateur dans la zone **Host Type** (si vous n'êtes pas sûr, laissez WS_FTP remplir cette zone pour vous).
4. Si vous vous rendez sur un site "ftp anonymous", cochez la case Anonymous Login. Si vous vous rendez sur un site privé, entrez votre nom d'utilisateur dans la zone **User ID**.
5. Dans le cas d'un site privé, entrez votre mot de passe dans la zone **Password**.
6. Si vous connaissez le nom du répertoire à visiter, entrez-le dans la zone de texte **Initial Directories:Remote Host**.

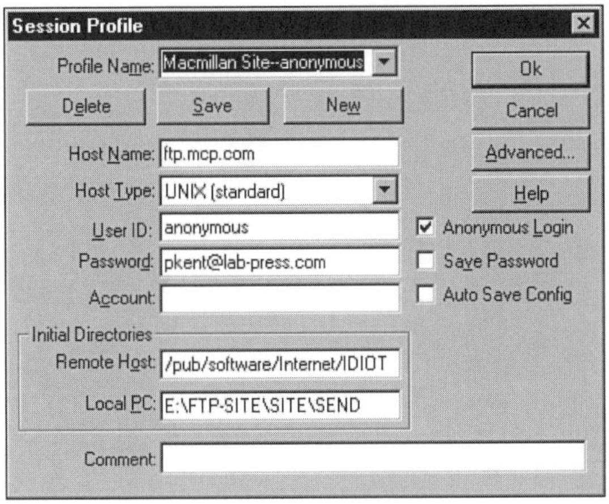

Figure 14.5 : Définition du site à contacter avant d'établir la connexion.

7. Si vous le souhaitez, vous pouvez aussi entrer un nom de répertoire dans la zone **Local PC**. Ce répertoire sera visualisé par défaut et utilisé pour la sauvegarde des fichiers téléchargés par WS_FTP.
8. Appuyez sur le bouton **Save** pour sauvegarder les informations que vous venez d'entrer.
9. Puis sur le bouton **OK** pour vous connecter au site FTP.

Lorsque WS_FTP est connecté, le répertoire du site s'affiche sur la droite et le répertoire de votre ordinateur sur la gauche (voir Figure 14.6).

Vous pouvez vous déplacer dans l'arborescence du site en double-cliquant ou en utilisant le bouton **ChgDir**. Cette dernière méthode est particulièrement rapide si vous connaissez le nom du répertoire dans lequel vous désirez vous rendre.

Les deux boutons les plus utiles sont **View** et <-. Supposons que vous désiriez visualiser un index. Cliquez sur ce fichier puis sur le bouton **View**, dans la partie droite de la fenêtre. Le fichier texte est affiché dans le bloc-notes de Windows. Lorsque vous avez localisé les fichiers à télécharger, cliquez sur leur nom en maintenant la touche **Ctrl** enfoncée, puis appuyez sur le bouton <- pour lancer le téléchargement.

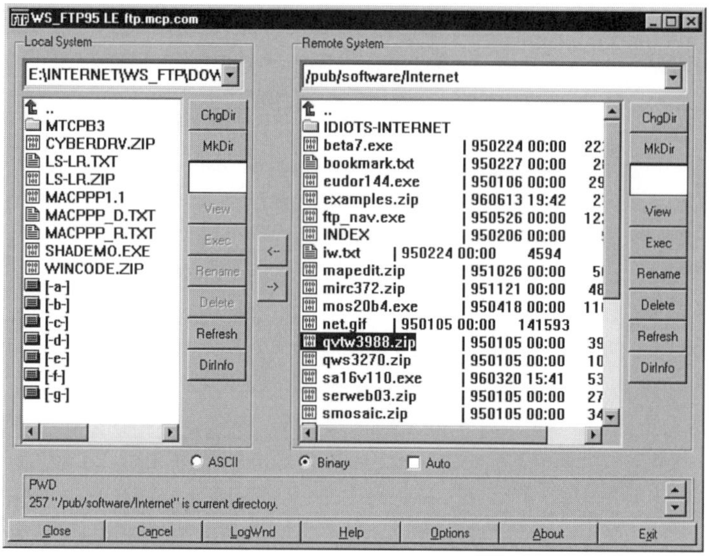

Figure 14.6 : Le FTP en toute simplicité. Cliquez sur le fichier à télécharger, puis sur le bouton <-.

Sélectionnez le type de fichier

Avez-vous remarqué les boutons d'option ***ASCII*** *et* ***Binary*** *sous la zone d'affichage centrale ? Assurez-vous que la bonne option est sélectionnée avant de lancer un téléchargement. Sélectionnez ASCII si le fichier est un fichier texte ASCII. Sélectionnez Binary pour tous les autres types de fichiers. A titre d'exemple, les fichiers issus d'un traitement de texte ne sont pas des fichiers ASCII, car ils contiennent des codes de contrôle utilisés pour définir le format des caractères.*

Vous n'aurez certainement pas à vous servir des autres boutons, du moins dans un site FTP. Dans une session FTP Anonymous, il est impossible de créer et de supprimer un répertoire (**MkDir** et **RmDir**). Il en est de même en ce qui concerne les boutons **Rename** et **Delete** qui permettent de renommer et d'effacer un fichier. Le bouton **Exec** sert à transférer un fichier puis à l'exécuter avec le programme approprié.

Parfois, WS_FTP n'est pas en mesure de déterminer le type de l'ordinateur auquel il s'est connecté. Dans ce cas, l'affichage peut paraître étrange (aucun nom affiché dans la zone de droite, inversion des dates et des noms des fichiers, tronquage du nom des fichiers, etc.). Si vous essayez de transférer un de ces fichiers dans votre ordinateur, un message indiquera qu'il n'existe pas. Dans ce cas, voici la marche à suivre :

1. Cliquez sur le bouton **LogWnd** pour afficher les messages texte échangés depuis le début de la session.
2. Déplacez-vous dans les premières lignes et tentez de trouver le type de l'ordinateur.
3. Cliquez sur le bouton **Options**.
4. Cliquez sur le bouton **Session Options** dans la nouvelle boîte de dialogue.
5. Sélectionnez le type de l'ordinateur dans la liste déroulante.
6. Appuyez sur le bouton **Save**.

Virus et autres parasites

Les virus sont des programmes auto-reproductibles qui peuvent causer de gros dommages à un ordinateur. Cela peut aller du simple affichage d'un arbre de Noël sur votre écran au formatage de votre disque dur. Les virus sont une triste réalité ! Vous en saurez plus à leur sujet en consultant le Chapitre 22.

Et maintenant

Il existe plusieurs centaines de sites FTP dans le monde. Aujourd'hui, les utilisateurs se tournent plutôt vers le Web et utilisent FTP en dernier ressort, lorsqu'ils savent exactement ce qu'ils recherchent. Si l'adresse d'un fichier intéressant est spécifiée dans un groupe de nouvelles ou dans un magazine, vous pouvez vous rendre sur le site FTP correspondant pour le télécharger. Cependant la plupart des utilisateurs préféreront ne pas se compliquer l'existence en se limitant au Web.

Malgré cela, vous pourrez à tout hasard faire un tour sur le site Web **http://hoohoo.ncsa.uiuc.edu/ftp/** qui donne la liste de plusieurs centaines de sites FTP. Vous pourrez aussi vous reporter au site **http://www.file.net/** si vous recherchez un fichier que vous n'arrivez pas à localiser avec les sites mentionnés dans l'Annexe A. Enfin, vous pouvez vous rabattre sur Archie (voir Chapitre 15) qui vous indiquera les sites où le trouver.

Résumé

- FTP est l'abréviation de *File Transfer Protocol*. Il fait référence à un ensemble de sites de téléchargement.
- Le terme FTP anonyme caractérise les sites FTP sur lesquels un utilisateur quelconque peut télécharger des fichiers.
- Pour accéder à un site FTP dans votre navigateur, tapez quelque chose comme **ftp://*Nom_du_site*** dans la barre **Adresse** et appuyez sur la touche **Entrée**.
- Les répertoires et les fichiers sont représentés par des liens hypertexte. Cliquez dessus pour télécharger un fichier ou développer un répertoire.
- Si votre navigateur refuse de se connecter à un site FTP particulier, ou si vous voulez pouvoir recommencer un téléchargement à l'endroit où il a été interrompu, utilisez un programme dédié au FTP, comme WS_FTP sous Windows ou Fetch sur Macintosh.
- Il est nécessaire de se protéger contre les virus informatiques sans pour autant devenir paranoïaque.

INTERNET

Chapitre 15

Archie, le sympathique bibliothécaire

Dans ce chapitre

- Les serveurs Archie
- Les quatre façons d'utiliser un serveur Archie
- Trouver une passerelle Archie sur le Web
- Rechercher des fichiers à l'aide d'un navigateur
- Utiliser un client Archie
- Contacter Archie via la messagerie électronique
- Les recherches whatis

FTP est très utile pour télécharger des fichiers à condition de connaître leur emplacement exact. Dans le cas contraire, vous pourrez faire appel à Archie, né à l'université McGill de Montréal. Il permet d'effectuer des recherches dans les différents sites FTP (plusieurs millions de fichiers sont recensés à travers le monde) pour trouver les sites contenant les fichiers dont vous avez besoin. Le seul problème réside dans la trop grande fréquentation du système, ce qui peut entraîner une grande lenteur dans son utilisation.

Archie par courrier électronique

Les serveurs Archie contiennent un index descriptif. Vous pouvez y effectuer une recherche sur un sujet particulier et trouver les fichiers qui s'y rapportent. Cette opération ne peut être effectuée via le Web : vous devez passer par un courrier électronique. Ce dernier point sera traité ultérieurement dans ce chapitre.

Le système client/serveur Archie

Comme d'autres systèmes Internet, Archie repose sur une architecture client/serveur. Un serveur Archie est un ordinateur qui interroge les divers sites existants dans le monde et établit une liste indexée de leur contenu. Un client Archie est un programme qui se connecte à un serveur du même nom pour effectuer des recherches dans la liste des fichiers.

Vous entendrez peut-être dire que le serveur Archie contacté n'a pas d'importance : tous sont censés effectuer le même travail. Mais la pratique s'avère parfois bien différente. Alors qu'un serveur Archie peut localiser un fichier donné dans deux sites, un autre peut, par exemple, en trouver sept occurrences.

Utilisation pratique

Premier point : se connecter à un serveur Archie. La connexion pourra s'établir de plusieurs façons (indépendamment du serveur choisi) :

- On peut accéder à Archie par une ligne de commande, mais ce procédé est très peu pratique. Si vous souhaitez des informations supplémentaires sur le sujet, vous pouvez envoyer un courrier électronique à l'adresse **ciginternet@mcp.com**. Placez simplement le mot **archie** dans la zone **Sujet** et vous recevrez en retour un chapitre d'une édition précédente de ce même livre qui vous donnera tous les détails nécessaires.
- Vous pouvez recourir à votre navigateur Web pour vous rendre sur une passerelle Archie : les informations à rechercher sont entrées dans une page Web basée sur un formulaire, et les réponses sont aussi affichées dans une page Web.
- Vous pouvez utiliser un programme client Archie spécifique, comme WS_Archie (sous Windows) ou Anarchie (Macintosh).

- Il est possible de poser vos questions à un serveur Archie via la messagerie électronique.

Commençons par la technique la plus simple : l'accès Web. Par la suite, nous détaillerons les deux autres méthodes.

Archie via le Web

Archie ?

Archie n'est pas une abréviation (à la différence de Veronica et de Jughead qui seront étudiés dans le Chapitre 16). Il vient du terme "archive".

Les navigateurs Web ne sont pas de vrais clients Archie. C'est la raison pour laquelle il n'existe aucune adresse du type **archie://URL**. Cependant, il est possible d'utiliser une passerelle vers un client Archie (il en existe plusieurs dizaines sur le Web). Lancez votre navigateur et rendez-vous par exemple à l'adresse **http://web.nexor.co.uk/archie.html**. Si ce site est trop occupé, essayez l'une des adresses suivantes :

http://www.lerc.nasa.gov/archieplex/

http://hoohoo.ncsa.uiuc.edu/archie.html

http://src.doc.ic.ac.uk/archieplexform.html

La plupart des sites Archie autorisent les recherches avec ou sans le recours à un formulaire. Netscape Navigator et Internet Explorer sont capables d'afficher des formulaires contenant des zones de texte, des boutons de commande, des boutons d'options, etc. Si vous utilisez l'un de ces navigateurs ou un navigateur compatible avec les formulaires, validez la recherche par formulaire.

Recherches Archie

Chaque passerelle est différente

Chaque passerelle Archie peut utiliser un formulaire différent. Si vous utilisez une nouvelle passerelle, ne vous étonnez donc pas des variantes inhabituelles.

La Figure 15.1 est un exemple de formulaire Archie issu de la passerelle du Collège impérial de Londres (**http://src.doc.ic.ac.uk/archieplexform.html**).

Tapez simplement tout ou partie du nom du fichier recherché dans la zone de texte **What would you like to search for?** puis appuyez sur la touche **Entrée** (vous pouvez aussi cliquer sur le bouton **Search**). Ainsi, si vous voulez localiser le programme WS_archie qui sera traité ultérieurement dans ce livre, tapez **wsarchie** et appuyez sur la touche **Entrée.** Vous ne devez pas entrer **WS_archie**, mais **wsarchie** dans la zone de texte, car le fichier recherché est WSARCHIE.ZIP ou WSARCHIE.EXE. Si vous travaillez sur un Macintosh, vous rechercherez le fichier anarchie.

Figure 15.1 : Les passerelles Archie permettent d'accéder aux serveurs Archie via le Web.

Stop

*Pour interrompre une recherche Archie, cliquez sur le bouton **Arrêter** du navigateur.*

Les recherches Archie sont souvent très laborieuses. Parfois même, elles n'aboutissent pas, car le serveur est surchargé (nous verrons bientôt comment accéder à un autre serveur). Avec un peu de chance, vous verrez apparaître un écran comme celui de la Figure 15.2, montrant les fichiers trouvés par Archie. Dans certains cas, vous accéderez à des liens vers un ordinateur hôte (celui sur lequel se trouve le fichier recherché), vers le répertoire contenant le fichier recherché, et parfois même vers le fichier recherché. Si vous cliquez sur l'un des liens intitulés wsarchie.zip, le transfert du fichier commence immédiatement. Si vous cliquez sur un lien qui représente un répertoire, le navigateur débute une session FTP sur ce répertoire.

Dans la Figure 15.2, le pointeur de la souris se trouve au-dessus d'un répertoire. Si vous cliquez, vous entamez une session FTP sur le serveur ftp.dmu.ac.uk basé en Angleterre. Ce répertoire a été créé en 1995. Le serveur micros.hensa.ac.uk contient une version plus récente d'Anarchie (août contre juillet 1995).

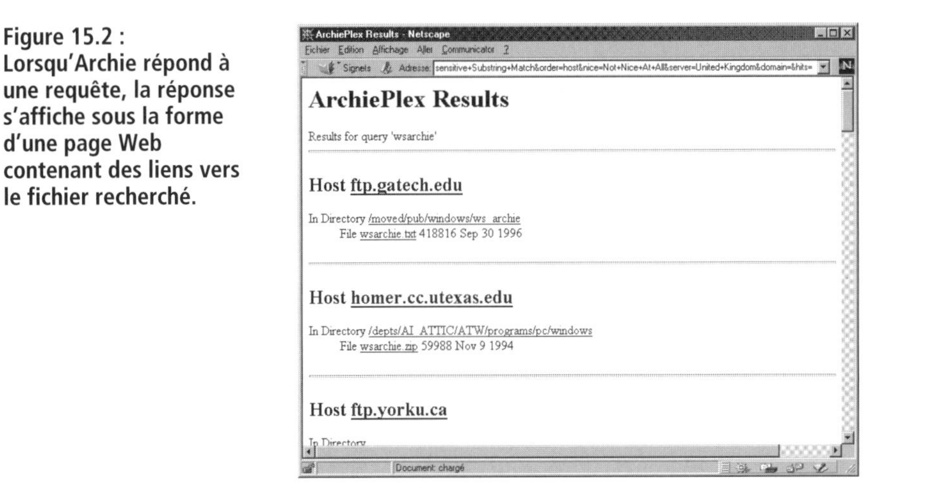

Figure 15.2 : Lorsqu'Archie répond à une requête, la réponse s'affiche sous la forme d'une page Web contenant des liens vers le fichier recherché.

Recherche dans le document

Vous pouvez utiliser la commande de recherche de votre navigateur pour trouver une chaîne particulière dans les informations renvoyées par le serveur Archie (dans Netscape comme dans Internet Explorer, lancez la commande ***Rechercher*** *dans le menu* ***Edition*** *ou appuyez sur* ***Ctrl-F****). Supposons par exemple que vous vouliez télécharger la version EXE et non la version ZIP de l'archive. Recherchez le terme* ***.exe*** *pour afficher le lien correspondant.*

Options de recherche

En dessous de la zone réservée à la saisie du texte recherché se trouvent plusieurs options qui peuvent servir à limiter la recherche :

- **Search type.** Quatre types de recherches sont proposés. Nous y reviendrons dans un instant.

- **Sort by.** Les réponses qui vous sont retournées peuvent être classées par date ou conserver le classement de l'ordinateur hôte. La première option est certainement la meilleure, car elle affiche en tête de liste la dernière version du fichier recherché.
- **Impact on other users.** Vous pouvez indiquer à Archie un ordre de priorité qui s'appliquera au traitement de votre requête.
- **Archie servers.** Servez-vous de cette zone pour spécifier le serveur Archie à utiliser. Vous en choisirez un autre si celui sur lequel vous travaillez actuellement est surchargé (les serveurs sont à priori moins encombrés la nuit que le jour...) ou si le résultat de la recherche ne vous satisfait pas.
- **Restrict the result to a domain.** Vous pouvez indiquer au serveur que le fichier doit être recherché dans un domaine particulier. A titre d'exemple, le domaine UK correspond aux sites FTP anglais, COM aux sites FTP commerciaux, EDU aux sites FTP universitaires, etc.
- **Number of results.** Vous pouvez indiquer le nombre de réponses souhaitées (ce réglage n'est pas toujours pris en compte).

Types de recherche

Avant d'entreprendre la recherche d'un nom de fichier, déterminez tout d'abord le type de recherche que vous souhaitez effectuer. Vous avez le choix entre les possibilités suivantes :

- **Exact** ou **exact match** (correspondance exacte). Entrez le nom exact du fichier recherché.
- **Regex** ou **regular expression match** (expression régulière). Entrez une expression régulière UNIX (certains des caractères entrés sont des commandes). Si vous ne comprenez pas les expressions régulières, nous vous déconseillons ce type de recherche.
- **Sub** ou **case insensitive substring match**. Archie effectue des recherches au sein de tous les noms de fichiers comprenant au moins la chaîne de caractères que vous avez tapée. Si, par exemple, vous entrez la chaîne de recherche ws_ftp, Archie localisera ws_ftp, mais aussi ws_ftp32. Lorsque vous effectuez une recherche Sub, la casse des caractères n'est pas un facteur déterminant. Pour reprendre l'exemple précédent, Archie localisera aussi bien le nom ws_ftp que le nom WS_FTP.
- **Subcase** ou **case sensitive substring match**. Même chose que pour la recherche précédente, le respect de la casse en plus. Par exemple, si la chaîne de recherche est ws_ftp, le fichier WS_FTP ne sera pas identifié.

Vous effectuerez certainement des recherches de type Sub (case insensitive substring match), type qui est souvent défini par défaut. Il demande en effet un temps d'exécution légèrement supérieur aux autres, mais localise plus facilement les fichiers recherchés.

Nombre de réponses

Rappelez-vous que le nombre de réponses est limité ! Les recherches de type Sub ne trouveront pas toujours les noms de fichiers correspondant à votre demande. Si, par exemple, vous tapez ***ws_ftp****, il se peut que vous ne trouviez pas* ***ws_ftp32****, ou que vous en découvriez seulement un ou deux alors qu'il en existe un grand nombre sur de nombreux sites FTP. Pourquoi ? Parce que les fichiers* ***ws_ftp*** *correspondants vous seront donnés avant les fichiers* ***ws_ftp32*** *; de ce fait, si de nombreux fichiers* ***ws_ftp*** *sont identifiés, il se peut que cela dépasse la limite de recherche (voir "You Can Restrict The Number Of Results" dans la liste d'options d'Archie). Vous pouvez repousser cette limite pour voir s'il existe des fichiers* ***ws_ftp32****, ou rechercher directement* ***ws_ftp32****.*

Sachez cependant que le nom des fichiers peut subir quelques altérations : des milliers d'opérateurs placent en effet des millions de fichiers sur une foule de machines hétérogènes, ce qui explique (sans l'excuser) une possible disparité dans le nom des fichiers. Si vous rencontrez des difficultés dans vos recherches, essayez les variantes qui vous semblent possibles.

Trouver un client Archie

Recherche de shareware

Avant de passer un temps non négligeable à effectuer des recherches Archie, sachez qu'il peut être plus rapide de passer par un site de téléchargement. Reportez-vous à l'Annexe A pour en savoir plus.

Si vous êtes un familier d'Archie, vous avez intérêt à vous procurer un véritable client Archie : **WS_Archie** sous Windows ou **Anarchie** sous Macintosh.

L'accès à un serveur Archie via le Web est très pratique, car il fabrique des liens qui pointent vers le fichier recherché. Les clients Archie sont aussi capables de telles prouesses. A titre d'exemple, WS_Archie sait communiquer le nom du fichier à télécharger au programme WS_FTP. Quant à Anarchie, il intègre un programme de téléchargement FTP. Il est donc possible de rechercher et de télécharger dans le même programme.

La Figure 15.3 représente la fenêtre de WS_Archie. Dans cet exemple, le programme recherché est anarchie. Pour cela, il suffit de taper anarchie dans la zone **Search for** et d'appuyer sur le bouton **Search**. Le temps de recherche est très variable (lisez le fichier d'aide pour avoir des informations complémentaires sur les messages affichés dans la barre d'état). Si Archie a localisé le fichier recherché, il suffit de cliquer dessus et de lancer la commande **Retrieve** dans le menu **File** pour le télécharger. Le programme WS_FTP est alors lancé et le fichier désigné est téléchargé.

Figure 15.3 : En parfaite harmonie avec WS_FTP, WS_Archie facilite le téléchargement de fichiers.

Archie via le courrier électronique

Les recherches Archie sont souvent très longues. Parfois, il est même impossible de contacter le serveur, car il est saturé.

Afin de limiter le temps de connexion, vous pouvez envoyer vos requêtes par l'intermédiaire d'un courrier électronique. Si la requête aboutit, le serveur renvoie un courrier contenant la liste des sites où le fichier peut être téléchargé. Utilisez alors votre navigateur ou votre programme FTP pour vous rendre sur l'un des sites et rapatrier le fichier.

Au bout de combien de temps puis-je espérer avoir une réponse ?

Certaines réponses sont renvoyées en quelques minutes. D'autres peuvent demander plusieurs heures. Archie précise que si vous n'avez pas eu de réponse au bout de deux jours, il y a probablement un problème. Essayez alors d'inclure la commande ***set mailto adresse*** *(où* ***adresse*** *est votre adresse électronique) afin de vous assurer qu'Archie n'envoie pas la réponse à une mauvaise adresse.*

L'utilisation d'Archie via le courrier électronique est vraiment élémentaire. Envoyez un message contenant une commande à l'adresse **archie@serveur** (où **serveur** est l'adresse du serveur Archie à contacter). Votre choix pourra porter sur l'un des serveurs suivants :

Adresse	Pays
archie.ans.net	Etats-Unis, ANS
archie.internic.net	Etats-Unis, T&T (New-York)
archie.rutgers.edu	Etats-Unis, université de Rutgers.
archie.au	Australie
archie.th-darmstadt.de	Allemagne
archie.wide.ad.jp	Japon
archie.sogang.ac.kr	Corée

Liste de serveurs Archie

*Pour obtenir une liste à jour des serveurs Archie, envoyez un courrier électronique à un serveur Archie (à l'adresse **archie@serveur**, comme **archie@archie.rutgers.edu**) en tapant **servers** dans le corps du message. Reportez-vous au Chapitre 3 pour plus d'informations.*

Après avoir choisi un serveur, il ne vous reste plus qu'à lui envoyer un message. Si votre programme de messagerie le permet, la ligne **Sujet** peut être laissée vierge. Dans le cas contraire, vous pouvez y inscrire la première commande, les suivantes seront placées dans le corps du message.

Le nombre de commandes importe peu, pourvu que chacune d'entre elles soit placée sur une ligne et que leur premier caractère soit le premier caractère de chaque ligne. Vous pouvez par exemple entrer les commandes suivantes :

servers

find wsarchie

whatis encryption

La commande **servers** demande au serveur de vous retourner une liste de serveurs Archie (cette liste n'est pas forcément complète. Vous devrez peut être poser la même requête à plusieurs serveurs Archie pour avoir une information exhaustive). La commande **find** indique au serveur de rechercher le programme wsarchie. La commande **whatis** lance une recherche par mot clé. Ici, les informations recherchées ont trait au codage des données (encryption). Il ne vous reste plus qu'à envoyer le message.

Recherche par mot clé avec la commande whatis

La commande whatis ne peut être utilisée qu'à travers des courriers électroniques (les passerelles Archie et le programme WS_Archie n'y donnent pas accès). Cette commande lance une recherche non pas sur un nom de fichier, mais sur sa description.

De nombreux fichiers indexés par Archie comportent une description. Servez-vous de cette commande si vous avez du mal à trouver certains fichiers. Vous pouvez aussi utiliser la commande **whatis encryption.**

Archie retourne une liste de fichiers correspondant au critère, comme :

codon Simple encryption algorythm

des Data encryption system (DES) routines and a logData encryption system (DES) routines and a login front-end

des-no-usa Data encryption system (DES) code free of US restrictions

Parfois, vous ne comprendrez pas la liaison entre le mot clé et certaines des entrées retournées. Cela n'a pas une réelle importance, à condition que certains des fichiers spécifiés correspondent à ce que vous attendez.

Le mot situé à l'extrême gauche de chaque ligne peut être utilisé pour localiser le fichier correspondant à une entrée en utilisant la commande **find**. Par exemple, si vous envoyez un courrier contenant la commande **find des-no-usa**, vous obtiendrez en retour la liste des sites sur lesquels peut être téléchargé ce fichier.

D'autres commandes

Voici quelques autres commandes qu'il est possible d'intégrer dans un courrier électronique à destination d'un serveur Archie :

set search type Où type peut prendre la valeur exact, regex, sub ou subcase. Ces différents types de recherche ont été étudiés dans les pages précédentes.

help Retourne un guide d'utilisation du serveur Archie.

site hôte Où hôte est l'adresse IP d'un serveur (numéro caractéristique du serveur) ou un nom de domaine. Archie retournera la liste des fichiers de ce serveur.

quit Demande à Archie d'ignorer les éventuelles commandes suivantes, comme la signature insérée automatiquement par certains logiciels de messagerie (si Archie rencontre une commande qu'il ne peut interpréter, il retourne un guide d'utilisation).

set mailto adresse Si vos requêtes ne reçoivent pas toujours une réponse, vous pouvez utiliser cette commande pour préciser l'adresse de retour au serveur.

Pour avoir une idée précise de ce que vous pourrez faire en contactant un serveur Archie par courrier électronique, essayez la commande **help**. Le guide d'utilisation qui vous sera retourné contient de nombreuses informations intéressantes.

Résumé

- Les serveurs Archie recensent périodiquement les fichiers disponibles sur plusieurs centaines de sites FTP. Ces informations sont accessibles aux clients Archie.
- La façon la plus simple d'utiliser Archie consiste à emprunter une passerelle Web. Consultez le site **http://web.nexor.co.uk/archie.html** pour obtenir une liste de passerelles.
- Le type de la recherche est essentiel. Le plus simple est le type sub qui permet d'effectuer une recherche sur une partie d'un nom sans tenir compte de la casse des caractères.
- Vous pouvez utiliser les clients Archie WS_Archie (Windows) ou Anarchie (Macintosh). Anarchie possède un processus de téléchargement interne, alors que WS_Archie fait appel au programme WS_FTP.
- Il peut être intéressant de contacter un serveur Archie par courrier électronique. Les commandes sont placées dans le corps d'un message. Elles sont envoyées à une adresse du type **archie@serveur** (où serveur est le nom d'un serveur Archie).
- La commande **whatis** permet d'effectuer des recherches dans la description des fichiers.

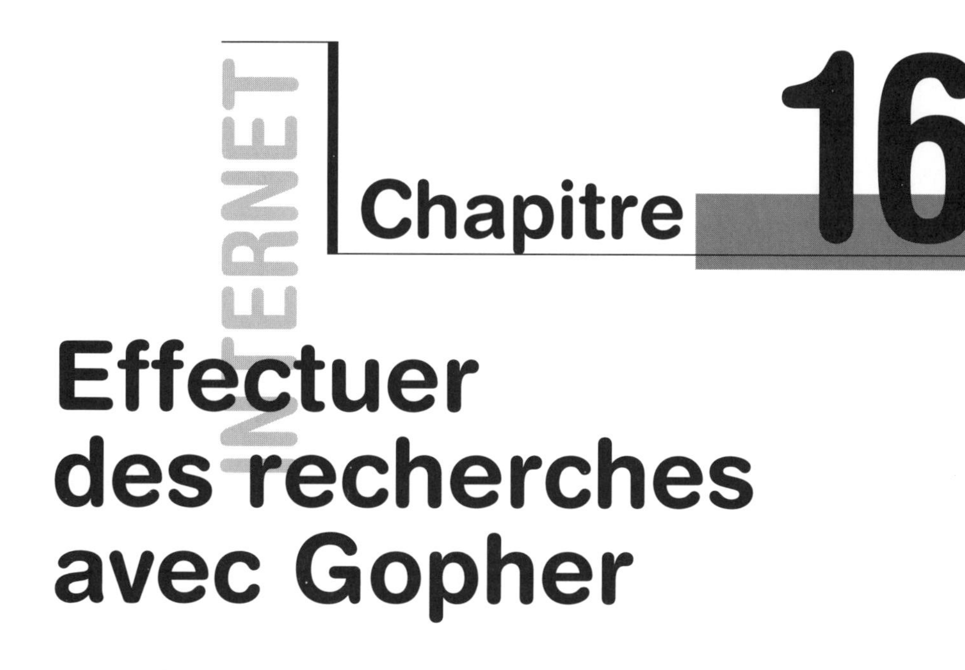

Effectuer des recherches avec Gopher

Dans ce chapitre

- Historique de Gopher et du Web
- Pourquoi utiliser Gopher ?
- Démarrer une session Gopher
- Trouver son chemin dans le GopherSpace
- Sauvegarder des documents texte et non texte
- Utiliser Jughead pour effectuer des recherches dans un serveur Gopher
- Utiliser Veronica pour effectuer des recherches dans le GopherSpace

Malgré sa relative jeunesse, le Web est la partie de l'Internet dont la croissance est la plus rapide. Jusqu'en 1994, peu de personnes s'intéressaient au Web, car il était difficile d'accès. Ses attraits étaient pourtant bien réels. A l'époque, la plupart des internautes n'étaient pas en mesure de visualiser des images ou de la vidéo, d'écouter des sons, etc. Netscape est venu bouleverser l'univers du Web en autorisant l'utilisation de ces médias.

Vous vous demandez certainement comment les internautes pouvaient se diriger à travers le Net auparavant. Tout simplement grâce à Gopher.

Si votre connaissance du Web se limite à l'utilisation de Netscape ou d'Internet Explorer, vous ne pouvez imaginer combien il était difficile d'accéder à l'Internet durant ces premières années. Toutes les actions étaient alors entrées sous la forme de lignes de commandes, ce qui a dégoûté bon nombre d'internautes.

Pour ceux qui travaillent encore en ligne de commande

Si vous accédez encore à l'Internet en entrant des commandes texte, envoyez un courrier contenant le simple mot gopher sur la ligne ***Sujet*** *à l'adresse* ***ciginternet@mcp.com****. Vous recevrez en retour le chapitre relatif à Gopher paru dans la première édition de ce livre. Vous saurez ainsi comment utiliser Gopher en mode terminal.*

Gopher

Gopher s'est imposé par sa simplicité. Plutôt que de taper des commandes obscures en mode texte, il suffit de sélectionner des options dans un menu en utilisant les touches fléchées du clavier. Chaque option affiche un autre menu ou un document qui peut être situé sur un site quelconque. Le fonctionnement de Gopher s'apparente donc à celui du Web. A son heure de gloire, Gopher a grandement démocratisé l'accès à l'Internet.

Pendant un temps, Gopher a été perçu comme l'évolution logique de l'Internet. Des versions graphiques de Gopher ont alors été créées. Elles ont été distribuées sous forme de freeware ou de shareware (vous avez peut-être entendu parler de l'excellent programme WinGopher qui permet de visiter le système Gopher sous Windows).

Mort avant d'avoir connu son heure de gloire

Gopher est né en 1991, dans l'Université du Minnesota. Dès sa naissance, les jours de Gopher ont été comptés. A l'époque, il s'agissait seulement de quelques documents rédigés par son créateur, Tim Berners-Lee. Sa simplicité d'utilisation l'a tout de suite rendu célèbre. Un an plus tard, la comparaison des deux systèmes laissait peu de chances à Gopher. Sa popularité a énormément baissé lorsque les navigateurs Web ont adopté une forme graphique.

Chapitre 16

Effectuer des recherches avec Gopher

Le Web est né courant 1992. Il n'avait jamais été aussi aisé d'accéder aux informations et leur présentation était particulièrement attrayante et soignée. L'intérêt du public s'est donc rapidement détourné de Gopher. Et pourtant, ce dernier n'a pas disparu. Tout d'abord parce que quelques serveurs Gopher sont toujours en activité. Mais aussi parce que de nombreux internautes n'utilisent toujours pas d'interface graphique.

Les informations placées dans les serveurs Gopher sont souvent intéressantes, et leur accès est possible via votre navigateur Web.

Le système Gopher consiste en plusieurs centaines de serveurs du même nom (ordinateurs sur lesquels résident les systèmes de menus) et plusieurs millions de clients Gopher (ordinateurs qui accèdent aux menus stockés sur les serveurs). Les serveurs sont généralement publics. Tous les clients (comme les navigateurs Web) peuvent donc y accéder.

Bien qu'il existe des versions shareware et commerciales de clients dédiés Gopher, vous ferez certainement appel à votre navigateur (en effet, contrairement à certains sites FTP, les sites Gopher sont toujours accessibles via un navigateur).

Accéder à un site Gopher avec un navigateur

Pour vous connecter à un serveur Gopher, vous pouvez :

- Cliquer sur un lien dans un document Web.
- Entrer une adresse du type **gopher://URL** dans la zone **Adresse** du navigateur, puis appuyer sur la touche **Entrée**.

Par exemple, l'adresse **gopher://wiretap.spies.com/** correspond au serveur Gopher Wiretap (voir Figure 16.1).

Si vous utilisez Internet Explorer ou Netscape (et certainement bon nombre d'autres navigateurs), vous pouvez omettre le préfixe **gopher://** dans l'adresse si le nom du site commence par le mot gopher. Par exemple, vous pouvez taper gopher.usa.net à la place de **gopher://gopher.usa.net**.

Par où commencer ?

*Pour obtenir une liste de serveurs Gopher, rendez-vous à l'adresse **gopher://gopher.micro.umn.edu/11/Other%20Gopher%20and§%20Information%20Servers**. Si cette adresse vous semble trop longue, rendez-vous sur le site **http://www.w3.org/hypertext/DataSource/ByAccess.html** et cliquez sur le lien **Gopher**.*

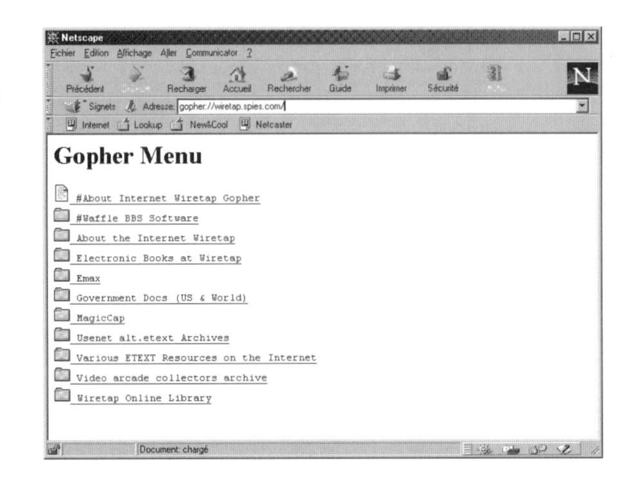

Figure 16.1 : Le site Gopher Wiretap contient de nombreux liens dignes d'intérêt.

Des informations hiérarchiques peuvent aussi être intégrées dans l'URL d'un site Gopher. Par exemple, si vous tapez **gopher://earth.usa.net/00/News%20and%20Information/Ski%20Information/A%20List%20of%20Today%27s%20SKI%20CONDITIONS** dans la zone **Adresse** d'un navigateur, vous sélectionnerez automatiquement l'entrée **Colorado Ski Information** puis l'entrée **Ski Conditions** sur le serveur Gopher Internet Express.

Dans le navigateur, les options d'un menu Gopher sont représentées par des liens. Il suffit de cliquer sur un lien pour sélectionner l'option correspondante. Si l'option fait référence à un autre menu, il est affiché dans le navigateur. Si l'option fait référence à un fichier, ce dernier est transféré dans le navigateur qui l'affiche ou l'exécute dans la mesure de ses possibilités.

Les signets

Les adresses Gopher sont souvent exagérément longues. Pensez à sauvegarder les plus intéressantes dans le carnet d'adresses du navigateur (voir Chapitre 5).

La plupart des documents accessibles via Gopher sont des textes. Ils peuvent donc être affichés dans le navigateur. Bien évidemment, vous n'y trouverez aucun lien vers d'autres documents (il ne s'agit pas de documents Web !).Vous devrez donc utiliser le bouton **Précédent** dans la barre d'outils pour retourner au menu Gopher précédent. Le document texte de la Figure 16.2 a été obtenu à partir du site Wiretap, en sélectionnant l'option de menu "Electronic Books at Wiretap", puis "Aesop:Fables, Paperless Edition".

Figure 16.2 : Le document AESOP'S FABLES, issu du site Wiretap.

```
AESOP'S FABLES (84 Fables)

From The PaperLess Readers Club, Houston (713) 977-9505 (BBS)
                              Voice/Fax (713) 977-1719

1-21                                       22-42
  The Cock and the Pearl                     The Frog and the Ox
  The Wolf and the Lamb                      Androcles
  The Dog and the Shadow                     The Bat, the Birds, and the Beasts
  The Lion's Share                           The Hart and the Hunter
  The Wolf and the Crane                     The Serpent and the File
  The Man and the Serpent                    The Man and the Wood
  The Town Mouse and the Country Mouse       The Dog and the Wolf
  The Fox and the Crow                       The Belly and the Members
  The Sick Lion                              The Hart in the Ox-Stall
  The Ass and the Lapdog                     The Fox and the Grapes
  The Lion and the Mouse                     The Horse, Hunter, and Stag
  The Swallow and the Other Birds            The Peacock and Juno
  The Frogs Desiring a King                  The Fox and the Lion
  The Mountains in Labour                    The Lion and the Statue
  The Hares and the Frogs                    The Ant and the Grasshopper
```

Recherche dans un menu Gopher

*Certains menus Gopher sont très longs. Si nécessaire, vous pouvez utiliser la commande de recherche de votre navigateur pour localiser une information particulière (**Rechercher** dans le menu **Edition** de Netscape et d'Internet Explorer).*

Veronica et Jughead

Veronica et Jughead sont les deux outils de recherche des serveurs Gopher.

Veronica permet d'effectuer des recherches dans la totalité des serveurs Gopher alors que Jughead se contente du serveur sur lequel vous êtes connecté.

Pour effectuer des recherches dans le Gopherspace (les serveurs Gopher de l'Internet), vous devez trouver une option de menu Veronica ou Jughead. A titre d'exemple, en vous rendant sur le site **gopher://gopher.cc.utah.edu/**, vous aurez accès aux options de menu **Search titles in Gopherspace using veronica** et **Search titles in Gopherspace using Jughead**. De nombreux sites Gopher ne sont pas dotés de l'outil Jughead ; ils sont accessibles par Veronica.

Jughead

Lorsque vous sélectionnez l'option Jughead, des liens correspondant à la recherche Jughead sur d'autres sites sont souvent affichés. Il est aussi fréquent de voir un texte décrivant le fonctionnement de Jughead.

A titre d'exemple, rendez-vous sur le site **gopher://gopher.cc.utah.edu**. Sélectionnez **Search menu titles using jughead**, puis choisissez **Search University of Utah Menus Using Jughead**. Vous vous connectez alors à un serveur de recherche représenté en Figure 16.3. Entrez un mot ou un groupe de mots dans le formulaire et appuyez sur la touche **Entrée**. Cette recherche s'effectue dans toutes les options de menu.

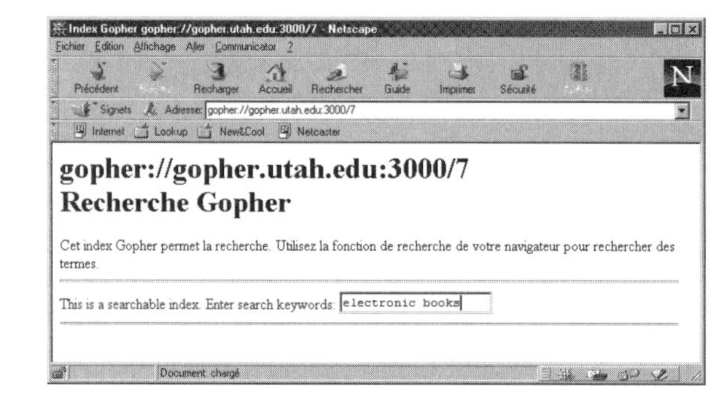

Figure 16.3 : Entrez le mot à rechercher et appuyez sur la touche Entrée.

A propos de la casse des caractères

Vous pouvez indifféremment entrer le terme recherché en majuscules ou en minuscules. Jughead ne tient pas compte de la casse des caractères.

Après un court laps de temps (Jughead est souvent bien plus rapide que Veronica), un autre menu Gopher spécialement créé à votre attention est affiché. Il contient la liste des menus Gopher correspondants. Vous pouvez alors cliquer sur une des entrées de la liste ou la pointer en regardant le lien correspondant dans la barre d'état. Si les réponses ne vous semblent pas satisfaisantes, cliquez sur le bouton **Précédent** du navigateur et entrez un autre terme.

Opérateurs booléens

Si vous entrez plusieurs termes dans la case de recherche, vous devez utiliser un opérateur pour préciser le caractère inclusif ou exclusif de la recherche :

a and b Recherche des options qui contiennent le terme **a** et le terme **b**

a or b Recherche des options qui contiennent le terme **a** ou le terme **b**

a not b Recherche des options qui contiennent le terme **a** mais pas le terme **b**

En effectuant une recherche sur **book or publication**, le nombre de réponses est plus important. Il augmente encore si l'on effectue une recherche sur **book or publication or publications**.

Caractère de remplacement

Le caractère "*" peut remplacer un ou plusieurs caractères quelconques. Par exemple, en entrant le terme **pub*** dans la zone de texte d'un écran Jughead, toutes les options de menu qui commencent par **pub** seront recherchées.

Si nécessaire, le caractère "*" peut être combiné avec les opérateurs booléens. Si, par exemple, vous entrez le terme **book or pub*** dans la zone de recherche, Jughead recherche les options de menu qui contiennent le mot **book** ou qui commencent par le mot **pub** (comme publication, publications, publicity, public ou publican).

A propos du joker *

Seul le caractère de remplacement "" peut être utilisé dans Jughead. Le caractère "?", couramment utilisé dans d'autres programmes, n'a aucune signification pour Jughead. Sachez aussi que l'astérisque ne peut être placé qu'à la fin d'un mot. S'il se trouve au début ou à l'intérieur d'un mot, il est purement et simplement ignoré.*

Vous pouvez donc remplacer le terme **book or publication or publications** par **book or pub***. Le nombre de correspondances est bien plus important dans le second cas. S'il est vrai que les options correspondant aux termes **publishing** et **publisher** peuvent être utiles, d'autres viennent parasiter le résultat, comme celles contenant le terme **public** ou le terme **pub**. A vous de bien utiliser le caractère "*" pour éviter de telles situations.

Si vous entrez plusieurs mots dans la zone de recherche sans recourir à aucun opérateur booléen, Jughead utilise un ET logique (**and**) par défaut. Par exemple, les deux termes suivants sont interprétés de la même façon :

book and pub*

book pub*

Jughead recherche toutes les options qui contiennent le mot **book** et un mot qui commence par **pub**.

Tous les sites sont différents

Les sites Gopher sont tous différents. Vous n'obtiendrez donc pas le même résultat en utilisant Jughead sur deux sites différents.

Si vous placez un des caractères suivants dans le terme à rechercher, il le remplace par un espace et relie les deux termes qui en découlent par un "and" :

! " # $ % &' ( ) + , - . / : ; < = > ? @ [\ ] ^ _ O

Par exemple, si vous entrez le terme **this.file**, Jughead recherche les entrées contenant les mots **this** et **file**.

Pour terminer, sachez que les mots **and**, **or** et **not** ne peuvent être recherchés par Jughead qui les interprète systématiquement comme des opérateurs booléens.

Commandes spéciales

Quatre commandes spéciales peuvent être utilisées dans Jughead. Certains navigateurs ne sont pas compatibles avec ces commandes. Essayez-les. Si vous obtenez une page blanche en retour, vous saurez que le problème vient du navigateur.

- **?all.** Demande l'affichage de toutes les correspondances (en principe, seules les 1 024 premières correspondances sont affichées). Si, par exemple, vous entrez **?all book or pub***, toutes les options contenant le mot **book** et un mot qui commence par **pub** seront affichées, même si leur nombre dépasse 1 024.
- **?help.** Demande à Jughead de créer une option de menu qui pointe vers le fichier d'aide. La commande **?help** peut être exécutée toute seule ou cumulée à une recherche, comme dans **?help book or pub***.
- **?limit=n.** Limite l'affichage aux premières occurrences. Si, par exemple, vous entrez **?limit=10 book or pub***, Jughead n'affichera que les 10 premières occurrences de la recherche.
- **?version.** Renvoie la version de Jughead. Voici un exemple d'option de menu renvoyée :

  1. This version of jughead is 1.0.4 (par exemple)

Vous pouvez cliquer sur cette option pour afficher le fichier d'aide Jughead. La commande **?version** peut être utilisée seule ou cumulée à une recherche, comme dans **?version book or pub*.**

Veronica

Globalement, Veronica et Jughead se ressemblent. Ils ont cependant quelques différences de taille.

Lorsque vous sélectionnez une option de menu Veronica, vous devez choisir un serveur. Les recherches Veronica concernent la totalité du Gopherspace (tous les serveurs Gopher de la planète). Les serveurs Veronica indexent la totalité des serveurs Gopher. A vous d'en choisir un.

Vous devez éventuellement limiter la recherche. Cette dernière peut porter sur la totalité des options de menu ou seulement sur les options qui donnent accès à d'autres options. Supposons par exemple que vous vous connectiez au serveur **gopher://gopher.cc.utah.edu** et que vous sélectionniez l'option **Search titles in Gopherspace using Veronica**. Si vous sélectionnez maintenant **Find GOPHER DIRECTORIES by Title Word**(s) (**via U of Manitoba**), vous utiliserez le serveur Veronica de l'université de Manitoba pour afficher des options de menu qui pointent vers d'autres options de menu (aussi appelées répertoires). Si vous sélectionnez **Search GopherSpace by Title Word**(s) (**via University of Pisa**), vous accéderez au serveur Veronica de l'université de Pise pour rechercher des options qui pointent vers d'autres options ou vers des documents.

La saisie du terme à rechercher se fait dans un formulaire semblable à celui rencontré dans Jughead. Lorsque vous appuyez sur la touche **Entrée** pour lancer la recherche, il y a de fortes chances pour qu'un message de ce type soit affiché : *** **Too many connexions - Try again soon.** ***

Dans ce cas, essayez un autre serveur. Si ce message n'est pas affiché, armez-vous de patience. Ici, la recherche ne concerne pas un serveur Gopher mais la totalité du Gopherspace. La taille de la liste renvoyée risque donc d'être fort conséquente.

En savoir un peu plus sur les recherches Veronica

Comme dans une recherche Jughead, vous pouvez recourir à des opérateurs booléens et le joker "*" en suffixe. Attention, si vous placez un caractère "*" à l'intérieur d'un mot, Veronica annule la recherche (dans Jughead, le caractère * aurait été ignoré).

Le fichier d'aide

Pour avoir des informations complémentaires sur le fonctionnement de Jughead et de Veronica, lisez le fichier d'aide en cliquant sur l'option correspondante. Cette option est située au voisinage des options Jughead et Veronica.

Pour terminer, sachez que vous pouvez utiliser la commande **-t** dans le terme recherché (au début, à la fin ou dans la chaîne de recherche). Cette commande doit être suivie d'un ou de plusieurs caractères qui indiquent le type de la recherche. Par exemple, le terme **book -t0** recherche les documents où apparaît le mot **book**, et le terme **book -t01** sélectionne les options de menu et les documents qui contiennent le mot **book**.

Le tableau ci-après recense les chiffres et les lettres qui peuvent s'inscrire dans la commande **-t** :

Chiffre ou lettre	Description
0	Fichier texte
1	Répertoire (menu Gopher)
2	Serveur CSO (base de données permettant de rechercher des internautes)
4	Fichier HQX Macintosh
5	Fichier binaire PC
7	Index
8	Session Telnet (voir Chapitre 20)
9	Fichier binaire
s	Fichier son
e	Fichier événement
l	Fichier image (autre format que GIF)
M	Message MIME (ce système permet de transférer des fichiers binaires via la messagerie)
T	Session TN3270 (similaire à une session Telnet)
c	Calendrier
g	Image GIF
h	Document HTML Web

Il est aussi possible de se servir de la commande **-m** pour spécifier le nombre maximum de réponses. Par exemple, le terme **-m300 book** demande à Veronica de trouver 300 options contenant le mot **book**. Si vous ne précisez aucune limite, Veronica renvoie les 200 premières options contenant le terme recherché.

Résumé

- Gopher est un système de menu texte qui facilite grandement la vie des internautes forcés de travailler en ligne de commande.
- Gopher est aisément accessible dans un navigateur Web.
- Il suffit de cliquer sur les options de menu pour vous déplacer dans le GopherSpace.
- Pour sauvegarder un document texte ou un fichier, cliquez sur l'option de menu correspondante. Votre navigateur se comportera comme si vous aviez cliqué sur un lien du même type dans le Web.
- Servez-vous du carnet d'adresses du navigateur pour mémoriser l'URL des menus Gopher que vous pensez réutiliser.
- De nombreux serveurs Gopher donnent accès à l'outil de recherche Jughead qui permet de rechercher des données dans le serveur.
- L'outil de recherche Veronica ne s'applique pas à un seul serveur Gopher mais à la totalité du GopherSpace. Pour accéder à cet outil, il suffit de sélectionner l'option correspondante dans un menu Gopher.

Dialoguer sur le cyberespace

Dans ce chapitre

- Les systèmes "chat" et "talk"
- Dialogue en direct
- Utilisation des systèmes de dialogue des services en ligne
- Choix d'un avatar dans un programme de dialogue graphique
- Travailler avec IRC (*Internet Relay Chat*)
- Les diverses utilisations possibles du dialogue en direct

Bien que peu abordé dans la littérature spécialisée, le dialogue en direct est une partie importante du cyberespace. Son immense popularité n'a pas été étrangère au développement des services en ligne. Si peu d'articles existent sur le sujet, c'est peut-être parce que le dialogue en direct est souvent utilisé pour parler de sexe ou pour contacter des partenaires potentiels.

Dans ce chapitre, nous traiterons du dialogue en direct sur le cyberespace. Nous parlerons du système IRC (*Internet Relay Chat*), le plus couramment utilisé sur l'Internet, et du système de dialogue des services en ligne. Vous pourrez ainsi constater qu'il existe quantité de sujets de conversation...

Dialoguer ou parler ?

Le dialogue en direct ("chat" en anglais) n'utilise pas la voix (voir Chapitre 18) : les divers interlocuteurs échangent des messages écrits au clavier.

Contrairement à la messagerie électronique, le texte tapé est instantanément (ou presque) envoyé à votre interlocuteur. Le terme *temps réel* est parfois employé au sujet du dialogue en direct.

Un autre système de dialogue en direct ("talk" en Anglais) permet de contacter directement un internaute. Pour cela, on recourt à un outil dédié dans lequel on entre l'adresse électronique du correspondant. Dans un programme de dialogue de type "chat", vous devez vous rendre sur un site de dialogue approprié puis contacter une des personnes qui y sont connectées.

Faut-il parler de sexe dans ce livre ?

Mon éditeur m'a suggéré de l'éviter pour ne pas choquer les âmes sensibles. Et pourtant, il est difficile d'ignorer ce sujet lorsque l'on aborde le dialogue en direct. Tant de gens utilisent cette technique pour converser de sexe. Le cybersexe est donc une réalité dans le dialogue en direct.

Vous pourrez tout aussi bien adorer ou détester le dialogue en direct. De nombreux adeptes y consacrent plusieurs heures par nuit ! Pourtant ce moyen de communication présente un handicap certain : les temps d'attente inévitables entre chaque échange.

Sessions mono et multi-interlocuteurs

Les dialogues en direct ou privées peuvent être classés dans deux catégories : privés et multi-interlocuteurs. Le cas le plus général consiste à établir une connexion avec un groupe de personnes. Une de ces personnes peut vous inviter à dialoguer en tête-à-tête, en dehors du groupe. Parfois appelées "sessions cybersexe", ces conversations privées permettent d'échanger toutes sortes de propos intimes qui ne concernent pas le groupe : vous pouvez tout aussi bien parler de votre beau-frère qui réside à Londres, discuter d'un projet avec un collègue ou échanger des points de vue sur la plongée sous-marine.

Dans les pages suivantes, nous allons nous intéresser aux systèmes de dialogue des services en ligne qui ont largement contribué à leur développement. C'est pourquoi un effort a été fait pour faciliter leur utilisation et la rendre aussi agréable que possible. Aujourd'hui, le dialogue en direct est assez peu pratiqué sur le Net. Mais cela devrait changer, car de nombreux programmes, parfois utilisables dans le Web, font leur apparition.

Si vous passez par Compuserve ou AOL, vous pouvez vous rendre sur les aires de discussion en entrant la commande **GO** ou le mot clé "chat". De nombreux forums possèdent aussi leur propre aire de discussion, mais les lieux sont souvent déserts. Dans MSN, ces sites sont très nombreux : la plupart des forums (disons plutôt des BBS pour employer le langage propre à MSN) possèdent leur aire de discussion. Vous pouvez aussi lancer la commande **Chat Central** dans le menu **Communicate** (vous utiliserez la commande **Go To chat** si vous travaillez avec l'ancienne version de MSN). Si vous désirez utiliser le système "Internet Relay Chat" sur le Net, les choses sont un peu plus complexes. Nous y reviendrons ultérieurement.

Le système de dialogue en direct d'AOL

Pour vous rendre dans la fenêtre de dialogue en direct dans AOL, utilisez le mot clé "chat" ou cliquez sur le bouton **People Connection** dans la fenêtre de bienvenue (voir Figure 17.1). Utilisez le bouton **List Chats** pour prendre connaissance des différentes aires de discussion. Il existe une dizaine de catégories et une centaine de sujets.

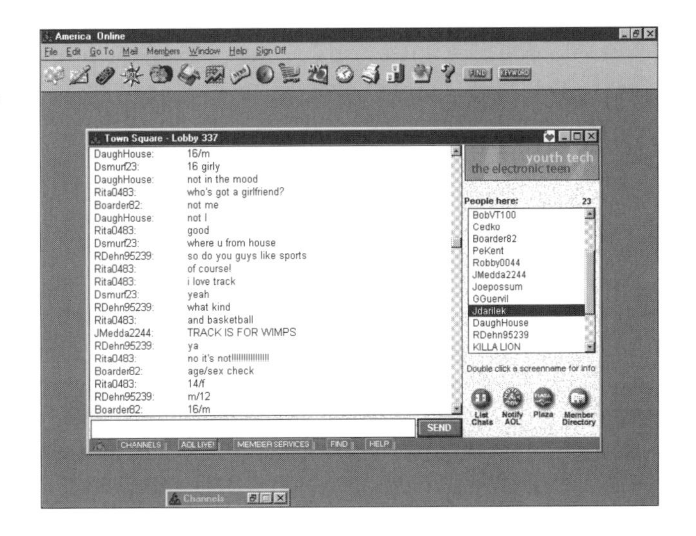

Figure 17.1 : Le système de dialogue en direct d'AOL, souvent surchargé.

Vous pouvez créer une aire de discussion privée afin d'entrer en contact avec votre famille ou vos amis sans que des personnes étrangères à la discussion ne puissent interférer. Pour établir un contact privé avec un interlocuteur potentiel, il suffit de double-cliquer sur son nom dans la boîte de dialogue **People Here**, puis d'appuyer sur le bouton **Message**. S'il veut bien répondre, une fenêtre non partageable avec les autres interlocuteurs est ouverte. Comme vous le voyez dans la Figure 17.2, cette boîte de message possède des boutons de commande qui permettent de modifier le format du texte.

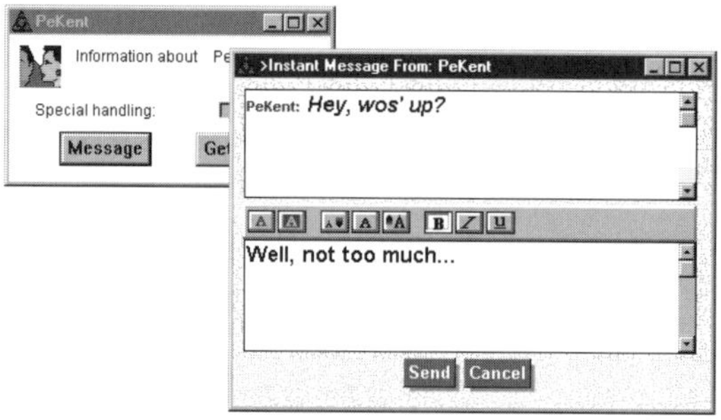

Figure 17.2 : AOL autorise les conversations privées.

Le système de dialogue en direct de Compuserve

Dans Compuserve, le dialogue en direct peut se faire à partir d'un des nombreux forums à caractère général ou du forum spécialisé dans le dialogue. La plupart des forums possèdent leur propre aire de discussion, mais vous risquez de n'y rencontrer aucun interlocuteur.

Pour être sûr de trouver à qui parler, connectez-vous au forum de discussion en tapant **GO chat** ou appuyez sur le bouton **Dialogue** dans le menu principal. Le système de dialogue en direct de Compuserve a récemment été refondu.

Pour démarrer un dialogue en direct, sélectionnez une catégorie (général, adulte, conférences et événements spéciaux, etc.). Appuyez alors sur le bouton **Dialogue** pour afficher une liste de thèmes de discussion, puis double-cliquez sur un thème pour ouvrir la fenêtre de dialogue correspondante. Vous pouvez aussi cliquer sur un thème et, selon que vous désirez participer aux discussions ou seulement observer ce qui se dit, appuyez sur le bouton **Participer** ou sur le bouton **Observer** (voir Figure 17.3).

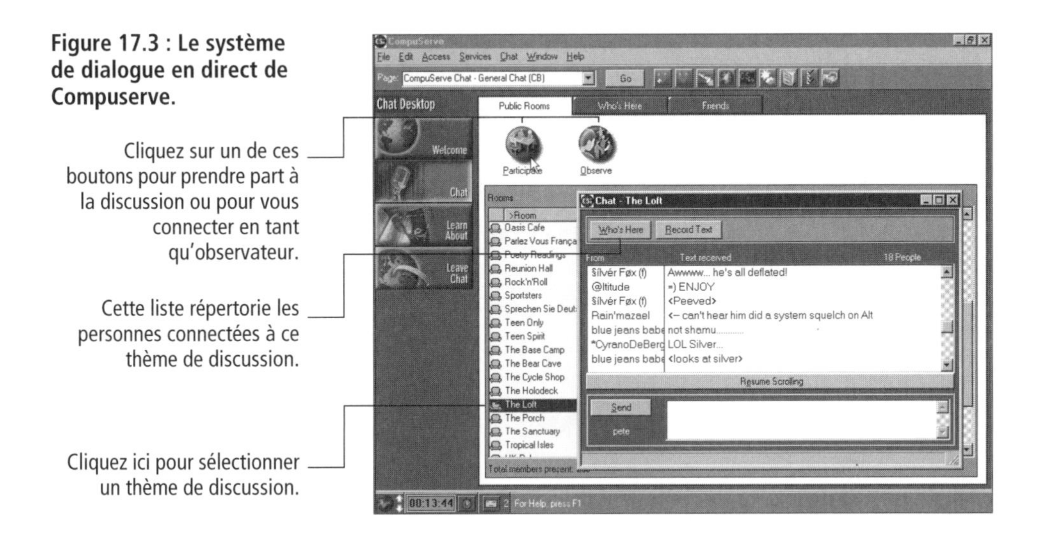

Figure 17.3 : Le système de dialogue en direct de Compuserve.

Une liste répertorie les personnes connectées à chaque zone de discussion. Vous saurez ainsi à quoi vous attendre avant d'en rejoindre une. Comme vous le voyez dans la Figure 17.3, il est possible de visualiser les messages (**Listen**) sans prendre part à la conversation. Pour envoyer vos propres informations, il suffit de les entrer dans la zone de texte inférieure.

Appuyez sur la touche **Entrée** pour envoyer le message ou cliquez sur le bouton **Envoyer**.

Vous pouvez aussi engager une conversation privée. Cliquez sur le bouton **Who's Here** pour afficher la liste des personnes joignables. Cliquez sur l'une de ces personnes puis sur le bouton **Private Chat**.

Le système de dialogue en direct de MSN

Le système de dialogue en direct de MSN convient aux discussions dans lesquelles un invité répond aux questions posées par son public. Par contre, il se prête moins à un dialogue plus conventionnel.

Les conversations privées semblent difficiles à mettre en œuvre dans MSN. Pour engager une discussion privée, vous devez créer un canal et définir le nombre de personnes maximal que vous désirez y inviter. Une fois la discussion engagée, vous pouvez (en tant que créateur du canal de discussion) déconnecter les éventuels importuns à l'aide de la commande **Kick**. La Figure 17.4 représente la fenêtre de dialogue de MSN.

Il est possible d'envoyer un courrier électronique ou un message aux participants et de les inviter directement dans une aire privée. Il est aussi envisageable d'envoyer un message qui indique la déconnexion temporaire du système, de visualiser les informations relatives aux autres participants, d'interdire l'affichage des messages en provenance des autres participants, etc. Si nécessaire, le navigateur Web peut être lancé depuis la fenêtre de dialogue afin de visualiser une page Web abordée dans la discussion. Ces possibilités ne semblent pas avoir été incluses dans le nouveau système de dialogue en direct, mais il est possible qu'elles apparaissent rapidement.

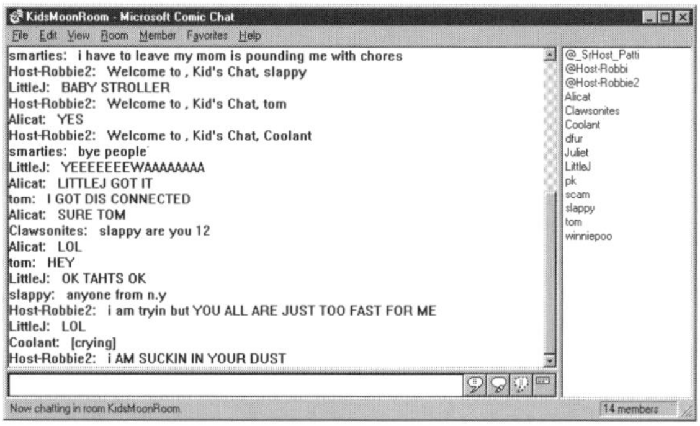

Figure 17.4 : Le système de dialogue en direct de MSN.

Les commandes à connaître

Dans la plupart des systèmes de dialogue en direct figurent les commandes suivantes :

Who ou **People Here**	Affiche la liste des personnes qui participent à la session de dialogue.
Invite	Invite une des personnes à engager une conversation privée avec vous.
Ignore ou **Squelch**	Demande au programme d'interdire l'affichage des messages en provenance d'un utilisateur particulier. Très utile pour éliminer les intervenants gênants !

Profile	Affiche les informations relatives à un participant, ou du moins, celles qu'il veut bien diffuser. Ces informations varient d'un système à l'autre, mais vous pourrez connaître en général son adresse électronique, ses centres d'intérêt, parfois son numéro de téléphone et son adresse personnelle (très souvent, ces deux dernières informations ne sont pas publiques). Certains systèmes permettent de modifier votre profil depuis la fenêtre de dialogue. Dans d'autres, vous devez lancer une commande de menu.
Change profile ou **Handle**	Permet de changer votre profil utilisateur, c'est-à-dire les informations publiques qui vous concernent. Selon le système de dialogue utilisé, la modification du profil peut se faire directement dans la fenêtre de dialogue ou nécessiter l'exécution d'une commande de menu.
Record, **Log** ou **Capture**	Enregistre la discussion.
Preferences	Définit le comportement du système de discussion. Un des réglages permet par exemple d'être tenu au courant lorsqu'une personne entre ou sort de la "pièce".
Kick ou **Ban**	Certains systèmes de dialogue donnent accès aux commandes **Kick** ou **Ban**.**Kick** qui permet de déconnecter une personne d'une discussion, alors que **Ban** interdit la connexion d'une certaine personne.

Pour tirer le maximum de votre système de dialogue en direct, lisez attentivement la documentation qui ne manquera pas de donner la liste de toutes les commandes.

Choisir un avatar

Sur les systèmes de dialogue graphiques, vous pouvez choisir un avatar, c'est-à-dire une image qui est censée vous représenter dans la session. La Figure 17.5 représente une aire de discussion en contenant plusieurs (chacun représente une des personnes qui participe à la discussion). Le choix d'un avatar est élémentaire. Il suffit d'appuyer sur un bouton de commande, puis de faire votre choix dans une liste déroulante. Vous pouvez maintenant taper un message dans la zone de texte inférieure et appuyer sur le bouton **Send**. Vous pouvez aussi choisir un son dans une liste prédéfinie.

Certains utilisateurs de systèmes de dialogue ne tiennent pas compte des avatars, tandis que d'autres en raffolent. A vous de vous faire une idée sur la question.

Il existe plusieurs programmes de discussion permettant de créer des avatars. Voici quelques sites où vous pourrez trouver de tels programmes :

Time Warner's Palace : **http://www.thepalace.com**

Club Chat : **http://www.clubchat.com**

WorldChat : **http://www.worlds.com**

Bien que ces sites soient accessibles via le Web, vous devrez télécharger un programme de discussion et vous reconnecter en utilisant ce programme.

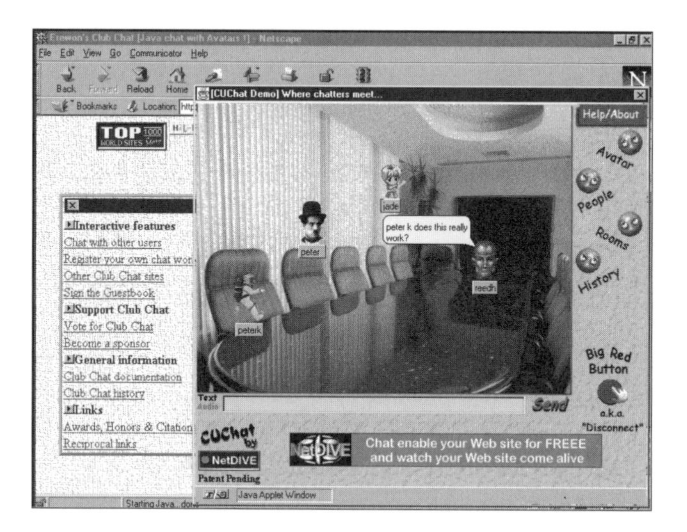

Figure 17.5 : Utilisation d'avatars dans le programme Club Chat.

Où trouver un système de dialogue qui autorise les avatars ?

*Les systèmes de dialogue autorisant les avatars sont très courants. Pour obtenir de plus amples informations, connectez-vous au site Time Warner's Palace (**http://www.thepalace.com**) ou interrogez Yahoo! (**http://www.yahoo.com/Recreation/Games/Internet_Games/Virtual_Worlds/3D_Worlds/**).*

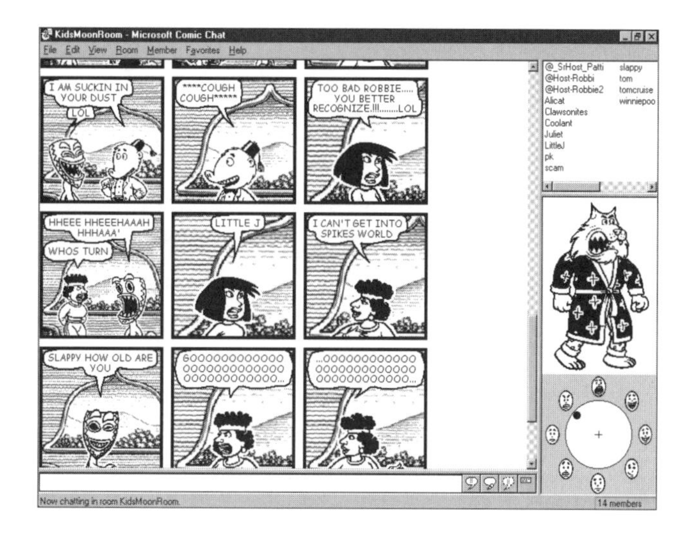

Figure 17.6 : Le système Comic Chat de MSN.

Le dialogue en direct sur le Web, c'est pour bientôt

Si la plupart des personnes qui dialoguent en direct sont connectées à des services en ligne et utilisent un système de dialogue dédié, cette situation ne va certainement pas durer éternellement. Plusieurs centaines, voire plusieurs milliers de sites Web thématiques dédiés au dialogue en direct sont apparus. Pour en savoir plus à ce sujet, consultez l'adresse :

http://www.yahoo.com/Computers_and_Internet/Internet/World_Wide_Web/Chat/.

La qualité des sites de dialogue en direct sur le Web est très variable. Les meilleurs sites (comme TalkCity par exemple) utilisent leur propre programme de dialogue qui doit être téléchargé avant de pouvoir engager une conversation. Ils offrent les mêmes possibilités que les meilleurs systèmes de dialogue des services en ligne. La Figure 17.7 représente le programme de dialogue TalkCity.

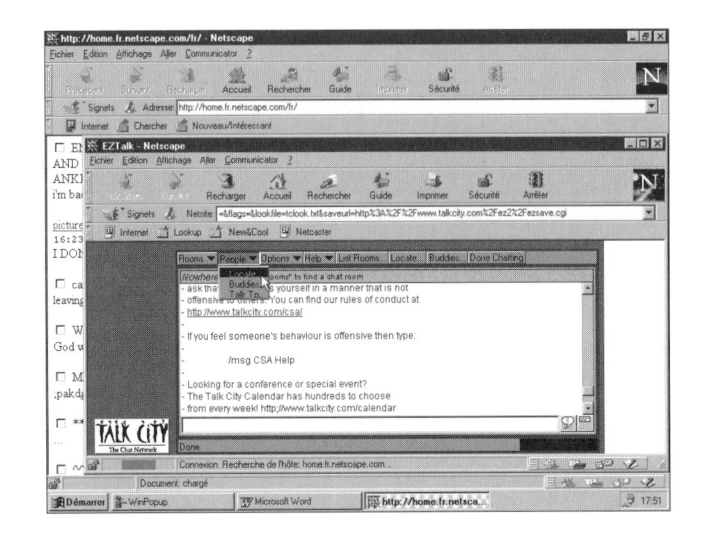

Figure 17.7 : TalkCity est un des meilleurs sites Web de dialogue en direct. En arrière-plan, vous pouvez voir une autre page Web de dialogue en direct bien moins sophistiquée.

Internet Relay Chat

Des centaines de milliers de personnes utilisant IRC, nous allons donner quelques indications sur ce système de dialogue en direct.

Avis aux personnes qui travaillent dans une interface texte

Si vous utilisez une interface texte pour accéder à l'Internet, vous ne pourrez pas vous servir des programmes graphiques dont nous allons parler. Pour vous aider dans vos démarches, vous pouvez envoyer un message à l'adresse ***ciginternet@mcp.com*** *en précisant* ***IRC*** *dans la ligne* ***Sujet*** *(le corps du message ne doit rien contenir). Vous recevrez en retour un document concernant l'accès IRC par ligne de commande. (Ce document est tiré d'une version précédente du livre que vous avez entre les mains.)*

Première étape : procurez-vous le logiciel

Avant de commencer, vous devez vous procurer un client IRC. Ce programme servira à envoyer et recevoir des messages IRC. Si vous travaillez sur un Macintosh, vous pourrez essayer Ircle. Sous Windows, vous pourrez essayer mIRC ou PIRCH.

Connectez-vous à l'un des sites de téléchargement désignés dans l'Annexe A et rapatriez un programme d'IRC. Plongez-vous dans la documentation pour bien paramétrer le programme et pour comprendre son fonctionnement.

Deuxième étape : connectez-vous à un serveur

Noms d'emprunt

*Le nom d'emprunt (Nick Name) est utilisé pour s'identifier dans la session de dialogue. Si vous le souhaitez, il est possible de rester totalement anonyme en entrant des informations farfelues dans les champs **e-mail** et **Real Name.***

Vous pouvez maintenant vous connecter à un serveur IRC, chargé d'acheminer les messages entre les divers participants. Il s'agit de la réplique Internet des forums de discussion des services en ligne. Une fois connecté à un serveur IRC, vous devrez choisir l'un des nombreux canaux de discussion proposés.

Trouvez la commande permettant de vous connecter à un serveur. Dans mIRC par exemple, la boîte de dialogue de la Figure 17.8 s'ouvre automatiquement au lancement du programme. Elle pourra être réaffichée par la suite (par exemple pour sélectionner un autre serveur) en lançant la commande **Setup** dans le menu **File**.

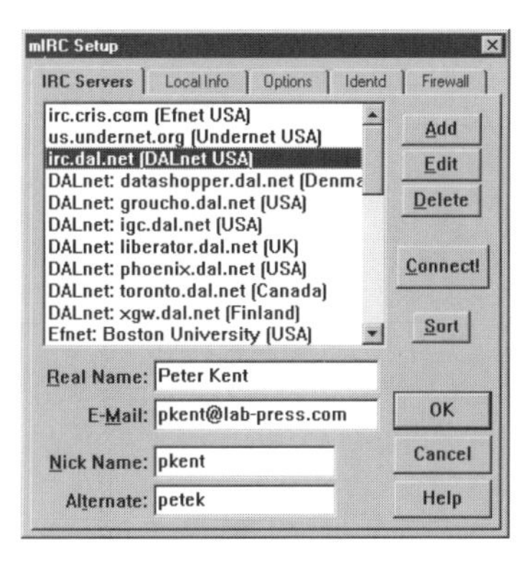

Figure 17.8 : Cette boîte de dialogue permet de choisir un serveur et d'entrer les informations vous concernant dans le programme mIRC.

Sélectionnez le serveur à utiliser, puis appuyez sur le bouton **Connect**. Votre connexion se fait dans les minutes qui suivent. Une boîte de dialogue montrant quelques-uns des canaux de discussion est affichée (voir Figure 17.9). Cette liste n'est pas exhaustive (certains serveurs donnent accès à plusieurs centaines de canaux). Elle contient une énumération de canaux choisis par défaut. Bien entendu, elle peut être complétée. Pour vous connecter à l'un des canaux de la liste, il suffit de double-cliquer dessus.

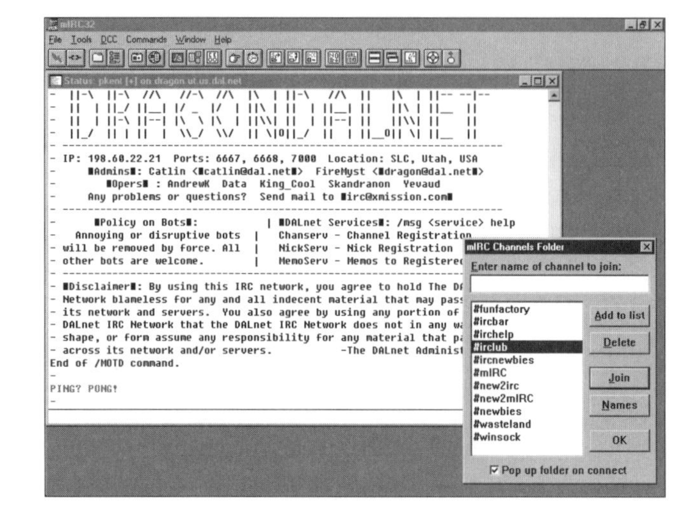

Figure 17.9 : Vous êtes connecté et prêt à rejoindre un canal de discussion.

Pour visualiser l'ensemble des canaux de discussion, fermez la boîte de dialogue, tapez **/list** dans la zone de texte située dans la partie inférieure de la fenêtre principale (cette zone sera utilisée pour taper vos messages et toutes les commandes IRC) et appuyez sur la touche **Entrée**.

A propos des commandes IRC

Les commandes IRC commencent toujours par un slash (/). Elles sont très nombreuses. La plupart des programmes IRC contiennent des commandes de menu qui facilitent la saisie des principales commandes. Comme vous le voyez dans la barre de titre de la figure suivante, ce serveur donne accès à 744 canaux de discussion ! Pour contacter un de ces canaux, il suffit de double-cliquer dessus.

Lorsque vous aurez rejoint un canal de discussion, vous pourrez commencer à entrer vos messages, comme vous le feriez dans un autre système de dialogue en direct. La Figure 17.11 représente une session de dialogue. Les messages sont entrés dans la zone de texte située dans la partie inférieure de la fenêtre. La partie centrale sert à visualiser les messages provenant des autres interlocuteurs.

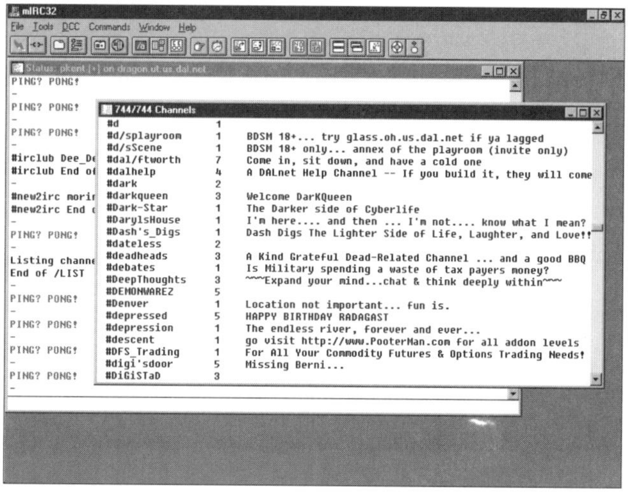

Figure 17.10 : Liste des canaux IRC. Ici, 744 canaux sont disponibles.

Les participants sont listés dans la partie droite de la fenêtre. Vous pouvez demander à l'un d'entre eux de parler avec vous en double-cliquant sur son nom. En cliquant à droite sur le nom d'un des participants, un menu de diverses commandes est affiché. Vous pourrez par exemple choisir la commande **whois** pour afficher des informations sur la personne pointée.

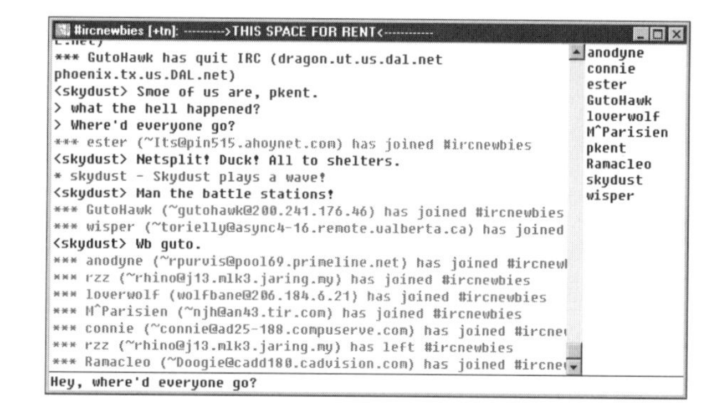

Figure 17.11 : Les dialogues mIRC s'effectuent dans cette fenêtre.

Les programmes IRC ne se limitent pas à l'émission et à la réception de messages. Vous pouvez aussi transmettre des fichiers aux autres utilisateurs. Vous pouvez aussi charger un programme annexe qui lit les messages en provenance d'autres utilisateurs, ou au contraire qui les chasse du canal de discussion, ou encore qui les ignore purement et simplement, etc.

Testez les possibilités de votre programme IRC, et surtout, ne négligez pas la documentation. C'est une étape peu attirante, mais nécessaire, car lorsque vous en maîtriserez un, vous pourrez aborder bien plus sereinement les autres.

Conversations simultanées

Il n'est pas rare qu'un utilisateur engage plusieurs conversations : une dans la fenêtre principale, et une ou plusieurs autres dans des fenêtres privées. Cela explique pourquoi les réponses sont parfois si longues à arriver.

Les diverses utilisations d'un système de dialogue en direct

Les systèmes de dialogue en direct permettent à plusieurs personnes de discuter en temps réel de sujets qui leur tiennent à cœur, sans tenir compte de la distance qui les sépare et à un coût minime.

- Le support technique d'un produit peut être assuré via un système de dialogue en direct. Ce type d'utilisation se développera à la faveur de l'expansion de la vente sur le Net. Une petite société assurant déjà un support technique dans son pays pourra alors couvrir le monde entier en recourant à un tel système.
- Une société internationale (ou, plus modestement, une famille dont les membres vivent dans plusieurs pays) peut se servir d'un système de dialogue en direct pour organiser des réunions.
- Les organisateurs de voyages internationaux peuvent échanger des informations de dernière minute par cet intermédiaire.
- Pour les professeurs, le dialogue en direct permet de communiquer avec leurs élèves sans tenir compte des barrières géographiques.

Le Chapitre 18 traite de la transmission d'informations parlées (Voice On the Net) sur l'Internet. Ce système pourrait devenir rapidement le successeur du dialogue en direct...

Le système de dialogue en direct Talk

Au début de ce chapitre, il a été question du système de dialogue en direct "talk" qui permet de contacter directement un internaute, sans passer par un site dédié au dialogue en direct. Ce système, souvent utilisé sur les plates-formes UNIX, tend aujourd'hui à disparaître. Notez cependant qu'America Online a récemment inclus le programme de talk **Instant Messenger** dans son kit de connexion. Si vous n'êtes pas membre d'AOL, vous pouvez cependant télécharger ce programme sur le site Web **http://www.aol.com/**.

Résumé

- Un système de dialogue en direct ("chat" en anglais) permet à ses participants de discuter en public ou en privé. Un autre système (appelé "talk") permet de contacter directement votre interlocuteur, sans passer par un forum de discussion.
- Les systèmes "chat" et "talk" n'autorisent pas la transmission d'informations parlées. Seuls des messages écrits peuvent être échangés.
- Les conversations en direct sont souvent orientées sur le sexe et les propos tenus peuvent être assez crus. Ames sensibles s'abstenir !
- Tous les services en ligne ont un système de dialogue en direct évolué.
- Pour utiliser Internet Relay Chat, vous devez télécharger un programme IRC sur un site shareware et vous connecter à un serveur IRC.
- Les systèmes de discussion en direct permettent aussi de garder le contact avec vos amis, votre famille ou vos collègues et favorisent les rencontres.

INTERNET

Chapitre 18

Voice On the Net : parlez dans le micro

Dans ce chapitre

- Des appels internationaux au prix des communications locales
- Appeler un numéro de téléphone classique via l'Internet
- Où trouver les logiciels de téléphonie ?
- Connexion sur un serveur pour faire vos premiers essais
- Transmission de textes et d'images, conférences
- Conférences vidéo et autres possibilités intéressantes

Ce chapitre met en avant une nouvelle technologie encore assez peu connue, mais dont vous entendrez certainement parler : la téléphonie via l'Internet.

Si vous avez parcouru le Chapitre 17, vous avez vu qu'un système appelé "talk" existait depuis plusieurs années sur le Net. Ce système aurait dû s'appeler "type" et non "talk" puisque les informations sont échangées par frappes clavier interposées. Aujourd'hui, la technologie est assez avancée pour permettre la transmission d'informations parlées sur le Net. Le programme dont nous allons parler ici s'appelle Voice On the Net (VON).

Les incroyables possibilités de Voice On the Net

Même si votre temps de connexion est facturé sur le service en ligne, la communication téléphonique via l'Internet est bien plus avantageuse. Le coût d'une heure de connexion supplémentaire sur la plupart des services en ligne revient à environ 20 francs. Ajoutez à cela le prix de la communication téléphonique (5 à 25 francs selon la plage horaire), et le prix est largement inférieur à ce que vous auriez payé en passant par une communication téléphonique classique. En recourant à un fournisseur d'accès (qui autorise souvent un temps de connexion illimité), une heure de communication vous reviendra entre 5 et 25 francs selon la plage horaire.

Contrairement aux communications téléphoniques classiques, les deux interlocuteurs sont facturés. En ajoutant le prix des deux communications locales, on obtient encore un montant largement inférieur à celui d'une communication internationale.

Si certains membres de votre famille se trouvent à l'étranger, votre porte-monnaie va apprécier Voice On the Net. Il en va de même en ce qui concerne les entreprises multinationales : après avoir équipé d'une carte son et d'un micro les ordinateurs des employés, Voice On the Net pourra servir à toutes les communications internationales, ce qui fera réaliser des économies substantielles à la société.

Connexion Internet-téléphone

Imaginons maintenant qu'il soit possible de contacter via l'Internet un combiné téléphonique classique. Bien que très peu répandu, ce système existe et est déjà opérationnel. Il devrait rapidement se développer. Imaginez son potentiel : les opérateurs de télécommunications seraient alors en mesure de proposer des appels internationaux à un tarif à peine supérieur à celui des communications locales. Des sociétés internationales pourraient aussi mettre en place des "serveurs" téléphoniques dans les pays souvent contactés, de façon à court-circuiter la compagnie du téléphone.

Les appels téléphoniques via l'Internet peuvent aussi transmettre autre chose que des informations parlées, comme des documents texte, des images ou d'autres fichiers informatiques. Tout en parlant avec votre interlocuteur, vous pouvez lui envoyer le texte d'un mémo ou un schéma explicatif...

Les compagnies téléphoniques ne sont pas encore menacées

Les opérateurs téléphoniques ne courent pas un véritable danger : les possesseurs d'ordinateurs représentent un pourcentage peu élevé de la population. Sur cette minorité, une faible proportion d'ordinateurs est équipée pour ce genre de transmission. Et encore faut-il que l'interlocuteur possède l'équipement nécessaire. Mais il y a d'autres problèmes :

- La qualité du son n'est pas ce qui se fait de mieux en la matière.
- Etant donné que peu de personnes restent connectées toute la journée à l'Internet, vous devrez dans la plupart des cas faire précéder votre "appel téléphonique Internet" d'un appel téléphonique classique.
- A l'heure actuelle, les deux interlocuteurs doivent utiliser des logiciels compatibles pour pouvoir entrer en contact.

Peut-on arrêter le progrès ?

Bien que les compagnies téléphoniques ne soient pas réellement menacées, certains opérateurs clament que la téléphonie Internet devrait être interdite. Quelques compagnies téléphoniques américaines tentent aujourd'hui de faire pression sur le gouvernement en ce sens. La mise en place de telles mesures semble assez difficile à appliquer, car il faudrait agir au niveau mondial : si une loi interdit le VON aux Etats-Unis, des opérateurs résidant dans d'autres pays peuvent proposer leurs services via le Net. Mais dans ce cas, pourquoi ne pas remettre en question les cartes de crédit internationales ? Si le sujet vous intéresse, consultez le Chapitre 25.

Le prix des communications téléphoniques longue distance a tendance à baisser continuellement, à tel point que les communications parlées via Internet risquent de ne pas convaincre un large public, à moins que la qualité des sons transmis ne s'améliore largement.

Possédez-vous le matériel nécessaire ?

Avant de vous enthousiasmer, il convient de déterminer si votre ordinateur est assez performant.

Il n'est pas nécessaire que votre machine soit du dernier cri, mais un minimum s'impose : un PC équipé d'un 486 SX ou DX devrait suffire. Un Macintosh Quadra, Performa ou Power Mac doit aussi faire l'affaire (quoique certains programmes de téléphonie ne fonctionnent que sous Power Mac). Quelle que soit la plate-forme, un minimum de 8 Mo de mémoire RAM s'impose.

Passée cette première étape, vous devez aussi disposer d'une connexion Internet. L'idéal est que vous utilisiez une connexion directe (SLIP ou PPP) à 28 800 bps, 33 600 bps ou plus. Il faut bien entendu une carte son. Assurez-vous qu'il s'agit d'un modèle 16 bits ou supérieur capable d'enregistrer (certaines cartes ne sont utilisables qu'en lecture). Si possible, optez pour une carte full duplex (cette information est inscrite sur l'emballage de la carte).

Full duplex ou half duplex ?

Si votre carte son est de type full duplex, votre correspondant et vous-même pourrez parler simultanément : la carte est capable d'enregistrer votre voix pendant qu'elle transmet celle de votre interlocuteur. Si par contre vous possédez une carte half duplex, chaque interlocuteur devra parler à tour de rôle.

Pour terminer, il faut un micro et des haut-parleurs (ou un casque) et, bien entendu, le programme de téléphonie. Dans l'état actuel de la technologie, les deux interlocuteurs doivent utiliser un système qui transmet les éléments parlés en utilisant les mêmes conventions. Il est possible qu'un standard soit créé, de telle sorte que les différents programmes de téléphonie se comprennent entre eux.

En 1996, l'utilisation du VON a connu une croissance exponentielle, car la plupart des services en ligne ont soutenu ce système. Un peu trop vite peut-être ! En effet, la transmission de voix sur le Net est un processus gourmand en bande passante. Les lignes sont déjà très encombrées par la seule transmission de pages Web, de fichiers et de dialogues en direct. Que se passerait-il alors si tous les internautes décidaient d'utiliser le VON pour entrer en communication ? Actuellement, même si plusieurs milliers de personnes l'utilisent couramment, le VON semble marquer une pause.

Quel programme utiliser ?

Les programmes les plus utilisés sont Internet Phone (Vocaltec), TeleVox (Voxware), Netscape Communicator Conference (précédemment connu sous le nom de Netscape CoolTalk), et NetMeeting (Microsoft). Internet Phone, TeleVox, NetMeeting ont une très bonne réputation. Conference est assez connu, car il est livré avec Netscape Communicator. Des millions de personnes peuvent donc l'utiliser. Vous obtiendrez des informations et pourrez télécharger ces produits aux URL suivants :

Netscape Conference : **http://www.netscape.com/** (Netscape Conference fait partie intégrante de Netscape Communicator).

TeleVox : **http//www.voxware.com/**.

NetMeeting : **http://www.microsoft.com/ie/conf/** (c'est le système VON de Microsoft).

Vous pouvez trouver d'autres programmes de téléphonie Internet en effectuant une recherche sur le terme **Internet Voice** dans Yahoo!. Vous pouvez aussi vous rendre sur la page Web de Voice On the Net à l'adresse **http://www.von.com/**. Les logiciels de téléphonie peuvent être téléchargés gratuitement (give-it-away-Ware), distribués sous forme de shareware ou commercialisés. Citons WebPhone (NetSpeak), FreeTel, DigiPhone (Third Planet Publishing), PowWow (Tribal Voice).

Téléchargement gratuit ?

L'Internet regorge de logiciels qui peuvent être téléchargés gratuitement. Conference en fait partie. Il est fourni avec Netscape Communicator, qui est lui-même librement téléchargeable. Il est vrai que les utilisateurs sont censés s'enregistrer auprès de Netscape Communications, mais tout le monde ne le fait pas. De même, NetMeeting, Internet Phone et TeleVox ne sont pas libres de droits, mais leur version d'évaluation est librement téléchargeable.

Utiliser le programme de téléphonie

Etudions maintenant comment travailler avec l'un de ces systèmes. Nous supposerons votre ordinateur muni d'une carte son, d'un microphone et de haut-parleurs.

Un logiciel de téléphonie a été installé et correctement configuré sur votre ordinateur.

La question qui se pose maintenant est la suivante : qui appeler ? Toutes les sociétés à l'origine de logiciels de téléphonie Internet ont défini des sites sur lesquels vous pouvez vous connecter pour trouver quelqu'un dans le même cas que vous. Si, par exemple, vous utilisez Internet Phone (Vocal Tech), vous vous connectez automatiquement à un serveur au lancement du programme. Ce système est basé sur des "espaces de discussion" privés qui peuvent être rejoints par plusieurs personnes afin d'échanger des propos.

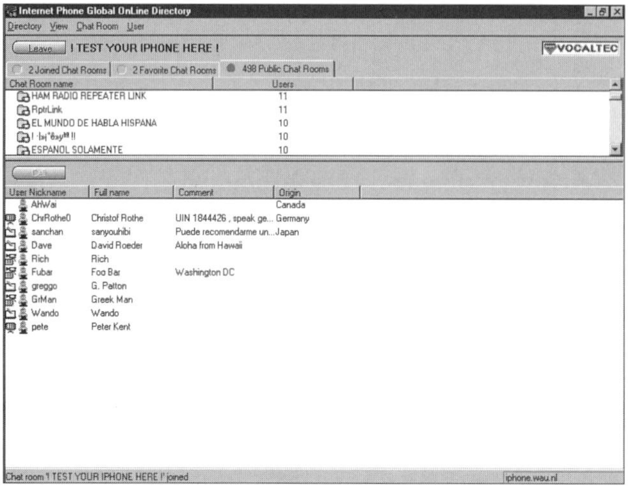

Figure 18.1 : Le répertoire de VocalTec permet de trouver facilement vos interlocuteurs.

Pour contacter un interlocuteur, cliquez sur son nom et appuyez sur le bouton Call. Bien entendu, une autre personne peut vous prendre de vitesse. Si vous entendez un bip, cela signifie que quelqu'un essaye de vous contacter. Votre programme peut être configuré pour décrocher automatiquement tous les appels (dans Internet Phone, il suffit de lancer la commande **AutoAnswer** dans le menu **Phone**). Mais si vous le souhaitez, il peut être nécessaire d'appuyer sur un bouton pour décrocher.

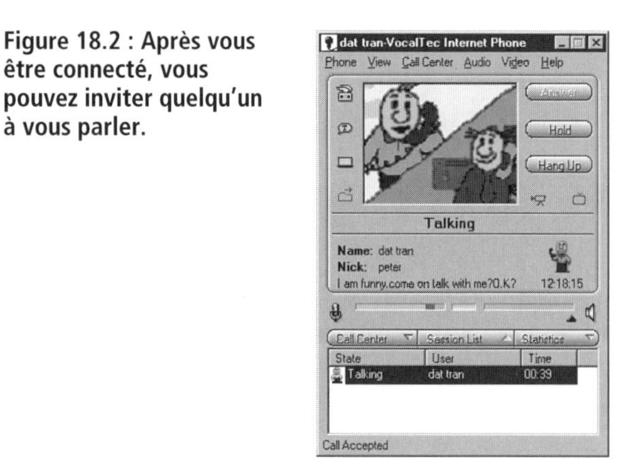

Figure 18.2 : Après vous être connecté, vous pouvez inviter quelqu'un à vous parler.

Les serveurs CoolTalk et WebTalk

Ces serveurs fonctionnent différemment.

Conference est associé à un répertoire téléphonique sur un site Web. Cliquez sur le bouton **Web Phonebook** dans la fenêtre Netscape Conference ou lancez la commande **Web Phonebook** dans le menu **Communicator** (voir Figure 18.3).

Cliquez sur le nom de la personne à contacter. Le programme d'installation de Conference le configure automatiquement comme un afficheur Netscape (voir Chapitre 8). Lorsque vous cliquez sur le nom d'un interlocuteur, Conference s'ouvre et tente de contacter la personne choisie.

Figure 18.3 : Le répertoire de Netscape Conference.

Maintenant, c'est à vous

Rien de mieux à faire

Connectez-vous à un serveur (pas un serveur Conference, mais un serveur qui référence les personnes en ligne) et patientez. Vous ne tarderez pas à recevoir un appel. Impossible de savoir qui va vous appeler, d'où cet interlocuteur appelle ni si son logiciel est bien configuré.

Certains serveurs permettent de créer de nouveaux espaces de discussion, de manière à converser avec vos amis et collègues. Vous pouvez aussi sélectionner une personne et appuyer sur le bouton **Call** (ou équivalent) pour tenter une connexion. Dans tous les cas, reportez-vous à la documentation de votre programme. Il existe autant de façons de procéder que de programmes de téléphonie.

La qualité du son laisse-t-elle à désirer ? N'oubliez pas que vous avez la chance de parler à une personne située de l'autre côté de la planète au prix d'une communication locale !

Si, comme vous, votre interlocuteur possède une carte son full duplex, vous pourrez parler comme si vous étiez au téléphone. Si votre carte son est de type half duplex, vous devrez peut-être appuyer sur un bouton pour basculer entre l'enregistrement et l'écoute.

Les adresses changent

La plupart des internautes passent par une liaison téléphonique. Ils n'ont donc pas une adresse TCP/IP fixe. A chaque connexion, une adresse temporaire est attribuée par le fournisseur d'accès. Il est donc difficile de configurer un programme de téléphonie permettant de contacter directement un utilisateur.

Lorsqu'un ordinateur utilise une liaison permanente au réseau, son adresse TCP/IP est fixe. Il en est de même pour son "adresse téléphonique". Dans le cas contraire, vous pouvez donner rendez-vous à votre interlocuteur sur un espace de discussion privé à une heure précise.

Certains systèmes de VON sont capables d'utiliser l'adresse e-mail du correspondant pour établir une connexion. Il suffit alors de rechercher cette adresse dans un répertoire stocké sur le réseau pour connaître l'adresse TCP/IP correspondante. A titre d'exemple, Netscape Conference peut utiliser ce mode de fonctionnement. Chaque fois que vous lancez Conference, il se connecte à un répertoire où il inscrit votre adresse électronique et l'adresse TCP/IP qui vous a été allouée. Ces informations sont accessibles aux autres personnes qui utilisent le même logiciel.

Fonctionnalités supplémentaires

Les programmes de téléphonie Internet offrent bien plus de possibilités qu'une simple connexion téléphonique :

- **Répondeur automatique.** Certains produits (comme Conference) sont dotés d'un système répondeur-enregistreur de messages. Si quelqu'un tente de vous contacter en votre absence, il lui est possible de vous laisser un message parlé. Bien entendu, cela n'est possible que si vous êtes connecté en permanence au Net.
- **Messages texte.** Cette possibilité peut être très utile : vous pouvez envoyer des messages texte pendant que vous parlez. Il peut s'agir d'un mémo, d'un courrier électronique, d'une portion de code ou de tout autre texte. La Figure 18.4 illustre cette possibilité.
- **Transmission d'une image.** Une image peut être transmise à votre correspondant pendant que vous parlez. S'il y a longtemps que vous n'avez pas rendu visite à votre tante Natacha qui vit à Moscou, elle peut ainsi vous envoyer la photo de ses enfants.
- **Conférence.** Certains programmes de téléphonie permettent d'engager des conversations avec plusieurs interlocuteurs.

Figure 18.4 : La fenêtre de dialogue de Conference permet d'envoyer un message texte pendant que vous parlez.

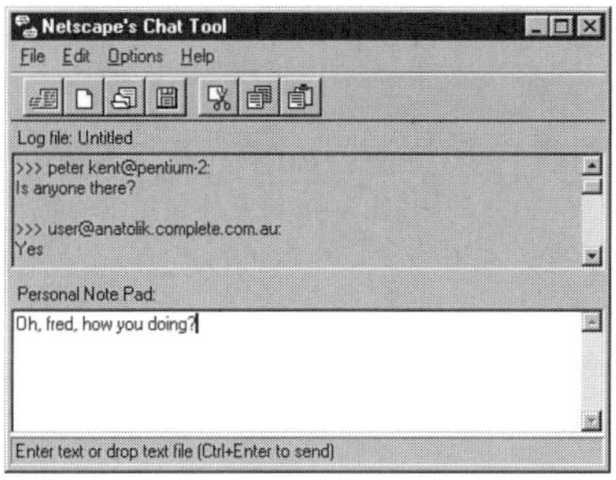

- **Visite multiutilisateur du Web.** Ce type de traitement est très peu utilisé. Plusieurs personnes se connectent à un même site Web. Lorsqu'une d'entre elles clique sur un lien, toutes les autres se rendent aussi sur la nouvelle page. Cette technique est utilisable dans Netscape Conference et dans PowWow (**http://www.tribal.com**).
- **Indicateur on-line/off-line.** PowWow ajoute une icône dans votre page Web pour indiquer que vous êtes en ligne et joignable.
- **Planche à dessin.** La planche à dessin est une sorte d'ardoise sur laquelle vous pouvez dessiner ou afficher des images. Toutes vos actions sont répercutées chez votre interlocuteur. La Figure 18.5 présente un exemple de cette utilisation.
- **Changer la sonorité de votre voix.** TeleVox donne accès à un outil qui modifie la sonorité de votre voix.
- **Liens VON.** Vous pouvez placer un lien dans une de vos pages Web, pour que les personnes qui les visualiseront puissent entrer en contact téléphonique avec vous. Si

nécessaire, reportez-vous au Chapitre 9 pour savoir comment réaliser vos propres pages Web.

Malheureusement, tous les programmes de téléphonie ne sont pas capables d'effectuer ces traitements. A vous de choisir les caractéristiques qui vous semblent les plus importantes et d'adopter le programme approprié.

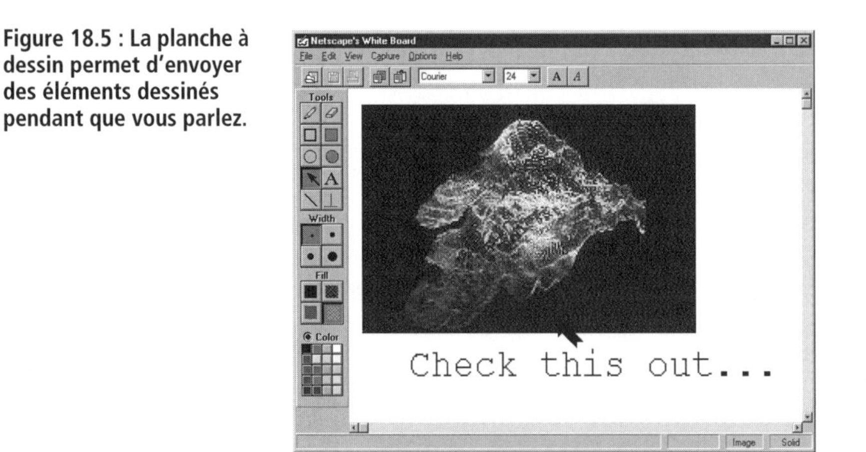

Figure 18.5 : La planche à dessin permet d'envoyer des éléments dessinés pendant que vous parlez.

Connexions Internet vers téléphone

Grâce à un service adéquat, il est possible de joindre un téléphone classique à partir d'un ordinateur relié au Net. L'appel peut être lancé depuis New York et aboutir à Sydney en passant par un système téléphonique australien !

Quelques sociétés basées à Guam, Jakarta (Indonésie), Melbourne (Australie), Moscou (Russie), Vancouver et Toronto (Canada), NorWalk (CT, USA), Phœnix (AZ, USA) et Los Angeles (CA, USA) proposent ce type de service. Leur nombre sera peut-être bien plus important lorsque vous lirez ces lignes. Pour en savoir plus, consultez le site Web **http://www.gxc.com**.

Pour obtenir les informations les plus récentes, consultez la page de Voice On the Net (**http://www.von.com/**). Vous pouvez aussi vous rendre sur le site Free World Dialup (**http://www.pulver.com/fwd/**) spécialisé dans les appels non commerciaux gratuits.

Il est aussi prévu que les usagers du téléphone puissent appeler un ordinateur connecté à Internet afin de router l'appel vers un autre ordinateur qui accède lui-même au réseau téléphonique. Grâce à ce procédé, il sera alors possible d'établir une connexion téléphone/téléphone via Internet.

L'avenir est dans la vidéo

Bien entendu, les choses ne vont pas en rester là. La prochaine étape va consister à intégrer de la vidéo dans les conversations parlées. Les opérateurs téléphoniques annoncent le visiophone depuis 40 ans, mais il se pourrait bien que cette technique devienne une réalité avec l'Internet. Aujourd'hui, la vidéo est déjà présente dans certains produits Internet. C'est, par exemple, le cas du produit Internet Phone (Vocaltec) qui possède une fenêtre vidéo.

Malheureusement, il est plus simple de transmettre du son que de la vidéo, essentiellement pour un problème de bande passante, la quantité d'informations nécessaire étant bien plus importante pour une vidéo que pour un son. Il est donc nécessaire de diminuer la taille et la résolution de la vidéo et de réduire le nombre d'images affichées par seconde, de façon que les vidéos transmises par le Net soient moins floues et tremblantes.

Il semble que la vidéo sur le Net ne connaîtra pas un réel succès avant que les connexions rapides soient accessibles au grand public. Aujourd'hui, seules les sociétés reliées directement sur le Net peuvent en profiter.

Ce n'est pas ce détail qui a empêché la commercialisation de logiciels destinés à la visualisation de vidéos sur l'Internet. Ces produits sont généralement connus sous le nom de vidéoconférence. Comme pour la téléphonie Internet, ils consistent à mettre en relation plusieurs interlocuteurs qui s'échangent des informations en temps réel. Connectez-vous au site Voice On the Net (**http://www.von.com**) pour en savoir plus.

Le produit le plus connu est Cu-SeeMe. Sa réputation est telle que son nom fait référence à tous les produits de visiophonie sur le Net. Si vous souhaitez avoir une démonstration de ce produit, rendez-vous sur le site **http://www.wpine.com/**.

D'autres systèmes de télécommunications viendront se greffer prochainement sur le Net. Que diriez-vous de la possibilité de recevoir des messages parlés et des fax dans votre boîte à lettres ? Supposons que vous résidiez en France et que vous travailliez avec une société anglaise. Vous pourriez alors avoir un numéro de téléphone à Londres. Vos correspondants anglais pourraient y laisser des messages vocaux ou envoyer des fax à ce numéro. Les données reçues seraient alors transmises après compression dans votre boîte à lettres électronique. Si nécessaire, vous pourriez avoir un ce numéro dans plusieurs villes du monde : à New York, Londres, Atlanta, etc. ou opter pour un numéro vert en France. Les données graphiques incluses dans les fax seraient bien évidemment transmises. Connectez-vous au site Web **http://www.jfax.net/** pour en savoir plus sur le sujet. Et gardez les yeux grands ouverts pour vous tenir au courant des nouveautés concernant les télécommunications sur l'Internet.

Résumé

- Il est possible d'effectuer des appels longue distance ou internationaux à un faible prix en ayant recours à l'Internet.
- Dans un futur proche, il sera possible d'effectuer un appel téléphonique à destination d'un numéro de téléphone classique via l'Internet.
- Les logiciels de télécommunications sont nombreux et bon marché. Contactez le site **http://www.von.com** pour en savoir plus.
- Plusieurs sites sont mis à votre disposition pour effectuer des essais de communication vocale sur le Net.
- Grâce à un logiciel de téléphonie Internet, vous pourrez envoyer du texte ou des images pendant que vous parlez, ou entrer en communication avec plusieurs interlocuteurs.
- La visiophonie par Internet est possible, mais elle demande une connexion rapide.

INTERNET

Chapitre 19

Organisation des données

Dans ce chapitre

Certaines personnes travaillent depuis des années sur un ordinateur sans vraiment comprendre comment y sont stockés les fichiers. Il s'agit surtout d'utilisateurs pratiquant occasionnellement une seule application (souvent un traitement de texte). Pour passer du temps sur l'Internet, vous devez en savoir un peu plus sur les fichiers et les répertoires. Vous aurez en effet affaire à de nombreux types de fichiers. Une bonne connaissance de la signification de chacun de ces types pourra vous être d'une grande aide.

A propos des répertoires

On pourrait comparer un disque dur à un meuble de bricolage contenant de multiples tiroirs, auxquels les répertoires seraient alors comparables. Sur certains systèmes d'exploitation graphique (comme Windows 95 ou Macintosh), les répertoires sont appelés dossiers. Nous utiliserons cependant ce même terme pour y faire référence.

Un répertoire peut contenir un ou plusieurs fichiers et un ou plusieurs répertoires. Ces sous-répertoires contiendront un ou plusieurs fichiers et un ou plusieurs répertoires, ainsi de suite. Cet agencement est connu sous le nom d'arborescence (voir Figure 19.1). Grâce à cette représentation imagée des répertoires, sous-répertoires et fichiers, vous allez pouvoir vous y retrouver dans les quelques milliers (voire dizaines de milliers) de fichiers que contient votre disque dur. C'est pourquoi l'organisation de ces derniers est primordiale.

Les répertoires ne sont pas des zones du disque dur

L'arborescence du disque dur est une représentation imagée de son contenu. En réalité, les fichiers ne sont pas disposés dans l'ordre logique de l'arborescence. Ils sont répartis sur l'ensemble du disque dur selon une disposition apparemment anarchique. En ce qui concerne l'utilisateur final, il n'est nullement nécessaire de connaître leur localisation réelle : leur organisation hiérarchique dans l'arborescence est bien suffisante.

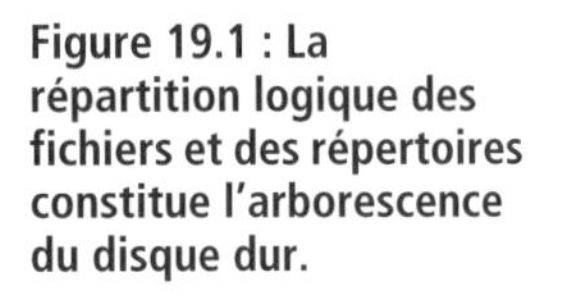

Figure 19.1 : La répartition logique des fichiers et des répertoires constitue l'arborescence du disque dur.

Un répertoire de téléchargement accueille les fichiers téléchargés. Supposons que vous utilisiez votre navigateur pour rapatrier un shareware depuis une des bibliothèques de fichiers citées dans l'Annexe A. Ce fichier sera sauvegardé dans le répertoire de téléchargement désigné à cet effet.

Dans certains cas, il peut être intéressant de modifier le répertoire de téléchargement choisi par défaut par le navigateur. Internet Explorer, par exemple, place par défaut les fichiers téléchargés sur le bureau (dans Windows 95, le bureau est un sous-répertoire du répertoire Windows. Tout fichier placé dans ce répertoire est affiché sur le bureau de Windows). Si vous téléchargez un grand nombre de fichiers, le bureau deviendra vite inexploitable. Bien sûr, vous pourrez déplacer le fichier par la suite, mais pourquoi ne pas indiquer le répertoire de destination dès le téléchargement ?

La plupart des fichiers téléchargés sont des archives. Ils contiennent en général plusieurs fichiers (peut-être une centaine !). Lors de leur décompression, les fichiers qu'ils contiennent sont généralement placés dans le même répertoire. Si ce dernier est celui du bureau (ou un répertoire général de téléchargement), vous aurez certainement beaucoup de mal à vous y reconnaître.

Choisir un répertoire de téléchargement

Lorsque vous rapatriez des fichiers sur votre ordinateur en utilisant le Web, FTP, Gopher ou un autre système, vous devez vous interroger sur le répertoire de destination. De nombreux utilisateurs placent les fichiers téléchargés dans le répertoire DOWNLOAD. Certains programmes (comme WS_FTP par exemple) créent ce répertoire automatiquement et l'utilisent par défaut. Par la suite, les fichiers téléchargés pourront être déplacés dans d'autres répertoires.

Il peut être souhaitable de choisir le répertoire de destination d'un fichier dès son téléchargement. Ainsi, s'il s'agit d'un document en relation avec un livre que vous êtes en train d'écrire, placez-le dans le répertoire relatif au livre. S'il s'agit d'un programme, ouvrez un nouveau répertoire. Si le système d'exploitation utilisé le permet, la création du nouveau répertoire pourra s'effectuer dans le programme de téléchargement. Dans le cas contraire, il faudra faire appel à un gestionnaire de fichiers externe.

Consacrez quelque temps à l'apprentissage du système de fichiers de votre ordinateur. Vous pourrez ainsi vous assurer de stocker les fichiers au bon endroit et les retrouver en un instant.

Une pléiade de formats de fichiers

De nombreux utilisateurs n'ont jamais attaché une réelle importance aux suffixes des noms de fichiers. Ces derniers sont souvent ajoutés automatiquement par chaque application. Pour rapatrier des fichiers depuis le Net, vous devez en savoir un peu plus pour effectuer votre choix en toute connaissance de cause.

Tous les fichiers présentent un point commun : ils contiennent des informations binaires (0 et 1). La différence entre un fichier créé dans un traitement de texte et un fichier graphique (par exemple) réside dans la signification de ces codes. Dans un traitement de texte, ils servent à manipuler des mots, alors qu'un programme graphique utilise ces mêmes informations pour manipuler des images.

L'extension des fichiers

Il est souvent possible de connaître le type d'un fichier en examinant ses premiers octets. Mais il existe aussi un moyen bien plus parlant : les noms des fichiers sont suivis d'une extension qui précise leur contenu. Par exemple, l'extension du fichier suivant est ".TXT" : MADOC.TXT

Cette extension signifie que le fichier contient du texte pur. Les extensions sont généralement constituées de trois caractères (quatre parfois). En principe, chaque fichier possède une seule extension. Cependant, certains systèmes d'exploitation (comme UNIX ou Windows 95 par exemple) permettent de définir plusieurs extensions, chacune d'entre elles comportant si nécessaire plus de trois caractères, comme MADOC.VERSION1.TXT. Les fichiers de ce type deviennent de plus en plus rares de nos jours sur l'Internet : les extensions comportant trois ou quatre caractères sont les plus courantes.

Si vous pensez que vous pourrez vous contenter de trois ou quatre formats de fichiers sur le Net, vous faites fausse route : vous aurez affaire à 30, 40 voire 50 formats de fichiers différents.

Plusieurs extensions pour le même format

Certains fichiers sont identifiés par plusieurs extensions. Par exemple, l'extension .JPEG est utilisée sur les ordinateurs UNIX pour identifier un format de fichiers graphiques très courant sur le Web. Etant donné que Windows 3.1 et DOS ne sont pas en mesure de manipuler des extensions comportant quatre caractères, .JPEG s'est transformé en .JPG. Même si les deux extensions sont différentes, elles se réfèrent au même type de fichier. Il en est de même en ce qui concerne les fichiers HTML (.HTM et .HTML), les fichiers texte (.TXT et .TEXT) et les fichiers son AIFF (.AIF et .AIFF).

Les formats de fichiers que vous devez connaître :

Format	Type de fichier correspondant
.ARC	Fichiers MS-DOS compressés avec PKARC
.AU, .AIF, .AIFF, .AIFC, .SND	Fichiers son souvent utilisés sur Macintosh. Netscape et Internet Explorer sont en mesure de les jouer.
.AVI	Video For Windows
.BMP, .PCX	Fichiers graphiques bitmap
.DOC	Documents Microsoft Word (Word pour Macintosh, Word pour Windows et Windows 95 et WordPad)
.EPS	Images PostScript
.EXE	Programmes ou archives auto-extractibles
.FLC, .FLI, .AAS	Fichiers Autodesk Animator
.GIF	Fichiers graphiques couramment utilisés sur le Web
.gzip et .gz	Fichiers compressés UNIX
.HLP	Fichiers d'aide Windows
.HTM, .HTML	Documents Web
.hqx	Fichiers BinHex, couramment utilisés pour les archives Macintosh. Ces fichiers peuvent être décompressés en utilisant un outil tel que Stuffit Expander.
.JPG, .JPEG, .JPE	Fichiers graphiques JPEG souvent utilisés dans les pages Web
.JFIF, .PJPEG, .PJP	Quelques variantes du format JPEG affichables dans Netscape
.MID, .RMI	Fichiers MIDI (Musical Interface Digital Interface)
.MMM	Fichiers Microsoft Multimedia Movie Player

Format	Type de fichier correspondant
.MOV, .QT	Fichiers vidéo QuickTime
.MP2	Fichiers audio MPEG
.MPEG, .MPG, .MPE, .M1V	Fichiers vidéo MPEG (Motion Picture Expert Group)
.PDF	Fichiers hypertexte Adobe Acrobat. Ce type de fichier est couramment utilisé pour distribuer des documents par voie électronique.
.pit	Archives Macintosh Packit
.PS	Documents PostScript
.RAM, .RA	Fichiers son RealAudio. Ces fichiers sont joués pendant leur téléchargement (il n'est pas utile d'attendre leur complet téléchargement pour pouvoir les jouer).
.RTF	Fichiers texte mis en forme. Ce format est couramment utilisé dans les traitements de texte Windows.
.sea	Archives Macintosh auto-extractibles
.SGML	Documents
.shar	Archives UNIX
.sit	Archives Macintosh stuffit
.tar	Archives UNIX tar
.TIF	Fichiers graphiques
.TSP	Les fichiers TrueSpeech sont comparables aux fichiers RealAudio, mais de meilleure qualité.
.TXT, .TEXT	Fichiers texte directement affichables dans la fenêtre du navigateur
.WAV	Fichiers son couramment exploités sous Windows

Format	Type de fichier correspondant
.WRI	Documents texte Write
.WRL	Objets VRML (*Virtual Reality Modeling Language*)
.XBM	Graphiques affichables dans un navigateur. Ce format est assez peu utilisé aujourd'hui.
.XDM	Les fichiers Streamworks webTV et webRadio sont comparables aux fichiers RealAudio, mais ils contiennent aussi de la vidéo.
.Z	Fichiers compressés UNIX
.z	Fichiers compactés UNIX
.ZIP	Fichiers compressés par l'utilitaire DOS ou Windows PKZIP
.zoo	Archive au format zoo210, disponible sur de nombreux systèmes

Ces formats de fichiers ne sont pas les seuls existants. Il s'agit seulement des plus connus. Certains sont peu fréquents, comme les fichiers .ARC, généralement remplacés par des fichiers .ZIP.

Les bases de la compression

Comme vous avez pu le constater, un certain nombre de formats correspondent à des archives ou à des fichiers compressés. Ces fichiers contiennent d'autres fichiers. A l'exception des fichiers auto-extractibles, vous devrez faire appel à un utilitaire pour extraire leur contenu.

Les fichiers sont placés dans des archives pour deux raisons essentielles.

1. L'archive a un poids (en octets) inférieur au total cumulé des fichiers qu'elle renferme. La réduction de poids dépend des fichiers compressés. En général, le gain se situe entre 40 % et 75 %, mais il atteint parfois des proportions bien plus grandes. Les images bitmap par exemple peuvent être compressées dans de larges proportions, alors que les fichiers exécutables et les fichiers d'aide Windows ne gagnent

guère à être compressés. Plus le fichier à télécharger sera de petite taille, plus le temps de téléchargement sera écourté.

2. Il est pratique de rassembler plusieurs fichiers dans un seul : imaginez que vous deviez télécharger les 20 fichiers qui composent une archive...

Archive ou fichier compressé ?

La plupart des utilisateurs emploient indifféremment les termes archive et fichier compressé. A l'origine cependant, le terme ***archive*** *désignait un fichier qui regroupait un ensemble de fichiers, sans nécessairement les compresser. Aujourd'hui, les archives sont systématiquement compressées, et on utilise presque toujours un fichier compressé pour sauvegarder une archive. Les deux termes peuvent donc être utilisés sans distinction.*

Une exception vient confirmer la règle. Les archives UNIX d'extension .tar ne sont pas compressées. Pourant, elles sont souvent stockées dans des fichiers gzip (leur extension est alors .tar.gz) qui sont des fichiers compressés.

La plupart des fichiers compressés DOS et Windows sont au format .ZIP. Ces fichiers ont la plupart du temps été compressés avec l'utilitaire PKZIP (le format .ZIP n'étant pas déposé, d'autres programmes sont en mesure de créer des archives au format .ZIP).Vous trouverez aussi des fichiers compressés au format .ARJ et au format .LZH. Ces fichiers sont issus des programmes ARJ et LHARC.

Dans le monde UNIX, les formats des archives les plus fréquents sont .Z, .gz et .tar. Sur Macintosh, les trois formats d'archives les plus utilisés sont .sit (Stuffit), .pit(Packit) et .hqx (BinHex). Le tableau ci-après récapitule les divers formats d'archives que vous pourrez rencontrer sur l'Internet.

Extension	Programme à l'origine de la compression
.arc	PKARC (MS-DOS, avant l'apparition de PKZIP)
.exe	Archive auto-extractible (DOS ou Windows)
.gz	Fichier UNIX compressé au format gzip (le format gzip est assez peu utilisé sur d'autres plates-formes)
.hqx	BinHex (Macintosh)
.pit	Packit (Macintosh)

Extension	Programme à l'origine de la compression
.sea	Archive auto-extractible (Macintosh)
.shar	UNIX
.sit	Stuffit (Macintosh)
.tar	tar (UNIX)
.Z	compress (UNIX)
.z	pack (UNIX)
.ZIP	PKZIP et d'autres programmes de compression (DOS, Windows et Macintosh)
.zoo	zoo210 (nombreux systèmes)

Bien entendu, si vous téléchargez une archive destinée à une autre plate-forme que la vôtre, elle risque de contenir des fichiers inexploitables. Ce n'est pas toujours le cas (par exemple si l'archive contient des fichiers texte). Vous devrez alors utiliser un utilitaire capable de lire des fichiers conçus sur une autre plate-forme. Il existe par exemple des programmes Macintosh (comme Stuffit Expander) capables de décompresser des archives .zip qui ne sont pas monnaie courante sous ce système. De même, certains outils de compression zip fonctionnant sous Windows (comme WinZip par exemple) sont capables d'extraire des fichiers compressés au format .gz et .tar.

Les fichiers autoextractibles

Certains programmes de compression (comme PKZIP et ARJ) peuvent créer des archives exécutables. Qualité appréciable lorsque l'on doit communiquer une archive à un interlocuteur qui n'a pas forcément le programme de décompression associé. A titre d'exemple, il suffit d'exécuter sous MS-DOS ou de double-cliquer sous Windows une archive exécutable créée par PKZIP pour obtenir les fichiers qu'elle renferme. De même, il suffit de double-cliquer sur une archive Macintosh auto-extractible .sea pour extraire les fichiers qui la composent.

Qui, de la poule ou de l'œuf...

Les programmes de décompression sont généralement fournis sous une forme auto-extractible. Après leur téléchargement, il suffit de les exécuter pour obtenir le programme de décompression et ainsi pouvoir décompresser les archives au format correspondant.

Il se peut que vous trouviez une version .EXE et .ZIP d'une même archive. La première n'est pas beaucoup plus volumineuse que la seconde. Dans le premier cas, vous n'aurez pas à utiliser un programme de décompression. Dans le second, vous devrez vous procurer un programme capable de lire les fichiers .ZIP et d'extraire leur contenu.

Vous possédez peut-être déjà un tel outil de décompression. Quelques programmes de gestion de fichiers fonctionnant sous Windows ou sous Windows 95 parviennent à décompresser des archives en interne. Dans le cas contraire, reportez-vous à l'Annexe A pour consulter une liste de sites où vous trouverez des utilitaires freeware et shareware capables d'effectuer ce travail.

Danger, virus !

En téléchargeant des fichiers sur l'Internet, vous pouvez rapatrier un virus. Les virus se propagent lors de l'exécution des programmes infectés. Les dommages causés sont variables. Un jour ou l'autre, vous entendrez certainement parler d'un fournisseur d'accès obligé de fermer ses services après une infection par un virus.

Malheureusement, la sécurité sur l'Internet n'est pas ce qui se fait de mieux. Les services en ligne sont par contre plus regardants : en général, il n'est pas possible d'envoyer directement un fichier dans une aire publique. Le fichier transite dans une aire spéciale où on lui applique un programme de test de virus. Sur l'Internet, le test des fichiers entrants dépend de chaque administrateur système. Il suffit d'un seul opérateur maladroit pour qu'un virus soit transporté partout dans le monde via FTP, le Web ou le courrier électronique.

La menace émanant des virus informatiques a été surévaluée (peut-être par les sociétés qui commercialisent des programmes anti-virus), au point que tous les problèmes incompréhensibles qui surviennent à un ordinateur sont attribués à "ces méchantes petites bêtes". Les supports techniques utilisent parfois cette excuse pour éviter d'avoir à résoudre les problèmes qui leur sont soumis !

La plupart des ordinateurs sont indemnes d'une telle contamination. En prenant vos précautions, vous éviterez tout problème grave avec un de ces terribles prédateurs.

Précautions d'usage

Si vous vous contentez d'échanger des courriers électroniques ASCII et de télécharger des documents texte, vous n'aurez pas de souci avec les virus qui ne deviennent un réel problème que lorsque vous téléchargez des programmes (ou des archives auto-extractibles) ou des fichiers contenant des commandes (par exemple, une macro destructrice peut être placée dans un document destiné à un traitement de texte).

Les fichiers dangereux

Seuls les fichiers exécutables peuvent contenir un virus. C'est par exemple le cas des fichiers script, des programmes, des archives auto-extractibles et des documents destinés à un traitement de texte capable de manipuler des macros. Les fichiers "inactifs", comme les images et les sons, ne peuvent contenir de virus.

Si vous projetez de télécharger des programmes, vous avez intérêt à vous munir d'un programme anti-virus récent. Ils existent sur toutes les plate-formes. Utilisez-le chaque fois que vous téléchargez un fichier exécutable. Assurez-vous aussi que vous avez fait une sauvegarde de vos données. Attention, celle-ci peut aussi être infectée. Il est donc utile de passer le programme anti-virus pour diagnostiquer les éventuels fichiers infectés.

Résumé

- Définissez la destination des fichiers que vous téléchargez. Il est souvent pratique de définir un répertoire dédié aux fichiers téléchargés.
- Les fichiers sont identifiés par leur extension. Il s'agit en général de trois ou quatre lettres précédées d'un point décimal.
- Les fichiers compressés (ou archives) contiennent un ou plusieurs autres fichiers. Ils facilitent la diffusion de fichiers sur l'Internet.
- Les archives auto-extractibles ne nécessitent pas un programme annexe de décompression. Il suffit de les exécuter pour obtenir les fichiers qui les composent.
- Les virus sont une triste réalité, mais leurs dangers ont été surévalués. Si vous utilisez un programme anti-virus, les risques sont limités.
- Si un fichier est capable d'effectuer une action (exécutable, macro, script, etc.), il peut contenir un virus. Au contraire, les fichiers "passifs" ne peuvent héberger aucun virus.

Telnet, ou comment s'inviter chez les autres

Dans ce chapitre

- Clients Telnet
- Quatre façons de démarrer une session Telnet
- Utiliser HYTELNET
- Exécuter une session Telnet
- Les sites Telnet tn3270
- Telnet et jeux de rôle

Des millions d'ordinateurs sont connectés à l'Internet. Certains contiennent des jeux, des bases de données et des programmes qui peuvent vous intéresser.

Les administrateurs système vous laissent parfois fouiner dans leur machine grâce à un programme particulier : Telnet. En transformant votre ordinateur en client, vous pourrez accéder aux données et aux programmes des serveurs Telnet.

De nombreux internautes possèdent un compte privé Telnet. Prenons l'exemple d'un chercheur qui utilise régulièrement les programmes des mêmes serveurs : les administrateurs de ces serveurs pourront alors lui attribuer un nom et un mot de passe. Mais beaucoup de serveurs Telnet accueillent aussi bien les utilisateurs non répertoriés, laissant alors n'importe quel internaute venir se connecter à leur système.

Clients Telnet

Avant toute chose, vous devez vous procurer un client Telnet. Autant dire que, de ce côté-là, les performances sont limitées.

En effet, votre ordinateur devenant simple terminal du serveur Telnet, vous devez suivre suivre les règles syntaxiques propres à ce serveur. Or les centaines de serveurs Telnet utilisent chacun un ensemble de commandes différentes. Il est donc difficile de créer un client performant. La plupart de ces programmes se contentent d'afficher une fenêtre en mode texte dans laquelle vous taperez des commandes et seront affichées les réponses du serveur. Telnet n'est d'ailleurs pas le sujet de prédilection des programmeurs.

Inutile d'essayer d'utiliser votre navigateur pour ouvrir une session Telnet : il n'est pas fait pour ça. Vous devrez donc vous procurer un client Telnet dédié.

Une application Telnet écrite en Java

Une toute nouvelle application Java (assez difficile à paramétrer) permet d'accéder aux sites Telnet à l'aide de votre Navigateur. Consultez le site ***http://www.first.gmd.de/persons/leo/java/Telnet/*** *pour avoir de plus amples renseignements.*

Il se peut que vous en possédiez déjà un. Si vous êtes abonné à Compuserve, vous trouverez un client Telnet accessible depuis l'interface elle-même (GO TELNET). Si vous utilisez AOL, vous pouvez taper le mot **telnet** pour avoir des informations sur Telnet et accéder à des bibliothèques de fichiers d'où vous pourrez télécharger un client Telnet (vous devrez mettre à niveau votre kit de connexion AOL pour pouvoir utiliser un de ces programmes). Si vous êtes abonné à MSN, vous pourrez utiliser Microsoft Telnet qui est, en principe, installé en même temps que le logiciel réseau TCP/IP de Windows 95. Si vous utilisez Windows 95 ou Windows NT, cliquez sur le bouton **Démarrer**, sélectionnez **Exécuter**, tapez **telnet** et appuyez sur la touche **Entrée** du clavier. Enfin, si vous utilisez les services d'un fournisseur d'accès, il arrive (rarement) que ce dernier joigne un client Telnet aux autres logiciels.

Pour trouver un client Telnet par vos propres moyens, vous pouvez vous rendre sur une des bibliothèques de fichiers citées dans l'Annexe A. Sous Windows, recherchez par exemple CRT ou NetTerm. Sur Macintosh, recherchez par exemple NCSA Telnet ou data-Comet.

Etablir la connexion

Plusieurs méthodes peuvent être utilisées pour démarrer une session Telnet.

- Certains document HTML donnent accès à des liens **telnet://URL** (Ce type de lien est assez peu courant. Dans la suite de ce chapitre, nous étudierons pourtant un site qui contient de nombreux liens Telnet). En cliquant ce lien, vous démarrez une session avec le site référencé. Vous devez alors indiquer au navigateur le nom du programme à lancer (utilisez la commande **Options** ou **Préférences** dans le navigateur).
- Vous pouvez aussi entrer l'adresse du serveur Telnet à contacter dans la zone **Adresse** du navigateur. Par exemple, si vous entrez **telnet://pac.carl.log**, le navigateur lance le client Telnet et se connecte au site **Denver Public Library** (tapez **PAC** et appuyez sur la touche **Entrée** pour vous connecter).
- Vous pouvez aussi lancer le client Telnet. Sous Windows 95, par exemple, vous double-cliquerez sur le programme **telnet.exe** dans le répertoire d'installation de Windows.
- Enfin, vous pouvez ouvrir une session Telnet à partir du menu Démarrer ou de la boîte de dialogue **Exécuter** : cliquez sur le bouton **Démarrer** et sélectionnez **Exécuter**. Entrez une URL du type **telnet://ordinateur-hôte** (par exemple **telnet://pac.carl.org**) puis appuyez sur la touche **Entrée**.

Une adresse Telnet ressemble à ceci : **pac.carl.org**, **freenet.sfn.saskatoon.sk.ca**, **fdabbs.fda.gov**. Elle prendra cependant quelquefois la forme d'un nombre, comme**150.148.8.48**. Si vous lancez la session Telnet à partir du client, vous devez entrer l'adresse ou le nom du site dans la boîte de dialogue appropriée, puis appuyer sur la touche **Entrée**. Pour l'afficher, vous devrez lancer une commande du type **Connect** dans le menu **File** (ou quelque chose d'approchant). Si vous utilisez Compuserve, tapez **GO TELNET**, choisissez **Access a Specific Site**, entrez le nom du serveur, puis appuyez sur la touche **Entrée**. La Figure 20.1 représente un exemple de connexion Telnet via Compuserve.

HYTELNET : Votre guide dans le monde Telnet

Pour avoir un aperçu du monde de Telnet, ouvrez HYTELNET. Ce répertoire est accessible depuis Telnet, mais aussi dans un navigateur Web, ce qui est bien plus pratique. Rendez-vous sur l'un des trois sites suivants :

http://library.usask.ca/hytelnet/

http:// www.lights.com/hytelnet/

http://www.cc.ukans.edu/hytelnet_html/START.TXT.html

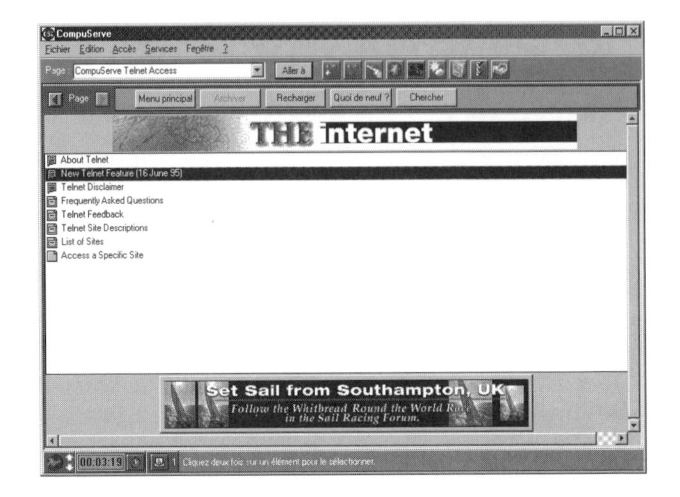

Figure 20.1 : Pour lancer une session Telnet dans Compuserve, il suffit de taper GO TELNET.

A partir de ces sites vous pouvez démarrer toutes sortes de sessions Telnet. Les liens les plus importants sont **Library Catalogs** et **Other Resources**. Il vous orientent vers des répertoires de sites Telnet. Les autres liens donnent des informations sur la façon d'utiliser Telnet.

D'autres répertoires

*Les services en ligne peuvent aussi donner la liste de sites Telnet intéressants. Par exemple, sur Compuserve, tapez **GO TELNET**, puis sélectionnez **List of Sites** ou **Telnet Site Descriptions**.*

Cliquez par exemple sur le lien **Other Resources** pour afficher une autre page HTML contenant des liens vers des bases de données et des bibliographies. En vous déplaçant dans la hiérarchie des documents, vous arriverez petit à petit à des informations spécifiques à chaque serveur Telnet. L'exemple de la Figure 20.3 concerne le site NASA/IPAC. Cette base de données donne toutes sortes de renseignements astronomiques sur les galaxies, les quasars, les rayons infra-rouges, les fréquences radio, etc. Cette page correspond à l'adresse Telnet **ned.ipac.caltech.edu**. Vous utiliserez le code ned pour vous connecter. Dans cet écran est aussi affichée la liste des commandes utilisables sur ce site. En tête de la page, un lien hypertexte permet de vous connecter au site Telnet.

Autres sites Web en rapport avec Telnet

Les deux adresses ci-après vous aideront à trouver des serveurs Telnet et d'autres ressources en rapport avec Telnet :

http://www.w3.org/hypertext/DataSources/ByAccess.html

http://www.ncsa.uiuc.edu/SDG/Software/Mosaic/MetaIndex.html

Vous pouvez aussi lancer une recherche sur le mot Telnet dans un des sites de recherche Web (voir Chapitre 21).

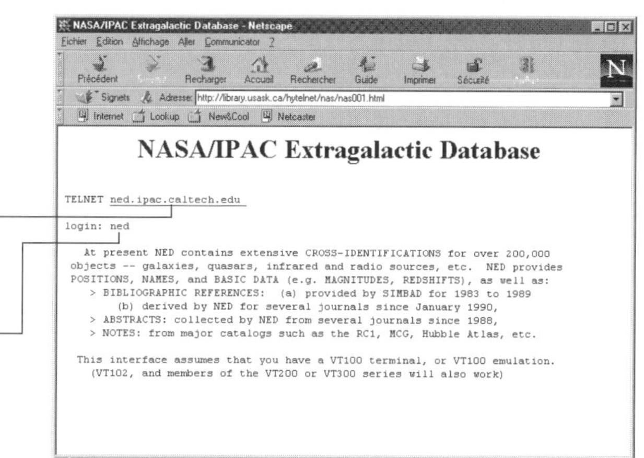

Figure 20.2 : HYTELNET donne des informations sur chaque site Telnet. Vous connaissez ainsi le code à utiliser pour vous connecter (login).

Après la connexion

Une fois connecté au site, vous devez entrer un code (*login*). HYTELNET fournit le code à utiliser pour chaque site Telnet. De même, quand un magazine parle d'un site Telnet, il en donne le plus souvent le code d'accès. Il n'est pas toujours nécessaire d'entrer un code pour vous vous balader en toute liberté sur le serveur. Parfois, un écran d'introduction vous expliquera la démarche à suivre. C'est par exemple le cas pour le serveur représenté Figure 20.4 (Saskatoon Free-Net).

Lorsque vous vous connectez à un serveur Telnet, votre ordinateur se fait passer pour un terminal dont vous devez souvent préciser le type. Le terminal utilisé par défaut (VT-100 dans la plupart des cas) donne généralement de bons résultats. Si vous êtes connecté à un serveur qui n'apprécie pas ce type de terminal (le texte affiché sur votre écran peut ne pas apparaître correctement), tentez de changer le paramètre d'émulation.

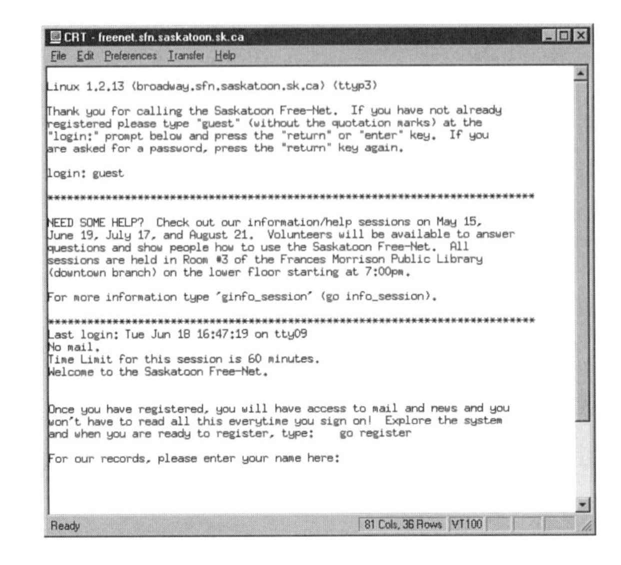

Figure 20.3 : Vous pouvez vous connecter au site Saskatoon Free-Net en tant que visiteur.

Emulation de terminal

Plusieurs types de terminaux peuvent être simulés (on dit parfois émulés) par votre ordinateur. Le terminal VT-100 est reconnu par la plupart des sites Telnet.

Travailler dans une session Telnet

Tous les serveurs Telnet sont différents. Lorsque vous vous connectez à un site, les opérations s'effectuent sur le serveur et non sur votre ordinateur. Vos possibilités se limitent à envoyer des commandes texte au serveur et à visualiser les résultats, en suivant les règles en vigueur sur le serveur utilisé.

Les informations qui vous seront retournées sont diverses. Il peut s'agir d'une série de menus dans lesquels vous devez choisir des options, ou encore d'une invite après laquelle vous entrez vos commandes.

Mais attention, Telnet est parfois très, très lent : il est possible que vous tapiez une commande sans avoir aucun écho sur votre écran pendant plusieurs secondes, voire plusieurs minutes. Le temps de réponse est lié à l'encombrement des lignes et au nombre de personnes connectées sur le site. Si le temps d'attente est trop long, tentez votre chance un peu plus tard. Vous pouvez vous rabattre sur un autre site qui offre les mêmes possibilités.

Quelques astuces

La qualité des programmes Telnet est très variable. Certains se contentent d'assurer une connexion avec un site de votre choix. D'autres permettent de créer un script afin d'améliorer le délai de connexion, d'affecter des commandes aux touches de fonction afin de faciliter la frappe des commandes les plus courantes sur un site donné, de modifier la couleur du texte et de l'arrière-plan, etc. Préoccupez-vous de l'existence de ces petits avantages dont vous aurez bien besoin une fois connecté. Telnet est loin d'avoir la facilité d'utilisation du Web.

Enregistrer une session

La plupart des clients Telnet permettent d'enregistrer une session. Par exemple, dans Windows Telnet (livré avec Windows 95), il suffit de lancer la commande **Start Logging** dans le menu **Terminal**. Si vous utilisez le programme CRT (un programme Telnet assez populaire), lancez la commande **Log Session** dans le menu **File**. En général, vous devez entrer le nom du fichier de sauvegarde dans une boîte de dialogue. Toutes les données affichées dans le terminal seront enregistrées dans ce fichier.

Vous pouvez aussi effectuer un copier/coller sur une portion ou sur la totalité du texte. Mettez en surbrillance le texte à copier (certains clients Telnet possèdent la commande **Select All** dans le menu **Edit.**), puis lancez la commande **Copy** dans le menu **Edit**. Vous pouvez maintenant coller le contenu du Presse-papiers dans une autre application (votre traitement de texte ou votre programme de courrier électronique par exemple). CRT possède une caractéristique intéressante : il permet d'effectuer un copier/coller à l'intérieur du terminal pour simuler une frappe à partir d'éléments affichés dans le terminal.

Mettre fin à la session Telnet

Les commandes de fermeture sont différentes sur chaque serveur. Essayez dans l'ordre les commandes **quit**, **exit**, **Ctrl-D**, **bye** et **done**. L'une d'entre elle clôturera certainement la session. Dans le cas contraire, demandez de l'aide sur le site.

Utilisez, dans la mesure du possible, la commande appropriée pour vous déconnecter. En dernier ressort, vous pouvez fermer la fenêtre Telnet ou vous servir de la commande de déconnexion (par exemple **Disconnect** dans le menu **Connect**).

Telnet 3270

Certains sites Telnet sont basés sur des ordinateurs IBM et tournent sous "3270". Si la connexion est instantanément coupée lorsque vous tentez de contacter un site Telnet, il y a de grandes chances pour qu'il s'agisse d'un 3270.

Si, après connexion, le message suivant est affiché :

```
VM / XA SP ONLINE-PRESS ENTER KEY TO BEGIN SESSION
```

il s'agit bel et bien d'un site tn3270. Entrez la commande **telnet vmd.cso.uiuc.edu** et vous verrez probablement le message suivant :

```
Trying 128.174.5.98...
Connected to vmd.cso.uiuc.edu.
Escape character is '^]'.
VM / XA SP ONLINE-PRESS ENTER KEY TO BEGIN SESSION
```

Votre client Telnet n'est certainement pas à même de gérer une connexion tn3270, mais vous pouvez essayer à tout hasard.

Les sites tn3270 ne sont pas monnaie courante. Si vous devez vous y connecter, procurez-vous un émulateur tn3270. Vous pouvez par exemple utiliser QWS3270 sur plate-forme Windows, dataComet sur plate-forme Macintosh (ce programme peut se connecter à des ordinateurs Telnet et tn3270), ou encore tn3270. Consultez l'Annexe A pour connaître les sites de téléchargement où vous pourrez vous procurer ces programmes. Si vous utilisez Netscape Communicator Professional, vous pouvez lancer le programme 3270 IBM Host On Demand à partir du menu **Communicator**.

Jeux de rôle : MUD, MOO et MUCK

Telnet n'est pas très populaire. Il est largement distancé par le Web, au point que de nombreux nouveaux internautes n'ont pas une idée précise de ses possibilités. Il existe cependant un domaine où Telnet excelle : les jeux de rôle.

Ces jeux consistent en des échanges texte répétés entre vous et le serveur sur lequel s'exécute le programme. Ce dernier décrit l'endroit où vous vous trouvez. Par exemple : "Vous vous trouvez dans une pièce rectangulaire. A l'ouest, une porte, à l'est, une fenêtre, devant vous, un escalier qui descend". A vous de choisir une action à accomplir. Vous pouvez par exemple taper **door** pour ouvrir la porte.

Si ce type de jeu vous intéresse, vous pouvez obtenir plus d'informations en utilisant une des méthodes suivantes :

- Connectez-vous au site **gopher://gopher.micro.umn.edu**. Lorsque le menu **Gopher** est affiché, choisissez **Fun&Games** puis **Games**.
- Lancez une recherche sur le terme **MUD** *(Multi-User Dungeons)* dans un site de recherche Web (voir Chapitre 21).
- Si vous êtes membre du service AOL, vous trouverez des informations sur les jeux de rôle en tapant le mot clé **telnet**. Vous apprendrez par exemple que les jeux de rôle, presque exclusivement pratiqués sur Telnet dans le passé, débarquent maintenant sur le Web. Il existe aussi de nouveaux programmes client/serveur dédiés aux jeux de rôle.

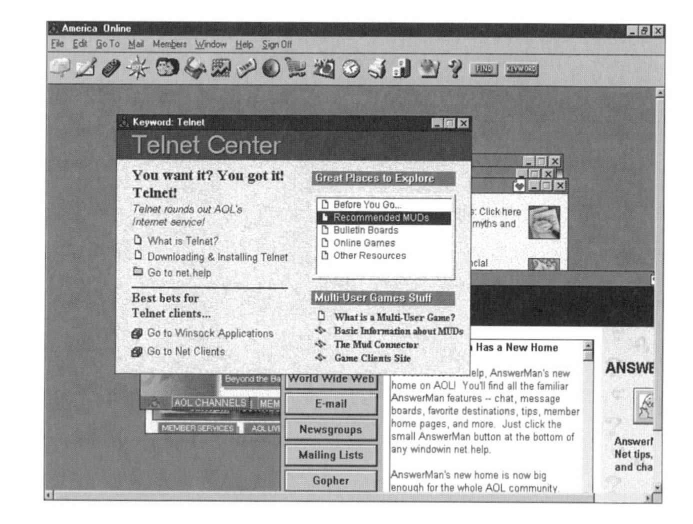

Figure 20.4 : Le centre Telnet d'AOL vous aide à trouver un programme Telnet et donne des informations sur les jeux de rôle accessibles via Telnet.

Résumé

- Si vous n'avez aucun programme Telnet, vous pouvez en télécharger un depuis les bibliothèques listées dans l'Annexe A.
- Le programme client Telnet peut être lancé en entrant une URL de type **telnet://** dans la zone **Adresse** d'un navigateur ou en cliquant sur un lien qui fait référence à un site Telnet.
- Vous pouvez aussi démarrer le programme Telnet puis entrer le nom du site à visiter.
- Essayez le site HYTELNET (**http://library.usask.ca/hytelnet**). Il donne accès à plusieurs centaines de sites Telnet.

- Lorsque vous vous connectez à un site Telnet, il est parfois nécessaire d'entrer un code et un mot de passe. HYTELNET vous indique comment procéder.
- Après vous être connecté, vous êtes livré à vous-même. Une seule tactique : suivez les règles fixées par le serveur.
- Les sessions Telnet sont parfois très lentes.
- Si vous n'arrivez pas à vous connecter à un site, il se peut qu'il s'agisse d'un serveur tn3270. Vous devrez alors vous procurer un programme approprié.
- Si les jeux de rôle vous intéressent, connectez-vous à un site MUD. Pour avoir de plus amples informations, connectez-vous à **gopher://gopher.micro.umn.edu** (**Fun & Games**, **Games**) ou effectuez une recherche sur le terme **mud** sur un site de recherche Web (voir Chapitre 21).

INTERNET

Partie 3

ALLER PLUS LOIN

Vous connaissez maintenant la plupart des services Internet. Il est temps d'aller un peu plus loin dans votre apprentissage : vous repérer dans l'immensité de la "toile", éviter les pièges, faire les bons choix.
Nous tenterons de répondre à quelques-unes des innombrables questions qui se posent à l'internaute, débutant ou non. Nous vous proposerons pour ce faire des dizaines d'exemples d'applications pratiques, ainsi qu'une ébauche de l'avenir du réseau.

Rechercher des informations

Dans ce chapitre

- Rechercher des personnes
- Les moteurs de recherche Internet
- Utiliser des répertoires Internet
- Chercher des groupes de discussion
- Autres services Internet

L'Internet est immense : des dizaines de millions d'utilisateurs, des millions de fichiers sur des sites FTP, des millions et des millions de pages Web, des sites Telnet, des serveurs Gopher, des groupes de nouvelles, des listes de diffusion, etc. Comment s'y retrouver ?

La recherche d'informations sur l'Internet n'est pas aussi difficile qu'on pourrait le croire. Plusieurs dizaines de services de recherche sont en effet à votre disposition. Nous allons vous apprendre à les utiliser.

Rechercher des personnes

Commençons par la tâche la plus complexe : trouver une personne particulière sur le Net. Les services en ligne donnent accès à la liste de leurs abonnés, mais personne ne peut recenser les millions d'utilisateurs de l'Internet. Cela n'a rien d'étonnant, car il s'agit de l'interconnexion de plusieurs centaines de réseaux (pour faire un parallèle, il n'existe aucun répertoire téléphonique mondial). Mais alors, comment retrouver sur le Net une personne dont on a perdu la trace ?

Pour parler franchement, la façon la plus sûre consiste à la contacter par téléphone ou à lui envoyer un courrier électronique. Si vous n'êtes pas en mesure de le faire, peut-être connaissez vous quelqu'un qui possède ses coordonnées. Si ce n'est pas le cas, je vais vous montrer comment procéder.

De nombreux répertoires

Il existe de nombreux répertoires téléphoniques sur le Web. Un bon point de départ consiste à consulter la page de recherche de votre navigateur. Par exemple, si vous utilisez Netscape Navigator 4, cliquez sur le bouton **Guide** et sélectionnez **Qui** dans le menu. Dans Netscape Navigator 3, il suffit de cliquer sur le bouton **Qui** dans la barre d'outils. Si vous n'utilisez aucun de ces navigateurs, vous pouvez vous rendre sur la page de recherche de Netscape à l'adresse **http://guide.netscape.com/guide/people.html.** Chaque fois que vous vous rendez sur cette page, Netscape affiche un des cinq répertoires suivants : WhoWhere ?, Four11, IAF, InfoSpace et Switchboard. La Figure 21.1 représente le répertoire Bigfoot. Vous pouvez effectuer une recherche dans ce répertoire ou utiliser un des quatre autres.

Vous pouvez aussi faire appel à Yahoo (**http://www.yahoo.com/search/people/**). La Figure 21.2 représente son formulaire de recherche. Après avoir entré le nom et le prénom de la personne à retrouver, vous pouvez restreindre la recherche en entrant la ville et l'Etat (pour les Etats-Unis). Les recherches peuvent aussi porter sur les numéros de téléphone.

Si vous n'avez pas pu localiser la personne recherchée dans Yahoo!, ne désespérez pas. Vous pouvez vous rendre sur la page **http://www.yahoo.com/Reference/White_Pages/** pour obtenir plusieurs dizaines de liens vers d'autres répertoires Yahoo!. Notez que certains de ces liens renvoient eux-mêmes vers d'autres répertoires. Avec un peu de patience, vous finirez certainement par trouver celui ou celle que vous recherchez.

Autres moteurs de recherche

Yahoo! n'est pas le seul moteur de recherche. Nous verrons plus loin que de nombreux autres moteurs permettent de trouver des personnes dont on a perdu les coordonnées.

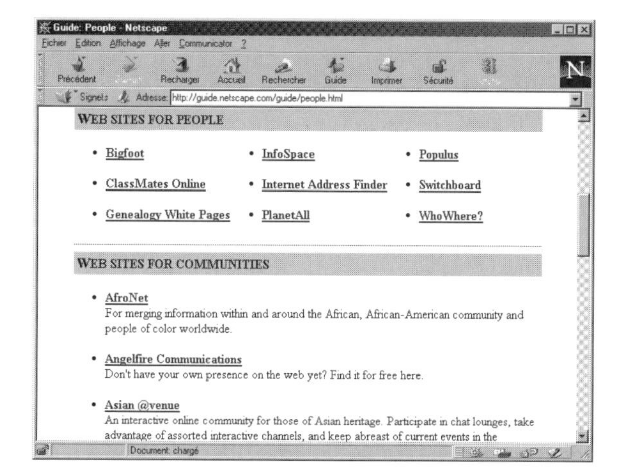

Figure 21.1 : Le site de recherche de personnes de Netscape choisit aléatoirement un répertoire.

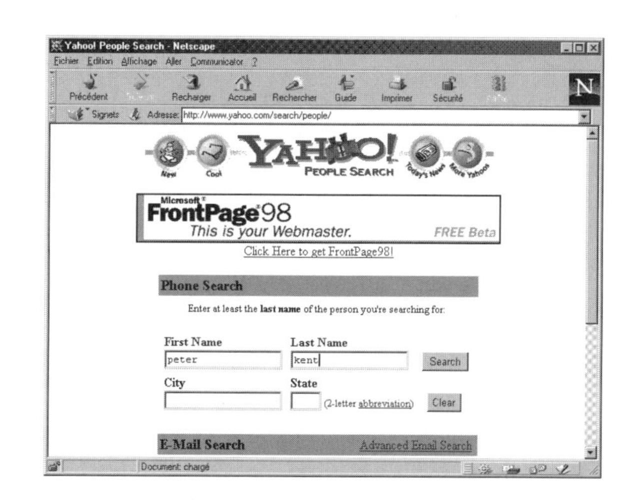

Figure 21.2 : Le formulaire de recherche de personnes de Yahoo!

Voici deux autres adresses qui constituent un bon point de départ.

- **The Directory of Directories http://www.procd.com/hl/direct.htm.** Vous y trouverez des liens vers de nombreux types de répertoires : musées, gouvernements, universités et sociétés. Cette adresse sera utile si vous recherchez une personne qui travaille dans une institution particulière.

- **Flip's Search Ressources http://aa.net/~flip/search.html.** Cette page donne accès à des sites très particuliers : bases de données concernant les blessés de la Guerre du Vietnam, dossiers généalogiques, etc.

Rechercher des informations

Pour trouver des informations concernant un sujet donné, le mieux est de faire appel à l'un des nombreux sites de recherche Web. Trois méthodes peuvent être utilisées :

- Visualiser un répertoire dans lequel vous sélectionnerez un sujet, un sous-sujet, et ainsi de suite jusqu'à obtenir l'information recherchée.
- Lancer une recherche par sujet : entrez un mot clé dans un formulaire puis appuyez sur le bouton de recherche. Vous recevrez en retour une liste des pages Web correspondantes.
- Lancer une recherche à l'intérieur des pages Web : certains moteurs de recherche permettent de rechercher un mot à l'intérieur des pages Web. Altavista, par exemple, possède un index des principaux termes utilisés dans plus de 30 millions de pages Web ! En retour, vous recevez une liste de pages Web qui contiennent le mot spécifié.

Vous utiliserez couramment les deux premiers types de recherche. Pour le troisième, les moteurs de recherche sont très utiles, mais apportent parfois bien plus de réponses que nécessaire. Les autres sites de recherche limitent la recherche aux titres (avec parfois un court extrait des pages sélectionnées), ce qui les rend généralement plus simples à utiliser. Vous utiliserez une recherche du troisième type lorsque les deux premières ont échoué.

Trouver un site de recherche

La plupart des navigateurs actuels sont dotés d'un bouton qui donne directement accès à un site de recherche, ou à un formulaire dans lequel vous pouvez choisir un site de recherche. Ce bouton est généralement nommé **Rechercher** (c'est le cas dans Netscape et Internet Explorer 3.0).

Le meilleur site de recherche

Il n'existe pas de site de recherche meilleur que les autres. Chaque moteur renvoie les réponses sous une forme différente. Essayez plusieurs moteurs pour trouver celui qui vous convient le mieux. Vous pouvez aussi voir comment les différents moteurs sont perçus en vous connectant à l'une des adresses suivantes :

http://www.global-community.com/business/main.shtml
http://www.yahoo.com/Computers_and_Internet/Internet/World_Wide_Web/Searching_the_Web/

Voici quelques-uns des sites de recherche que vous pourrez utiliser :

Yahoo! : http://www.yahoo.com

Lycos : http://www.lycos.com/

InfoSeek : http://www.infoseek.com/

HotBot : http://www.HotBot.com/

AltaVista : http://www.altavista.digital.com/

Inktomi : http://inktomi.berkeley.edu/

Les recherches peuvent s'effectuer dans un répertoire ou à l'aide d'un moteur de recherche. Un répertoire contient des listes thématiques de pages Web. Après avoir sélectionné un thème, une nouvelle liste est affichée. Vous y sélectionnez une sous-catégorie, et ainsi de suite, jusqu'à obtenir l'information recherchée. Un moteur de recherche utilise un programme qui effectue des recherches dans une base de données contenant des pages Web. Il suffit d'entrer un mot clé et d'appuyer sur le bouton de recherche (ou sur la touche **Entrée**). Certains sites, comme Yahoo!, permettent d'utiliser les deux méthodes.

Pour les utilisateurs de Netscape

Si vous utilisez Netscape Navigator, il est très simple de lancer une recherche : il suffit d'entrer deux mots dans la zone ***Adresse****. Si par exemple vous recherchez des informations sur la randonnée en Islande, entrez* ***iceland hiking*** *dans la zone* ***Adresse*** *(si vous recherchez des informations sur un seul mot, entrez-le deux fois, par exemple* ***iceland iceland****). Lorsque vous appuyez sur la touche* ***Entrée****, Netscape choisit aléatoirement un site de recherche parmi Yahoo!, Magellan, InfoSeek, Lycos et Excite et lui transmet le critère de recherche. Si vous utilisez Internet Explorer, tapez le mot clé* ***find*** *suivi du mot sur lequel vous voulez faire une recherche :* ***find iceland*** *par exemple.*

Utiliser un moteur de recherche

Les moteurs de recherche Internet permettent de rechercher des informations dans une base de données. La Figure 21.3 représente un exemple de moteur de recherche (**http://www.infoseek.com/**).

Entrez le terme à rechercher dans la zone de texte. Pour entrer plusieurs mots, cliquez sur le lien **Huh?** pour avoir des informations complémentaires. Le document affiché contient de nombreuses suggestions et conseils pour bien utiliser le moteur de recherche (la plupart des moteurs ont un lien de ce type).

Comme indiqué dans le document d'aide, vous pouvez entrer les éléments suivants dans la zone de texte :

- Un ensemble de mots délimités par des guillemets. InfoSeek recherche les mots dans l'ordre indiqué.
- Des noms propres. Assurez-vous qu'ils débutent par une majuscule, comme Colorado, Languedoc ou Eltsine.
- Des mots séparés par un tiret. Demandez à InfoSeek de rechercher les documents contenant chacun des mots spécifiés, par exemple "architecture-France".
- Des mots entre crochets. Demandez à InfoSeek de rechercher les documents contenant les mots entrés, mais pas nécessairement dans l'ordre spécifié. Par exemple [architecture France].

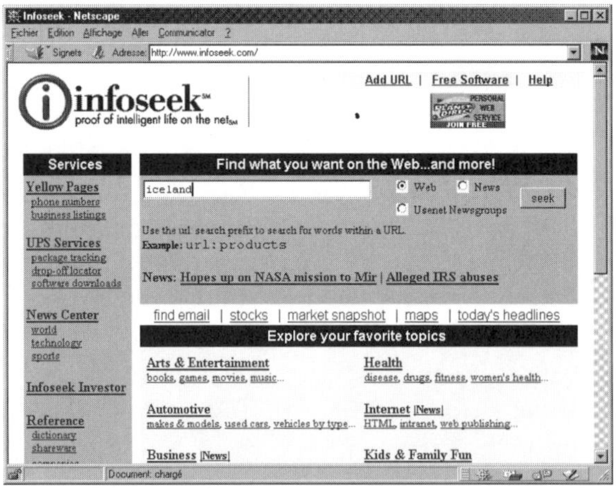

Figure 21.3 : Le site de recherche InfoSeek.

Chaque moteur de recherche a ses particularités. Aussi, n'hésitez pas à afficher l'écran d'aide chaque fois. Vous pourrez ainsi exploiter toutes les possibilités de chaque serveur.

Lorsque vous aurez fini de lire le document d'aide, cliquez sur le bouton **Précédent** pour retourner au formulaire de saisie. Entrez les mots à rechercher, puis appuyez sur la touche **Entrée** (ou cliquez sur le bouton **Search**). Les informations sont envoyées à InfoSeek, et, avec un peu de chance, une réponse est retournée sous peu (voir Figure 21.4). Si un message vous indique que le serveur est saturé, ré-essayez au bout de quelques minutes.

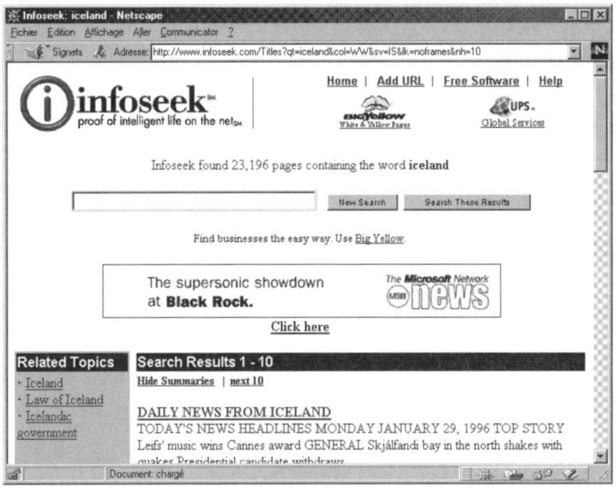

Figure 21.4 : InfoSeek a trouvé de nombreux liens en rapport avec l'Islande.

Comme vous le voyez sur la Figure 21.4, InfoSeek a trouvé quelque 4 879 liens vers des sites contenant le mot "iceland". Le document en cours de visualisation ne donne pas accès à la totalité de ces sites. Seuls les 10 premiers sont affichés. Dans la partie inférieure du document, un lien donne accès aux 10 sites suivants. Voici quelques-unes des rubriques qui ont été trouvées : **Travel Guides to Iceland**, **History of Iceland**, **Books on Iceland**, **Airlines**, ... Si un de ces liens vous semble intéressant, il suffit de cliquer dessus pour rejoindre le site correspondant.

Les répertoires Interne

Jetons un œil sur le site Yahoo!, à l'adresse **http://www.yahoo.com**. Yahoo! étant un moteur de recherche, vous pouvez taper un mot dans la zone de texte et valider pour trouver les sites correspondants. Les liens affichés dans la partie inférieure de la fenêtre : Art, Education, Health, Social Science, etc. permettent d'accéder à un niveau inférieur dans la hiérarchie des catégories de documents. Par exemple, cliquez sur **Recreation**, et un document de Yahoo! s'affichera avec une liste de catégories supplémentaires : Amusement/Theme parks@, Aviation, Drugs@, Motorcycles, etc.

Le signe @ placé à la fin de certaines entrées signifie qu'elles sont en quelque sorte un renvoi permettant d'accéder à une autre catégorie si vous sélectionnez ce lien. Par exemple, cliquez sur **Drugs@**. Une page concernant la catégorie **Health: Pharmacology: Drugs** est affichée. Elle donne accès à des liens vers d'autres catégories concernant les drogues.

Notez que cette page contient des liens en gras suivis de nombres placés entre parenthèses (ex : **War on Drugs (23)**), et des liens qui ne sont pas en gras (ex : DEA List of Controlled Substances-Uses and effects). Les liens en gras permettent d'accéder à un niveau inférieur de la hiérarchie ; vous pouvez voir un autre document contenant des liens supplémentaires. Le nombre entre parenthèses indique le nombre de liens que vous y trouverez.

Les liens en texte non gras représentent les documents Web contenant l'information que vous cherchez. Sélectionnez par exemple **WWW Drugs Links** pour afficher un document contenant d'autres liens en rapport avec les drogues.

Recherche de données spécifiques

Vous savez maintenant comment effectuer des recherches à caractère général. Si vous recherchez des renseignements spécifiques, vous pouvez vous rendre sur un site spécialisé. Voici quelques exemples de tels sites :

- A l'adresse **http://www.alexandria-home.com**, vous trouverez des informations sur les livres et les publications sur Internet.
- A l'adresse **http://boatingyellowpages.com/**, vous trouverez des informations relatives aux bateaux.
- A l'adresse **http://www.yahooligans.com**, vous trouverez des informations utiles aux enfants.

Pour avoir une liste commentée des sites de recherche spécialisés, vous pouvez consulter la page :
http://www.yahoo.com/Computers_and_Internet/Internet/World_Wide_Web/Searching_the_Web/Web_Directories/. Vous la trouverez aussi sur les autres grands sites de recherche.

Ce que les gens disent de vous

Il se peut que certaines personnes parlent de vous dans un groupe de nouvelles. Pour trouver les messages correspondants, faites une recherche sur un ou plusieurs mots. En utilisant le même principe, vous pouvez localiser les messages qui se rapportent à un sujet donné.

Les moteurs de recherche opérant sur les groupes de nouvelles sont nombreux. Un des plus connus est DejaNews (**http://www.dejanews.com/**). Vous pouvez aussi utiliser Yahoo!. Affichez la page **http://www.yahoo.com**. Cliquez sur le lien qui donne accès à la page de recherche avancée (il s'agit en principe du lien **Options**) puis appuyez sur le bouton **Usenet** (Vous pouvez aussi utiliser InfoSeek). Choisissez **Usenet Newsgroups** dans la liste déroulante avant d'effectuer la recherche). Entrez le terme recherché et validez. Une page contenant des liens vers les messages **Usenet** est affichée. Cliquez sur un des liens pour visualiser le message correspondant.

Renouveler une recherche

Si vous avez effectué une recherche sur un sujet qui vous tient à cœur, vous souhaiterez peut-être la renouveler par la suite pour connaître les nouveautés. Dans ce cas, vous avez intérêt à définir un signet sur la recherche (et non sur le site de recherche). La prochaine fois que vous voudrez lancer la même recherche, il vous suffira de sélectionner ce signet. La requête sera automatiquement envoyée au serveur.

FTP, Gopher, Telnet et les autres

En vous reportant aux chapitres concernant FTP, Gopher, Telnet, les groupes de nouvelles et les listes de diffusion, vous verrez qu'il est possible d'effectuer des recherches dans ces services. Vous pouvez par exemple utiliser Archie pour rechercher des sites FTP, ou encore faire appel à Tile.Net (ou à d'autres services similaires) pour rechercher des listes de diffusion et des groupes de nouvelles qui vous intéressent. Vous pouvez aussi utiliser Jughead et Veronica pour effectuer des recherches dans le Gopherspace. Si la recherche Web ne donne pas le résultat voulu, essayez d'effectuer le même type de recherche dans un autre service.

Résumé

- Il n'existe pas de répertoire recensant tous les internautes. La meilleure façon de contacter une personne est d'avoir ses coordonnées réelles (téléphone, adresse).
- Plusieurs répertoires assez complets peuvent vous aider à localiser une personne donnée. Il y a de fortes chances pour que vous trouviez celui ou celle que vous recherchez en consultant ces répertoires.

- Un moteur de recherche est un programme qui effectue des recherches à partir d'un mot entré au clavier.
- Les recherches peuvent porter sur le titre ou sur le contenu de pages Web (des millions de mots dans des millions de pages !)
- Un répertoire est un listing qui répartit les pages Web par catégories et sous-catégories.
- Des services tels que DejaVu, Yahoo! et InfoSeek permettent d'effectuer des recherches dans des groupes de nouvelles. Le résultat est renvoyé sous forme de liens qui pointent vers les messages sélectionnés. Il suffit de cliquer sur l'un d'entre eux pour lire le message correspondant.
- Il est possible de définir un signet sur une page qui affiche le résultat d'une recherche. Pour répéter la même recherche quelques jours plus tard, il suffira de sélectionner ce signet.

INTERNET

Chapitre 22

Les dangers de l'Internet

Dans ce chapitre

- Protéger les enfants
- Protéger votre courrier électronique
- Le problème de l'identité
- Les "accros" du Net
- Protéger vos transactions par carte de crédit
- Eviter les problèmes avec votre patron ou votre conjoint

S'il est vrai que le Net comporte des dangers, la plupart d'entre eux sont purement imaginaires ou en tout cas très exagérés. De nombreux internautes sont prêts à croire que leurs enfants peuvent être kidnappés, leurs cartes de crédit volées et qu'ils risquent d'être arrêtés pour des infractions sur le copyright. Il s'agirait de faire preuve d'un peu de bon sens

Le sexe sur le Web

Il est indéniable que l'on peut trouver des images pornographiques sur le Net. Si vous vous connectez (par exemple) sur le groupe de nouvelles **alt.binaries .pictures.erotica.pornstar**, les messages et images véhiculées se rapporteront bien évidemment au sexe. Sachez cependant que la plupart des sites Web érotiques sont assez "soft". Si vous êtes intéressés, vous pouvez vous rendre sur le site Hustler ou sur le site de Playboy. Si vous comparez les images de ces sites Web avec celles des magazines correspondants, vous verrez qu'elles sont bien moins explicites.

Sites Web érotiques

Pour en savoir plus sur les sites qui abordent le sexe sur l'Internet, rendez-vous à l'adresse ***http://www.drv.com/hotline/hotlinx.html****.*

Il existe des sites Web bien plus "hard". En 1996, le CDA (*Computer Decency Act*) a demandé que les sites contenant des images trop explicites deviennent privés. Pour pouvoir accéder à ces sites, il est nécessaire de s'inscrire et de donner un numéro de carte de crédit. Il existe de nombreux sites privés, mais tant que la loi ne se sera pas prononcée sur ce sujet, il sera encore possible de trouver quelques sites Web publics à caractère pornographique.

Certains groupes de nouvelles véhiculent aussi des images parfois très explicites, voire violentes.

Cependant, si vous n'êtes pas expressément à la recherche d'un site ou d'un groupe de nouvelles pornographiques, il y a peu de chances pour que vous tombiez dessus par hasard. Ce à quoi vous devrez faire attention, c'est à ne pas laisser vos enfants accéder à ces sites.

Une nounou électronique à votre secours

Pour éviter que vos enfants consultent des sites indécents, passez un peu plus de temps avec eux lorsqu'ils se connectent ou faites appel à une "nounou" électronique. De nombreux programmes permettent d'interdire l'accès aux sites "inappropriés". Ainsi, le programme Net Nanny bloque l'accès à de nombreux sites. La liste des sites à éviter peut être complétée par vos soins ou mise à jour par Internet. Ce programme n'est pas limité à l'interdiction des sites pornographiques : c'est à vous de choisir les domaines tabous.

Le programme Net Nanny peut être téléchargé sur le site **http://www.netnanny.com/**. Pour trouver d'autres programmes du même type, effectuez une recherche sur le mot "blocking" dans Yahoo! ou dans un autre site de recherche. Vous pouvez aussi vous rendre directement à l'adresse **http://msn.yahoo.com/msn/Business_and_Economy/Companies/Computers/Software/Internet/Blocking_and_Filtering/**. Vous y trouverez des programmes tels que SurfWatch, CyberPatrol, CYBERSitter, NetShepherd, TattleTale, Bess the Internet Retriever et Snag.

Si vous utilisez un service en ligne, il se peut qu'il vous propose de filtrer automatiquement certaines aires. America Online le fait depuis longtemps. Quant à MSN, il permet d'interdire l'accès aux groupes de nouvelles alt. et autres aires "pour adultes".

La plupart des navigateurs Web proposent aussi des outils de blocage. Dans Internet Explorer par exemple, lancez la commande **Options** dans le menu **Affichage** et sélectionnez l'onglet **Sécurité**. Un simple clic suffit pour activer le filtrage des sites. Les sites concernés pourront être purement et simplement interdits ou accessibles par mot de passe.

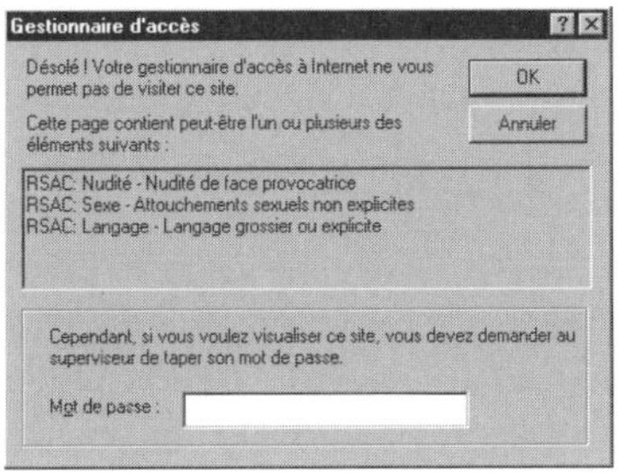

Figure 22.1 : En définissant un filtre d'accès dans Internet Explorer, vous pouvez empêcher vos enfants d'accéder à certains sites.

Le danger du courrier électronique

Les courriers électroniques peuvent vous causer bien des soucis. Certaines personnes ont même perdu leur travail ou ont été poursuivies en justice suite aux propos qu'elles y ont tenus. Plusieurs choses peuvent arriver :

- Le destinataire d'un courrier peut le communiquer à d'autres personnes.
- Le message peut être copié dans un système de sauvegarde automatique et être ainsi accessible par d'autres personnes que son destinataire.
- Une personne peut lire votre courrier et s'emparer de vos propos.

Premier scénario, le plus courant : le destinataire d'un message peut envoyer (intentionnellement ou non) votre message à une autre personne.

Deuxième scénario : il ne suffit pas de supprimer un message sur votre ordinateur et sur celui du destinataire pour en effacer toute trace. Il se peut que le message ait été copié dans un système de sauvegarde automatique (sur votre ordinateur, chez votre fournisseur d'accès ou celui du destinataire ou sur l'ordinateur du destinataire, et la chaîne est longue...).

Troisième scénario : un pirate ayant accès à votre fournisseur d'accès ou à celui du destinataire peut très bien rapatrier vos messages sur son ordinateur.

Comment éviter les problèmes de ce type ? La solution la plus simple consiste à ne rien dire de compromettant dans vos messages. Mais vous pouvez aussi coder vos messages. Un certain nombre de programmes de codage sont disponibles. Ils sont basés sur l'utilisation de deux codes : l'un privé, l'autre public. Ces deux codes sont utilisés de concert dans l'algorithme de cryptage/décryptage. Reportez-vous au Chapitre 4 pour en apprendre plus au sujet du cryptage des courriers.

Signature numérique

Etant donné qu'un message décodé avec une clé publique ne peut avoir été émis que par le possesseur de la clé privée correspondante, le processus de codage peut être utilisé pour vous identifier auprès de vos correspondants.

Si votre programme de messagerie n'est pas à même de gérer le cryptage des courriers, tapez le mot "encryption" dans un moteur de recherche, ou essayez **http://www.yahoo.com/msn/Computers_and_Internet/Security_and_Encryption/**.

Les programmes de cryptage ne sont pas très simples à utiliser. Si vous décidez d'utiliser PGP (par exemple), procurez-vous un programme "frontal" (comme WinPGP par exemple) qui facilitera grandement les choses. Si vous décidez d'utiliser un programme de cryptage, sachez que ce processus ne suffira pas à assurer la totale sécurité des messages transmis : les fuites peuvent toujours venir du ou des destinataires…

Gare au prince charmant !

Lorsque vous entrez en communication avec une personne sur le Net, vous n'avez aucune idée de son apparence physique, même si la magie de l'Internet peut rapidement vous persuader du contraire !

Le cyberespace n'est pas le monde réel : les personnes que vous y rencontrerez ne sont pas forcément identiques sur le Net et dans la vie réelle. Un homme célibataire peut être marié. Juliette Binoche peut s'avérer Raymonde Bidochon. Un fringant directeur artistique de 25 ans peut cacher un boutonneux de 16 ans. Le mensonge en ligne est monnaie courante !

Mais tous les internautes ne mentent pas, et la majorité est même totalement honnête. Tant que la personne avec laquelle vous discutez en ligne ne peut pas vous retrouver, la discussion est sans danger. Mais si vous donnez des éléments qui peuvent lui permettre de vous retrouver physiquement, le prince charmant peut se transformer en tout autre chose que ce que vous attendiez. Si vous décidez de rencontrer quelqu'un en chair et en os après avoir discuté avec lui en ligne, attention aux mauvaises surprises !

Profils

Si vous êtes membre d'un service en ligne, ne mettez pas des informations trop personnelles dans votre profil. La plupart des services permettent aux autres membres de visualiser ces informations. Omettez en particulier votre adresse, votre numéro de téléphone et toute autre information qui permettrait de vous identifier.

Quand elle devient il...

Dans le Chapitre 18, vous avez appris ce qu'était la communication en direct. Ce média est utilisé par de nombreuses personnes pour rencontrer des personnes du sexe opposé. Parfois, les personnes contactées ne sont pas ce qu'elles prétendent être. Il n'est pas rare qu'un homme se fasse passer pour une femme. Si vous utilisez le dialogue en direct, sachez que votre interlocuteur peut ne peut pas être celui ou celle qu'il prétend.

La dépendance au Net

L'Internet peut entraîner une dépendance, en particulier en ce qui concerne les systèmes de dialogue en direct, le Web et les groupes de discussion (listes de diffusion et groupes de nouvelles).

Le dialogue en direct est une véritable drogue pour beaucoup.

Le Web n'est pas à ce point irrésistible, mais il s'agit néanmoins d'une véritable distraction : il y a tant à découvrir ! Sans vous en rendre compte, vous pouvez très bien passer plusieurs heures à voyager de site en site.

Les groupes de discussion sont aussi un vrai problème. Certains passeront la moitié de leurs journées à lire les messages et à y répondre.

L'autodiscipline est le seul vrai remède. Si votre vie réelle est intéressante, votre envie de traîner des heures durant sur le Net ne sera certainement pas handicapante. La peur de perdre votre travail peut aussi être une réelle motivation. Si vous n'arrivez pas à vous raisonner, pourquoi... ne pas chercher la réponse sur le Net. Faites une recherche sur le mot "addiction" et vous trouverez des sites Web qui vous aideront à vaincre votre dépendance. Vous pouvez aussi vous connecter au site The Center for On Line Addiction à l'adresse (**http://www.pitt.edu/~ksy**) pour voir si vous êtes un vrai accro.

Ce que les gens disent de vous

Il existe une façon de savoir ce que les gens disent de vous dans les groupes de nouvelles et les pages Web. Cela peut être très utile pour toutes les personnes publiques.

Le Chapitre 21 décrit le fonctionnement des moteurs de recherche. Vous pouvez utiliser AltaVista pour savoir ce que l'on dit de vous dans les pages Web (ce service permet en effet d'effectuer des recherches dans le contenu des pages Web). Pour effectuer des recherches dans les groupes de nouvelles, vous devrez passer par un programme spécialisé, comme Deja News (**http://www.dejanews.com/**). Tapez le nom ou le mot à rechercher, puis validez. Le programme effectue une recherche dans les groupes de nouvelles et affiche une liste de correspondances (voir Figure 22.2). Cliquez sur l'un des messages listés pour voir ce que l'on dit de vous.

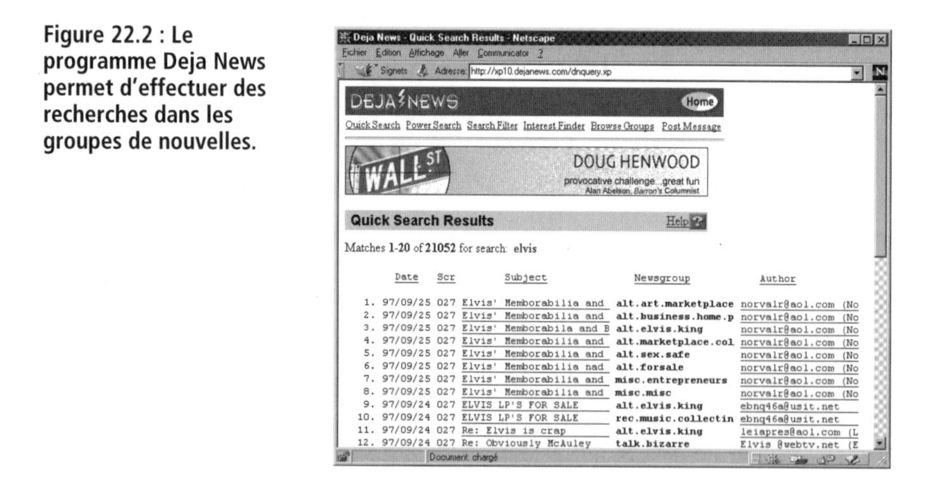

Figure 22.2 : Le programme Deja News permet d'effectuer des recherches dans les groupes de nouvelles.

Deja News n'est pas le seul outil de recherche. Vous en trouverez de nombreux autres à l'adresse **http://www.yahoo.com/News/Usenet/Searching_and_Filtering/**. Il existe aussi un bon outil de recherche dans les listes de diffusion et les forums Web : Reference.com (**http://www.reference.com**). Si vous le souhaitez, il est possible de lancer une recherche automatique toutes les semaines. Le résultat de la recherche est renvoyé dans un courrier électronique. Vous pouvez aussi vous intéresser au site **http://wais.sensei.com/au/** (attention, cet outil se limite aux listes Macintosh).

Surfer en travaillant

Certains salariés ont été licenciés après avoir visualisé des sites Web pendant leurs heures de travail. Bien entendu, il est possible d'éviter ce genre de désagrément en restant éloigné des sites incriminés. Mais si vous avez réellement besoin de vous connecter à ces sites, il sera prudent d'effacer le cache lorsque vous aurez fini (voir Chapitre 6). Lorsque vous visitez un site, une copie de la page Web est sauvegardée sur votre disque dur, pour le cas où vous voudriez revisiter ce site. Un historique montrant les pages visitées est aussi établi. A titre d'exemple, l'historique d'Internet Explorer et de Netscape Navigator 4 est capable de mémoriser les sites visités dans la session courante, mais aussi dans les sessions précédentes.

Pour effacer les traces gênantes de vos parcours sur le Web, vous devrez enlever les pages conflictuelles du cache et de l'historique.

Espionnage

Il existe des programmes qui permettent de connaître l'activité passée d'un navigateur, même lorsque le cache et l'historique ont été nettoyés. Il serait donc peut-être plus prudent de retourner travailler...

Vol de numéro de carte de crédit

Les internautes croient volontiers que le téléachat est dangereux, car leur numéro de carte de crédit peut être intercepté. Si cette idée vous effleure l'esprit, sachez que détourner un numéro de carte de crédit sur le Net n'est vraiment pas courant, car cela demande une grande habileté de la part du voleur. Les banques sont relativement sereines à ce sujet et n'estiment pas les risques plus grands sur le Net que dans la vie réelle.

Les données sujettes à détournement sont cryptées dans les deux navigateurs les plus courants, Netscape et Internet Explorer. De nombreux sites commerciaux utilisent des serveurs Web spéciaux qui codent les données échangées avec les utilisateurs finaux.

Lorsqu'un numéro de carte de crédit est envoyé vers un de ces serveurs, il est crypté et totalement inexploitable par un tiers. Dans la Figure 22.3, remarquez le cadenas dans la partie inférieure droite de la fenêtre. Cette icône est utilisée par Internet Explorer et Netscape Navigator 4 pour indiquer que le site en cours de visualisation est sécurisé. Quant à Netscape 2 et 3, il affiche une clé dans la partie inférieure de la fenêtre. Si la clé est cassée, le site en cours de visualisation n'est pas sécurisé.

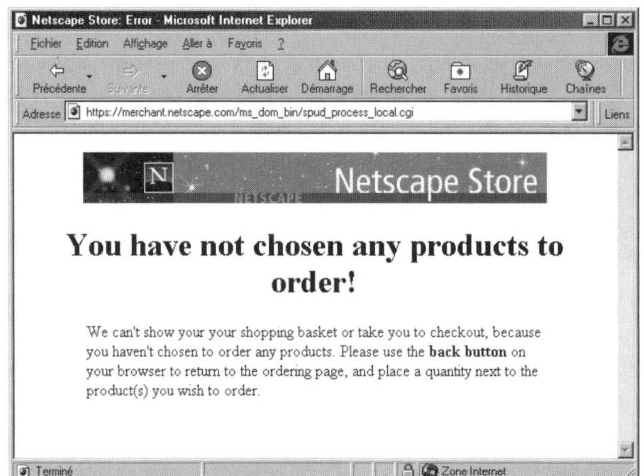

Figure 22.3 : Lorsqu'un cadenas est affiché dans la partie inférieure droite de la fenêtre, vous pouvez envoyer votre numéro de carte de crédit en toute sécurité.

Des courriers incognito

Tous les jours, des milliers de personnes emploient des propos qui pourraient se retourner contre elles sur le Net. Pour éviter d'en arriver là, il est possible d'envoyer des messages sous une forme anonyme. Vous pouvez par exemple entrer des informations inexactes (autre nom et autre adresse) dans le programme utilisé pour le courrier ou les groupes de nouvelles. Lorsque le courrier est envoyé, son en-tête contient les fausses informations. Cela peut tromper la plupart de vos correspondants, mais le processus n'est pas infaillible. L'en-tête contient d'autres informations qui peuvent permettre à un administrateur système (ou à la police !) de retrouver la personne qui en est à l'origine.

Une autre méthode consiste à utiliser un "réachemineur". Ce système poste les courriers qui lui sont transmis en enlevant toutes les informations qui pourraient permettre de trouver les traces de leurs auteurs. En d'autres termes, vous envoyez les messages à ce système en indiquant à quel groupe de nouvelles ils sont destinés. Le système envoie alors les messages de façon anonyme.

Ces services peuvent être trouvés en recherchant le mot "réachemineur" dans un moteur de recherche. Vous pouvez aussi consulter le site **http://electron.rutgers.edu/ ~gambino/anon_servers/anon.html**, ou la page Yahoo dédiée aux réachemineurs : **http://www.yahoo.com/Computers_and_Internet/Security_and_Encryption/Anonymous_Mailers/.** Avec ces systèmes, vous pourrez envoyer anonymement des courriers et des messages destinés à des groupes de nouvelles. Ces services ne sont pas parfaits. Ils dépendent de la bonne volonté de leur administrateur, qui risque parfois la prison : si la police frappe à sa porte, l'administrateur pourra être mis dans l'obligation de livrer les messages qu'il détient et ainsi de dévoiler leur origine.

Un autre problème

En aucun cas, vous ne pouvez vous assurer de la totale transparence du réachemineur. Qui vous garantit en effet qu'un service de police n'assure pas son fonctionnement ?

Les risques subsistent même si vous passez par un "authentique" réachemineur : vos messages peuvent par exemple être interceptés entre votre ordinateur et celui du réachemineur. Pour en savoir plus, consultez le site **http://electron.rutgers.edu/ ~gambino/anon_servers/anonfaq** qui recense les questions les plus fréquentes relatives aux réachemineurs. Certains internautes qui désirent à tout prix assurer la confidentialité à leurs messages ont écrit des programmes qui provoquent le chaînage de leurs messages à travers plusieurs réachemineurs. Seul le premier élément de la chaîne connaît l'origine du message, mais dans aucun cas la destination finale. La sécurité est donc assurée.

Utilisation publique

Il est très simple de capturer des données sur l'Internet. Mais il faut bien faire la différence entre la capture et l'utilisation des données.

Si vous avez créé une œuvre (au sens général du terme), celle-ci vous appartient ou appartient à la société pour laquelle vous l'avez créée et vous pouvez la placer où bon vous semble.

La loi sur le copyright est complexe et ne se résume pas à ces quelques lignes. Une chose importante doit cependant être notée : l'œuvre ne vous appartient pas si vous ne l'avez pas créée. Lorsqu'une œuvre est placée sur le Net, elle doit être accompagnée d'une notice spécifiant qu'elle peut être librement utilisée pour que vous puissiez en faire un usage public. Attention, dans certains cas, cette notice ne suffit pas : êtes-vous en effet certain que la personne à l'origine de la notice soit la même que celle qui a créé l'œuvre ?

Utilisation personnelle

Lorsque vous visitez un site Web, les données visualisées sont copiées sur votre disque dur. Dans la plupart des cas, vous pourrez les utiliser pour vos besoins personnels, même si certains juristes prétendent que la simple utilisation d'un cache disque va à l'encontre des lois sur le copyright.

Danger : virus

Les virus informatiques sont des programmes qui peuvent se loger dans votre ordinateur et y effectuer toutes sortes de vilaines choses : formatage du disque dur, destruction des informations concernant les répertoires et les fichiers, etc.

Sachez que le tapage qui a été fait autour des virus est largement exagéré. Lorsque quelque chose fonctionne mal sur un ordinateur, il est facile d'incriminer un virus. A titre d'exemple, le virus Good Times a été inventé de toutes pièces. Ce virus aurait été transmis à certains internautes via leur boîte à lettres. Etant donné que les boîtes aux lettres ne peuvent contenir que des messages texte (en dehors des fichiers attachés), il est impossible d'y placer un virus.

Seuls les fichiers capables d'effectuer des actions peuvent contenir des virus. Cela concerne les programmes, mais aussi les documents créés dans des traitements de texte qui possèdent un langage de macros. C'est ainsi qu'un certain nombre de virus attachés aux documents Word et Excel pour Windows sont apparus voici deux ans. Lorsqu'un fichier ne peut être exploité sans le concours d'un programme externe, il ne peut pas abriter un virus. Un fichier texte pur (comme les messages électroniques), une image .GIF ou .JPEG ne peuvent causer aucun dommage.

Si vous comptez télécharger des programmes sur l'Internet, vous ferez appel à un anti-virus pour vous protéger avant de les exécuter.

Résumé

- Certains sites parlent de sexe sur l'Internet. Pour protéger vos enfants, il suffit d'utiliser un filtre qui interdira l'accès aux sites jugés inconvenants.
- Les courriers électroniques peuvent aisément être détournés. Il est donc conseillé de ne rien écrire que vous pourriez regretter par la suite.
- Comme dans la vie courante, certaines personnes tiennent des propos mensongers sur le Net. Ils peuvent ne pas être ce qu'ils prétendent... ou se faire passer pour une personne du sexe opposé.
- Attention à ne pas devenir des accros du Net.
- Pour savoir ce que les gens disent de vous, vous pouvez effectuer des recherches dans des centaines de groupes de nouvelles en utilisant des programmes comme Deja News.
- Votre patron peut retrouver la trace des sites visités. Alors, attention aux représailles !
- La carte de crédit est aussi sûre en ligne que dans la vie de tous les jours.
- Des programmes spéciaux (réachemineurs) peuvent être utilisés pour assurer l'anonymat dans les courriers électroniques et dans les groupes de nouvelles.
- Les données provenant de l'Internet ne sont pas votre propriété. Elles sont protégées par copyright.
- Les virus ne sont pas monnaie courante sur le Net, mais vous serez plus prudent de vous protéger en utilisant un anti-virus.

INTERNET

Chapitre 23

Tout ce que vous avez toujours voulu savoir...

Dans ce chapitre

- Comptes shell, finger et Winsock
- Changer de mot de passe
- Pourquoi certains programmes ne fonctionnent pas sous Windows
- Devenir riche sur l'Internet
- Problèmes de connexion
- Rester anonyme

Dans ce chapitre, vous trouverez la réponse aux questions les plus fréquentes que vous pouvez vous poser et à certains problèmes qui ont pu vous arriver.

Accès en mode texte

Si vous avez une liaison PPP ou SLIP avec un fournisseur d'accès, il est fort probable que vous ayez aussi un accès en mode texte. Vous avez donc le choix : vous pouvez vous connecter via une interface graphique ou entrer des commandes texte sur une ligne de commande. Pourquoi se connecter en mode texte alors qu'une interface graphique est tellement plus souple ? La plupart des fournisseurs d'accès offrent un compte shell (certains osent le facturer !) lorsque vous souscrivez un compte PPP. La commande **finger**, analysée un peu plus loin dans ce chapitre, vous montrera pourquoi il peut être utile d'accéder à l'Internet par une ligne de commande.

Changer son mot de passe

La plupart des fournisseurs d'accès permettent de modifier très simplement le mot de passe des connexions PPP ou SLIP. Ils vous encouragent même à le faire pour votre propre sécurité. Chez certains fournisseurs d'accès, la modification se fait dans un formulaire. Sinon, voici comment procéder.

Si vous êtes abonné à un service en ligne (comme MSN, AOL ou Compuserve), il se peut qu'il existe une commande de menu permettant de changer le mot de passe. Si vous passez par un fournisseur d'accès, vous devrez certainement vous connecter à son système en mode terminal. Recherchez une commande de menu du style **Account Assistance**, puis une autre du style **Change Password**.

Un mauvais présage

Quelques-uns des principaux services en ligne ne permettent pas de changer de mot de passe sans leur concours. Vous devez leur téléphoner et leur fournir le nouveau mot de passe.

Voyons comment procéder.

La première méthode consiste à utiliser un simple programme de communication, comme Terminal sous Windows 3.1 ou HyperTerminal sous Windows 95. Bien entendu, vous pouvez tout aussi bien utiliser un programme de communication commercial ou shareware du même type. Composez le numéro de votre fournisseur d'accès et connectez-vous. Si nécessaire, demandez de l'aide au fournisseur d'accès (les instructions à entrer peuvent être différentes). Pour plus d'informations à ce sujet, vous pouvez envoyer un courrier électronique à l'adresse **ciginternet@mcp.com**. Tapez le mot **first** dans la ligne **Sujet** et n'entrez aucun texte dans le corps du message. Vous recevrez en retour un document correspondant au Chapitre 7 de la première édition de ce livre.

La deuxième méthode consiste à vous connecter au fournisseur d'accès via une liaison Telnet (voir Chapitre 20). Après connexion, rendez-vous dans le menu **Change password** et effectuez la modification. Avant de vous connecter, demandez à votre fournisseur d'accès le nom du domaine Telnet à utiliser.

Qu'est-ce que Winsock ?

Winsock est l'abréviation de **Windows Socket**. C'est la couche logicielle utilisée par Windows pour effectuer la liaison entre l'Internet et les programmes TCP/IP qui s'exécutent sur votre ordinateur. De la même façon qu'une imprimante nécessite un driver d'impression pour fonctionner, l'Internet nécessite un "driver" pour relier logiciels et matériels.

Si vous utilisez Windows 3.1, vous devrez vous procurer la couche logicielle Winsock, car elle n'est pas fournie avec le système d'exploitation. La plupart des fournisseurs d'accès et des services en ligne incluent Winsock dans leur kit de connexion. La version la plus répandue est Trumpet Winsock. Vous la trouverez aisément dans de nombreux sites d'archives (voir Annexe A). Les utilisateurs de Windows 95 n'auront pas à se la procurer puisqu'elle fait partie intégrante de cette version de Windows (le paramétrage de cette interface demande par contre de bonnes connaissances réseau). Pour ne pas trop peiner, le plus simple consiste à utiliser le programme d'installation de votre fournisseur d'accès ou de votre service en ligne.

Pourquoi Netscape ne veut-il pas fonctionner sous Windows 95 ?

Ce problème est assez courant. Supposons que ayez installé le logiciel nécessaire au fonctionnement de Compuserve, d'un autre service en ligne, ou celui proposé par votre fournisseur d'accès. Vous vous rendez sur le site de Netscape ou sur celui de Microsoft pour télécharger la dernière version du navigateur Netscape ou Internet Explorer. En tant qu'utilisateur de Windows 95, vous rapatriez bien entendu la version Windows 95 du navigateur. Mais après son installation, elle refuse de fonctionner. Que se passe-t-il ?

Le problème vient de la version de Winsock utilisée : actuellement, vous utilisez certainement une version 16 bits de Winsock. Lorsque vous souhaitez exécuter un navigateur 32 bits (comme Netscape ou Internet Explorer pour Windows 95), vous devez utiliser une version 32 bits de Winsock ! Malheureusement, de nombreux services en ligne et fournisseurs d'accès distribuent encore une version 16 bits de Winsock...

Ce problème disparaîtra petit à petit, au fur et à mesure que les services en ligne et fournisseurs d'accès passeront à la version 32 bits de Winsock. En attendant, deux solutions s'offrent à vous :

1. Continuer à utiliser la version 16 bits de Winsock. Dans ce cas, vous vous limitez à l'utilisation de programmes 16 bits.
2. Demander de l'aide auprès de votre fournisseur d'accès pour configurer le programme de communication utilisé ou pour installer la version 32 bits de Winsock.

Comment devenir riche sur le Net ?

La chose était simple il y a quelque temps. Il suffisait de proposer un service ou un logiciel dédié à l'Internet pendant quelques mois, avec un budget quasi nul, puis d'effectuer une offre publique de vente.

Il y a peu, je pensais que ce type de pirouette allait rapidement disparaître. Apparemment, il n'en est rien. Récemment, une offre publique de vente a été appliquée à la librairie online Amazon.com. Même si cette société n'était pas bénéficiaire et ne pensait pas faire des bénéfices dans l'avenir, le titre s'est envolé bien au delà de sa valeur réelle.

D'autres sociétés, comme Yahoo!, Netscape et Spyglass ont utilisé la même démarche pour s'enrichir rapidement. Un autre exemple : la fortune de l'écrivain à succès américain James Gleick est évaluée à 25 millions de dollars par la liste des millionnaires du Net (**http://www.pulver.com/million/**). Pas si mal pour un peu moins de deux ans de travail qui ont conduit à la mise en place d'un petit fournisseur d'accès (The Pipeline), lequel a été vendu par la suite à un bien plus important fournisseur d'accès (PSINet).

Mais il est peut-être un peu tard pour jouer à ce petit jeu. Le marché est saturé, et les personnes qui veulent faire de l'argent sur le Net sont en nombre bien plus important que celles qui en font effectivement. Attendez la prochaine vague...

Comment vendre sur le Net ?

La deuxième technique permettant de faire de l'argent sur l'Internet consiste à y vendre des produits les plus divers : de la vinaigrette, des ours en peluche (voir Figure 23.1), des chevaux miniatures ou vivants, des services juridiques, des scanners, de l'assistance Internet voire même des terrains ou des habitations.

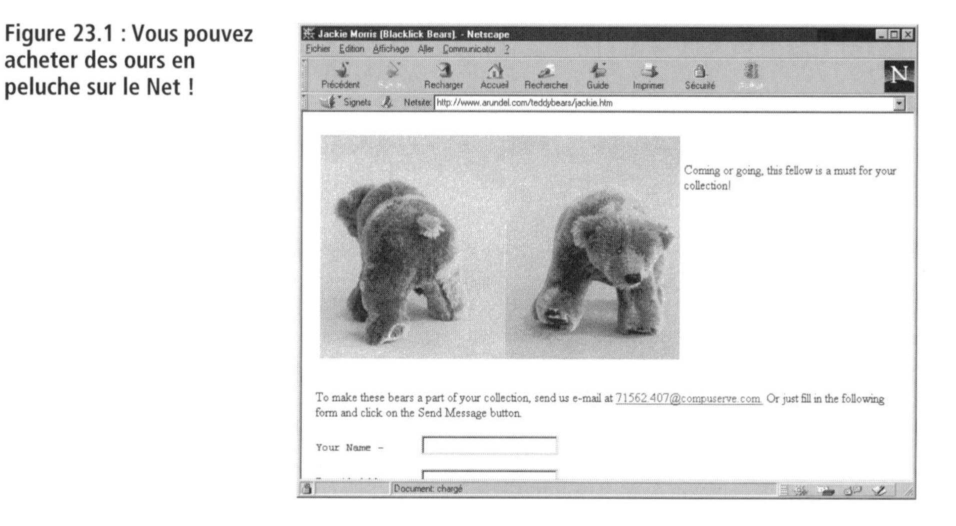

Figure 23.1 : Vous pouvez acheter des ours en peluche sur le Net !

Pour le moment, peu de personnes font de la vente sur le Net, mais il y a certainement beaucoup à attendre du côté des campagnes publicitaires. Pour vous y atteler, vous devrez apprendre de nombreuses choses sur le Net. Ne pensez pas qu'il suffise de quelques pages Web pour commencer à vendre vos produits. Vous devrez aussi faire la promotion de votre site dans les groupes de nouvelles, les listes de diffusion, les forums en ligne et les autres services du Net. Alors, au travail...

J'ai un modem rapide, et pourtant, les communications sont très lentes

Vous venez d'installer un modem 33 600 bps, et pourtant, certains sites Web ne s'affichent pas aussi rapidement que vous le souhaiteriez. Avant d'atterrir dans votre ordinateur, les informations doivent transiter par plusieurs machines et par plusieurs lignes.

La transmission d'informations sur le Net peut être comparée à une course de relais. La vitesse avec laquelle vous parviennent les informations dépend du maillon le plus faible de la chaîne et du taux d'occupation de chacun des maillons. Si vous vous connectez à un site Web très populaire, il se peut que plusieurs centaines de personnes essaient de contacter ce site en même temps que vous !

Si cela peut vous consoler, tous les internautes de la planète sont confrontés au même problème et seuls les sites les plus visités ont des temps d'accès déplorables.

L'Internet va-t-il tuer la télévision ?

Aucunement ! L'Internet et la télévision sont deux choses différentes. L'un demande une conduite active alors que l'autre peut se regarder passivement. Il y a quelques années, la télévision était censée tuer le cinéma et la radio, le cinéma tuer le théâtre...

Pourquoi personne ne consulte mes pages Web ?

Vous avez entendu dire que chaque page Web était accessible par plusieurs millions d'internautes et vous avez cru à cette affirmation. Les Etats-Unis sont peuplés de quelque 250 millions d'individus. Si vous installez un panneau d'affichage dans une ville des Etats-Unis, pensez-vous que les 250 millions d'habitants l'apercevront ?

Le Web n'est pas une route nationale, et vos pages ne peuvent pas être comparées à un panneau d'affichage. Pour que des personnes se connectent à votre site, vous devez en faire la promotion. La présentation du site ne doit pas forcément être éblouissante mais fonctionnelle. Sa promotion peut alors être efficace (même s'il ne contient pas des applets Java pour améliorer sa présentation).

Comment rester anonyme sur le Net ?

De nombreuses personnes souhaitent rester anonymes sur l'Internet. C'est par exemple le cas des personnes qui côtoient les forums de discussion. Si une relation se développe en ligne, chacun doit être en mesure de choisir les informations personnelles qu'il désire divulguer.

Il existe plusieurs degrés d'anonymat sur l'Internet. Le premier est très simple à mettre en place :

- Ouvrez un compte Internet en spécifiant un nom qui n'a rien à voir avec votre nom réel. Si vous vous appelez Jeanne Fontaine, utilisez par exemple le nom HipChick ou SusanneMartin pour vous connecter.
- Si vous passez par un service en ligne, assurez-vous que votre profil n'est pas défini. Comme nous l'avons dit plus haut, de nombreux services en ligne permettent de définir des informations personnelles qui sont visualisables par d'autres personnes, par exemple lors de discussions en direct.

- Si vous passez par un fournisseur d'accès, vous pouvez lui demander d'interdire l'accès à votre compte par le programme finger. Comme nous le verrons dans le chapitre suivant, ce programme permet à tout internaute d'obtenir des informations sur vous.
- Lorsque vous êtes connecté à l'Internet, ne donnez pas d'informations permettant de vous identifier dans les messages que vous envoyez aux groupes de nouvelles et aux listes de diffusion.

Même si ces quelques précautions n'assurent pas un total anonymat, elles suffisent dans bien des cas. Le fournisseur d'accès est le seul interlocuteur permettant de rattacher une personne au pseudonyme HipChick ou SusanneMartin. Ces informations ne seront en général pas communiquées, à moins que la personne incriminée n'ait des comptes à rendre à la justice.

Pour préserver votre anonymat, vous pouvez aussi faire appel à des "réacheminеurs". Ces systèmes permettent d'adresser des messages électroniques anonymes à des groupes de nouvelles. Les messages sont envoyés au réacheminеur. Ce dernier enlève toute information vous concernant et envoie les messages vers leur destinataire (voir Chapitre 22).

Vous pouvez aussi envoyer des messages anonymes à partir de lieux publics. Certaines bibliothèques mettent à disposition de leurs clients un ordinateur connecté à leur site Web via un navigateur. La plupart des navigateurs actuels contiennent un système de messagerie que vous pouvez utiliser. Aujourd'hui, ces bibliothèques se font rares. Lorsqu'elles donnent accès à Internet, elles interdisent parfois l'utilisation du courrier électronique.

L'obtention d'un compte Internet totalement anonyme est quasi-impossible. La plupart des fournisseurs d'accès demandent des informations qui vous identifient formellement : une carte de crédit, un permis de conduire, etc. Avec un peu d'imagination cependant, rien n'est impossible...

Qu'est-ce que finger ?

C'est une commande UNIX qui permet d'obtenir des informations sur un internaute. Cette commande peut être utilisée de deux façons :

- Connectez-vous chez votre fournisseur d'accès en mode texte. Tapez **finger** puis appuyez sur la touche **Entrée** pour valider.
- Installez un client finger, c'est-à-dire un programme permettant de lancer la commande **finger** depuis votre interface graphique.

Voici comment utiliser finger. Supposons que vous désiriez avoir des informations sur la personne dont l'adresse électronique est **HipClick@big.net**. Tapez simplement **finger HipClick@big.net** et appuyez sur la touche **Entrée**. Votre requête est envoyée au site big.net. En retour, vous obtiendrez (dans le meilleur des cas) le nom de la personne correspondante. C'est la raison pour laquelle nous vous conseillons de demander à votre fournisseur d'accès de désactiver l'information finger pour votre compte dans les pages précédentes.

Tout dépend du fournisseur d'accès

*De nombreux fournisseurs d'accès désactivent purement et simplement l'information finger pour tous leurs abonnés. Si, par exemple, vous envoyez la commande **finger HipClick@big.net**, certains fournisseurs d'accès vous enverront la liste des abonnés dont le nom est Smith, d'autres ne renverront aucune information.*

Quelqu'un peut-il falsifier ma boîte à lettres ?

Il est si simple de falsifier un courrier électronique qu'il est étonnant que cela ne se produise pas plus souvent. Les personnes qui fréquentent les groupes de nouvelles, les listes de diffusion et les forums de discussion sont peut-être plus sujettes à ces falsifications.

Pour se faire passer pour une autre personne, il suffit de placer les informations relatives à cette personne dans un programme de messagerie personnel ou, mieux encore, public. Avant de vous lancer sur ces pentes dangereuses, laissez-moi vous prévenir que ce courrier peut être enregistré à plusieurs niveaux. Cependant, le commun des mortels (police exclue) aura des difficultés pour remonter jusqu'à vous par l'intermédiaire du fournisseur d'accès.

Guerres verbales

On entend parfois dire que l'Internet œuvre pour la paix mondiale : comme de nombreuses personnes utilisent le Net pour communiquer à travers le monde, une nouvelle forme de compréhension serait en train de s'instaurer, et ainsi de suite.

Les mêmes propos ont été tenus à propos du télégraphe et de la télévision, et pourtant, ces médias n'ont rien changé dans ce domaine. Il suffit de regarder ce qui se dit dans les listes de diffusion et les groupes de nouvelles pour comprendre que l'Internet n'est pas synonyme de tolérance.

Certains messages (appelés flammes) sont destinés à attaquer une autre personne. Comme une traînée de poudre, ils déclenchent des guerres verbales entre l'attaquant, l'attaqué et les autres personnes qui prennent part à la querelle. Certains groupes de discussion sont exclusivement dédiés à ce genre d'activité. L'Internet n'est donc pas un havre de paix et de bienveillance.

Conserver son adresse électronique

Même si cette situation n'est pas très courante, il n'est pas rare qu'une personne transite par plusieurs comptes avant de trouver le meilleur compromis. Mais changer de fournisseur d'accès signifie généralement changer de boîte à lettres. Si vous le souhaitez, il est possible d'obtenir une boîte à lettres indépendante du fournisseur d'accès. Pour cela, vous devez créer votre propre domaine en contactant le service InterNIC. Pour avoir des informations à ce sujet, consultez la page Web **http://rs.internic.net**. Il vous en coûtera 100 dollars pour les deux premières années, puis 50 dollars par an pour les années suivantes. De nombreux fournisseurs d'accès sont en mesure de faire les démarches à votre place, mais cette facilité générera peut-être un léger surcoût.

Vous pouvez créer un service de courrier électronique et lui affecter un nom de domaine. Faites une recherche sur le terme "e-mail service" dans un site de recherche tel que Yahoo! pour en savoir plus. Tous les courriers adressés à ce domaine seront stockés dans le compte POP (Post Office Protocol) correspondant. Il suffira alors d'utiliser un programme de messagerie pour lire vos messages.

Pour pouvoir créer un nouveau domaine, vous devez au préalable vous abonner chez un fournisseur d'accès. Informez-le pour qu'il initialise ses ordinateurs en conséquence. Une fois que le service e-mail a été créé, peu importe le fournisseur d'accès ou le service en ligne utilisé pour y accéder. Si vous décidez de changer de fournisseur d'accès, il suffira de lui communiquer le nom de votre domaine.

Il vous en coûtera quelque 5 dollars par mois pour créer votre propre service de courrier électronique.

Pour avoir toujours la même adresse, une autre solution consiste à vous abonner à un des nombreux services de messagerie gratuits. Pour en savoir plus, faites une recherche sur le terme "free e-mail service" dans un moteur de recherche tel que Yahoo! (**http://www.yahoo.com**). Ces services sont gratuits, car ils incorporent des éléments publicitaires dans les messages qu'ils véhiculent. A titre d'exemple, la société MailBank (**http://www.mailbank.com**) a créé des centaines de nouveaux domaines basés sur le nom de chaque utilisateur. Pour une somme aussi modique que 5$ par an, vous pouvez obtenir une adresse électronique qui reprend votre nom, comme **john@kent.org** ou encore **fred@smithmail.com**.

Pourquoi un site est-il inaccessible ?

Il est parfois impossible de se connecter à un site que vous avez déjà visité ou dont vous avez entendu parler. Vous rencontrerez ainsi des pages Web inaccessibles, des sites FTP qui ne semblent pas fonctionner correctement et des sites Telnet qui semblent déconnectés.

Avant toute chose, vérifiez l'adresse du site contacté. Il suffit d'un caractère erroné ou d'une majuscule à la place d'une minuscule (et inversement) pour que la connexion soit impossible. A titre d'exemple, la Figure 23.2 représente le message affiché dans Netscape Navigator lorsque vous tentez de vous connecter à un site en entrant une mauvaise adresse. Il est aussi possible que le service que vous cherchez à atteindre soit surchargé. En fonction du programme utilisé, un message indiquant la surcharge pourra être affiché. Il se peut aussi que le site soit temporairement déconnecté : l'ordinateur qui gère ce service peut être "planté" ou simplement déconnecté pour réfection. Pour terminer, il se peut aussi que le service n'existe plus.

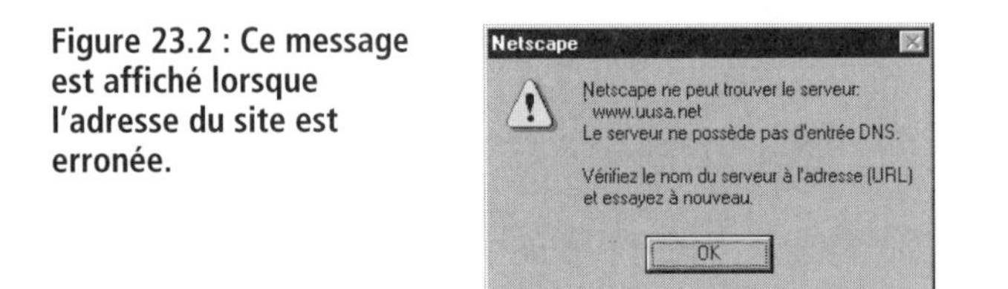

Figure 23.2 : Ce message est affiché lorsque l'adresse du site est erronée.

Vous pouvez tenter de vous connecter quelques instants plus tard. Il est fort possible que le service soit alors accessible. Le problème peut aussi provenir du programme utilisé : certains navigateurs ont parfois des difficultés pour accéder aux données provenant d'un site. Il suffit d'annuler le transfert et de se reconnecter au site pour éliminer le problème.

Ne jetez pas trop rapidement la pierre

Souvent, le problème peut venir de votre fournisseur d'accès et non du site sur lequel vous voulez vous connecter. Essayez d'atteindre plusieurs sites. Si aucun d'entre eux n'est accessible, le problème vient certainement de votre connexion avec le fournisseur d'accès ou du fournisseur d'accès lui-même. Raccrochez la ligne et tentez une nouvelle connexion.

Pourquoi cette URL ne fonctionne plus ?

Les URL sont un cas particulier. En rectifiant une URL qui ne semble pas valide, il peut être possible d'accéder aux informations.

Dans un premier temps, assurez-vous que vous utilisez la bonne casse dans l'adresse URL : si, par exemple, un mot apparaît en majuscules, ne le tapez pas en minuscules.

Enlevez le point

Les URL ne se terminent jamais par un point décimal. Dans certains magazines, vous pourrez rencontrer des URL qui semblent se terminer par un point. Ce dernier ne fait pas partie de l'URL. Il marque simplement la fin de la phrase.

Dans un second temps, assurez-vous que vous utilisez la bonne extension : si l'URL se termine par .htm, vérifiez que vous n'avez pas tapé .html (par exemple). Si l'URL n'est toujours pas accessible, vous pouvez en supprimer une partie. Supposons par exemple que vous travaillez avec l'URL suivante :

http://www.big.net/public/software/macintosh/internet/listing.html

Vous avez essayé de remplacer listing.html par listing.htm sans succès. Enlevez la dernière partie de l'URL (listing.html) et essayez à nouveau. Vous obtiendrez peut être un document contenant des liens utiles pour accéder aux informations recherchées. Si cette manœuvre ne donne rien, enlevez la partie "internet/" de l'URL **http://www.big.net/public/software/macintosh/**. Continuez ainsi en enlevant une à une les parties les plus à droite de l'URL. Dans la plupart des cas, vous accéderez à une page qui donnera accès aux informations recherchées.

Mon téléchargement n'a pas abouti. Pourquoi ?

La plupart des services en ligne utilisent des systèmes de téléchargement qui permettent de reprendre le téléchargement d'un fichier là où il a été interrompu. Si, par exemple, votre enfant de trois ans débranche votre PC pendant que vous êtes en train de télécharger un fichier sur Compuserve, tout n'est pas perdu. Relancez votre ordinateur, reconnectez-vous à Compuserve et relancez le téléchargement. Ce dernier reprendra à l'endroit où il a été interrompu.

Ce type de fonctionnement ne s'applique pas encore au Web. Il concerne cependant quelques sites FTP, pour peu qu'ils soient utilisés avec certains programmes dédiés FTP (voir Chapitre 14). Si vous préférez utiliser votre navigateur pour télécharger des fichiers, éloignez vos enfants de l'ordinateur.

Est-il possible de devenir fournisseur d'accès ?

De nombreux internautes voudraient devenir fournisseur d'accès. Ce qu'ils ne savent pas, c'est à quel point la tâche est complexe et la concurrence fait rage. Si vous n'avez pas les compétences nécessaires, mieux vaut ne pas vous risquer dans l'aventure. Dans les dernières années, de nombreux fournisseurs d'accès ont dû fermer boutique lorsque les géants de la communication ont débarqué sur le Net. Pourquoi aller au devant de tant de problèmes ? Il y a beaucoup d'autres domaines où les chances de succès sont bien supérieures.

Quelques suggestions

L'Internet est immense et les façons de l'utiliser sont nombreuses. Vous allez maintenant être livré à vous-même. Voici quelques suggestions qui vous éviteront de vous égarer :

- Lisez les FAQ (*Frequent Asked Questions*). Il s'agit de fichiers qui apportent des réponses aux questions les plus fréquentes concernant un sujet donné. La plupart des groupes de nouvelles et des listes de diffusion donnent accès à une FAQ qui explique leur fonctionnement. Certains sites Web donnent aussi accès à des pages de FAQ. N'hésitez surtout pas à les lire.
- Continuez votre apprentissage en lisant d'autres livres consacrés à l'Internet. Celui que vous avez entre les mains n'est qu'une simple introduction. Lisez la documentation. Il

existe plusieurs centaines de programmes dédiés au Net. Lisez la documentation livrée avec chacun d'entre eux pour être sûr d'en tirer le maximum.

- Demandez de l'aide à votre fournisseur d'accès. Et si votre fournisseur d'accès n'est pas en mesure de fournir l'aide que vous attendez de lui, changez-en ! L'Internet est un univers trop complexe pour que vous avanciez à l'aveuglette.

Résumé

- Il se peut que vous possédiez un compte en mode texte à titre gracieux et que vous soyez amené à l'utiliser pour changer votre mot de passe.
- Devenir riche sur l'Internet est un peu plus complexe que ce que vous pourriez croire.
- Il ne suffit pas d'avoir un modem rapide pour accéder rapidement aux données sur l'Internet : il faut aussi que les sites visités ne soient pas surchargés.
- Utilisez un service spécialisé dans le courrier électronique si vous voulez pouvoir changer de fournisseur d'accès en gardant la même adresse e-mail.
- Si vous le souhaitez, il est possible de rester anonyme sur l'Internet.
- Si votre fournisseur d'accès ne répond pas à vos questions, changez-en !

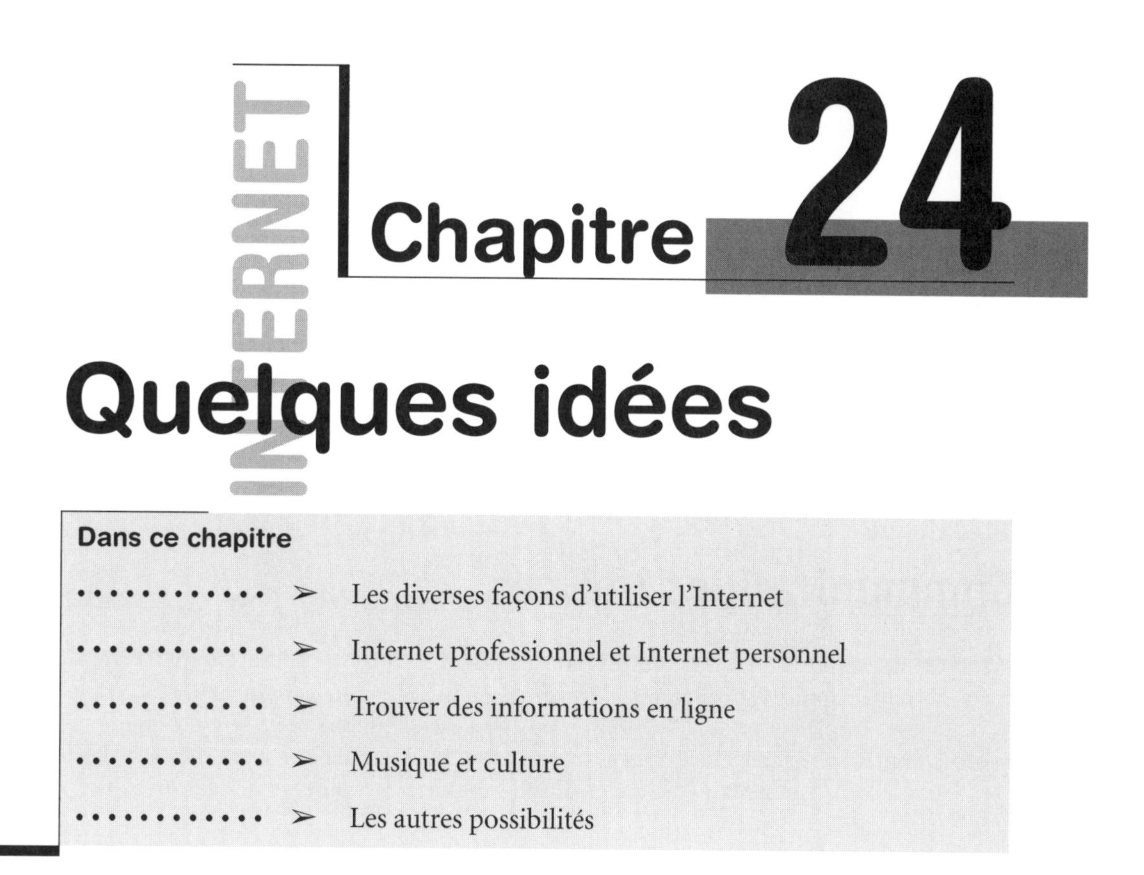

Chapitre 24

Quelques idées

Dans ce chapitre

- Les diverses façons d'utiliser l'Internet
- Internet professionnel et Internet personnel
- Trouver des informations en ligne
- Musique et culture
- Les autres possibilités

Avant de vous lancer, vous vous demandez ce que le Net peut réellement vous apporter. Ce chapitre donne quelques exemples types d'utilisation.

Rester en contact

Si vous n'avez pas contacté votre sœur depuis de longues années, vous pouvez, grâce à l'Internet, lui envoyer des courriers toutes les semaines. Et si vous projetez avec un vieil ami d'effectuer un voyage en Islande, vous pourrez échanger plusieurs courriers électroniques afin de vous mettre d'accord sur les fournitures à emporter. Vous recevrez peut-être un courrier électronique d'une personne avec qui vous avez travaillé il y a 10 ans. Les exemples d'utilisation du courrier électronique ne manquent pas.

Echanger des points de vue

Beaucoup de gens utilisent l'Internet pour entrer en contact avec d'autres personnes qui partagent les mêmes centres d'intérêt. Il leur est ainsi possible de trouver des propositions d'emploi, de discuter à propos des nouveaux outils et techniques utilisés dans leur travail ou encore de demander de l'aide sur un problème particulier. Les listes de diffusion et les groupes de nouvelles sont un moyen formidable pour échanger des points de vue sur un sujet donné.

Communications rapides

De nombreux industriels ont pris conscience que l'Internet était un outil de communication très rapide. Pourquoi saisir une lettre, un mémo ou un rapport dans un traitement de texte, l'imprimer et l'envoyer par la poste ? Le délai nécessaire à son acheminement sera compris entre un et cinq jours alors que le même document arrivera chez son destinataire une à deux minutes après son expédition s'il est envoyé par courrier électronique.

Informations produit

Vous voulez des informations sur la voiture de vos rêves ? Rendez-vous sur le site **http://www.edmunds.com/**. Comme vous le voyez sur la Figure 24.1, la page affichée contient les caractéristiques de la voiture ainsi qu'une photographie.

Support produit

Si un de vos périphériques vient à se comporter bizarrement ou si vous souhaitez mettre à jour votre driver d'imprimante, vous pourrez vous connecter à l'Internet pour télécharger les fichiers dont vous avez besoin. Le support de la plupart des fabricants de matériel et de logiciel est accessible en ligne.

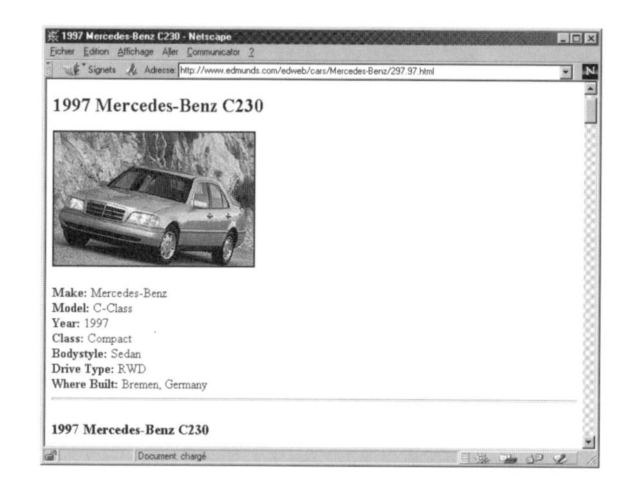

Figure 24.1 : En n'achetant pas cette voiture, vous pourrez vous payer un accès Internet pour le reste de votre vie.

Télécharger des logiciels

Vous venez de voir une publicité sur un programme particulièrement intéressant. Pourquoi ne pas télécharger sa version de démonstration en vous connectant à l'Internet ? Bientôt, il sera possible d'acheter des logiciels sur l'Internet et de les rapatrier en quelques minutes sur votre ordinateur.

Vous pouvez vous connecter à une bibliothèque de shareware (voir Annexe A). La Figure 24.2 représente le site TUCOWS (*The Ultimate Collection Of Winsock Software*). Ce site contient une multitude de shareware Windows dédiés à l'Internet. Si ce site vous intéresse, connectez-vous à l'adresse **http://www.tucows.via.ecp.fr/window95.html**.

Recherche

Que vous désiriez rédiger un document pour votre école, rechercher un livre ou planifier vos vacances, l'Internet contient un grand nombre de documents qui pourront vous aider. Sans être une bibliothèque, il donne accès à une multitude d'informations utiles.

Supposons que vous soyez en train de mettre au point un voyage en Islande. Rendez-vous sur le Web et effectuez une recherche sur le mot Islande (voir Chapitre 21). Vous recevrez en retour plus d'une centaine de sites contenant des informations sur les voyages dans ce pays, les sports, la culture, les médias, l'actualité et bien d'autres choses encore.

Windows 95 Software - Netscape
Fichier Edition Affichage Aller Communicator ?
Signets Adresse: http://tucows.via.ecp.fr/window95.html

Windows 95

@ are you getting all there is?
Download InterCasino FREE!

Anti-Virus Scanners	Archie	Audio Applications	Audio/Video Streaming
Bookmark Utilities	Browsers	Browser ActiveX Plug-Ins	Browser Add Ons
Browser Plug-Ins	Browser SearchBots	Bundled Applications	Cache Viewers
Chat-Direct	Chat-IRC/Rooms	Compression Utilities	Control Panels
Cookie Utilities	Diagnostic Tools	DNS Lookup Tools	E-Mail Anti-Spam Tools
E-Mail Checkers	E-Mail Clients	Entertainment & Games	FTP
Finger Applications	Gopher	HTML Accessories	HTML Color Pickers
HTML Editors - Beginner	HTML Editors - Advanced	HTML Editors - Text	HTML Editors - Toolbar
HTML Editors - WYSIWYG	HTML Image Mappers	HTML Special Effects	HTML Validators
Image Viewers	Internet Tools	IP Posters	Log Analyzers
Modem Dialer & Utilities	Movie Viewers	Network File Sharing	Networking (TCP/IP)

Document: chargé

Figure 24.2 : Le site TUCOWS donne aussi accès à des logiciels pour Macintosh et OS2.

Visiter des musées

Si vous habitez trop loin d'un musée que vous aimeriez visiter, connectez-vous et voyez ce que le Web vous propose (voir Figure 24.3). Les possibilités en la matière sont immenses. Peut-être qu'un jour, la plupart des œuvres d'art majeures seront sur le Net. Pour l'instant, les images et les informations sur les musées sont encore très rares.

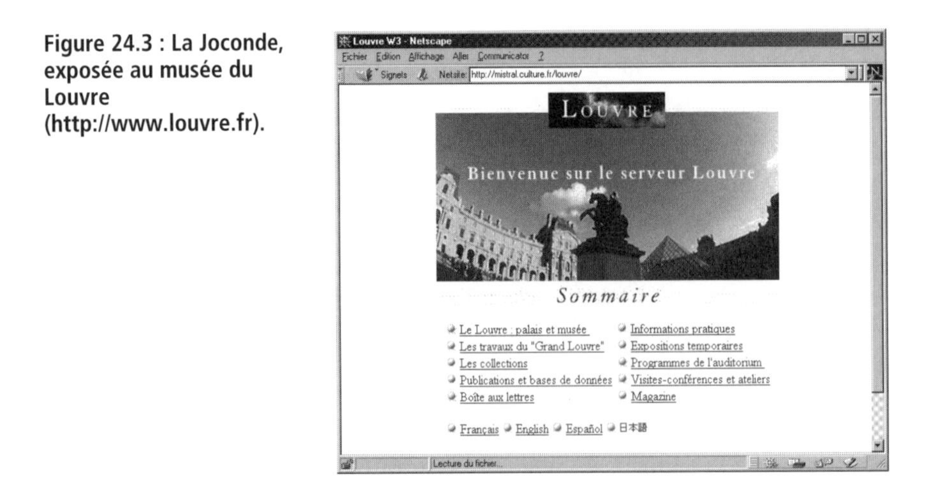

Figure 24.3 : La Joconde, exposée au musée du Louvre (http://www.louvre.fr).

Informations financières

Vous voulez connaître la cote d'une valeur boursière ou obtenir des informations sur les services bancaires en ligne ? Vous trouverez des liens concernant les principaux services financiers sur les sites de recherche présentés dans le Chapitre 21. Vous pouvez aussi vous connecter à Yahoo! Finance (**http://quote.yahoo.com**) ou sur le site InvestorGuide (**http://www.investorguide.com/**).

Musique

Si vous êtes amateur de musique, vous serez heureux d'apprendre qu'il est possible d'entendre un grand nombre de nouveautés provenant du monde entier en vous connectant à l'Internet. Essayez le site IUMA (*Internet Underground Music Archive* à l'adresse **http://www.iuma.com**). Votre instrument préféré est la cornemuse ? Vous cherchez des partitions ou des enregistrements ? Vous trouverez tout ce qui a un rapport avec la musique sur l'Internet.

Magazines et fanzines

Vous trouverez en ligne des centaines de magazines et de fanzines (publications à petit budget). Vous y trouverez aussi des livres clandestins, des bandes dessinées et des bulletins d'information traitant de tous les sujets possibles et imaginables.

Shakespeare sur le Net

Il y a peu de temps, un auteur de livres informatiques mettait en scène des pièces de Shakespeare sur IRC (*Internet Relay Chat*). Chacun des protagonistes jouait un rôle différent et ne connaissait que ses propres répliques. Précédées d'un nombre, ces dernières étaient tapées séquentiellement par les "acteurs" qui ne savaient pas à l'avance ce que diraient les autres, puisqu'ils ne possédaient pas leurs répliques. Etrange, mais étrangement fascinant…

Vous rappelez-vous des systèmes de dialogue en direct ?

Comme nous l'avons vu dans le Chapitre 17, IRC est un système de dialogue en direct. Chaque protagoniste tape un message au clavier qui est immédiatement transmis aux autres personnes qui participent à la discussion.

Si vous ne pouvez pas vous déplacer

Certains d'entre vous aimeraient rencontrer un plus grand nombre de personnes, mais ne sont pas en mesure de le faire. Peut-être à cause de leur grand âge, de leur indisponibilité ou de leur position géographique. L'Internet est un lien avec le reste du monde pour toutes ces personnes pour qui les rencontres physiques sont difficiles.

Partager vos centres d'intérêts avec d'autres personnes

Si vous avez un centre d'intérêt particulier (les extra-terrestres, Kant, le parachutisme, etc.), pourquoi ne pas échanger vos idées avec d'autres personnes en participant à un groupe de nouvelles ou une liste de diffusion (voir Chapitres 11 à 13) ? Ne croyez pas que seuls les sujets techniques ont droit de cité. Il existe même un groupe de discussion dédié à la rénovation des vieux tracteurs !

Si vous n'avez pas confiance en votre médecin

De nombreuses personnes vont chercher sur l'Internet des réponses que leur médecin n'est pas en mesure de leur donner. Que vous vous intéressiez à l'hypertension, au cancer ou au Sida, vous trouverez des informations sur ces sujets sur l'Internet. Vous voulez essayer l'homéopathie ou savoir comment utiliser des sangsues ? Connectez-vous à l'Internet.

Shopping

Même s'il y a peu de chances pour que vous le fassiez avant plusieurs années, il est possible d'effectuer ses achats en ligne. La presse semble croire que la raison d'être du Net est uniquement commerciale. Il y a pourtant beaucoup d'autres choses intéressantes à faire sur l'Internet.

Cybersexe

L'Internet est un moyen de communication formidable pour ceux qui ont des difficultés à trouver des partenaires sexuels. Cette activité constitue une toute petite partie du cyberespace, même si certains opérateurs indiquent qu'elle a largement contribué à leur développement. En vous connectant à l'Internet, vous pouvez discuter de choses que vos parents ou votre conjoint(e) auraient du mal à comprendre, avec des personnes qui trouvent vos propos tout à fait normaux.

Activisme politique

L'activisme politique pollue toutes les formes de communication. Le Net est un nouveau support permettant aux politiques de montrer leur modernisme et de gagner des voix aux élections.

Subversion

Par Internet interposé, il est possible de critiquer le système dans lequel nous vivons. Des informations que le gouvernement ne souhaite pas voir diffusées peuvent ainsi être publiées, par exemple sur certaines erreurs diplomatiques volontairement étouffées. Ces informations sont une véritable plaie pour le gouvernement américain qui a rendu si facile la distribution des logiciels de cryptage.

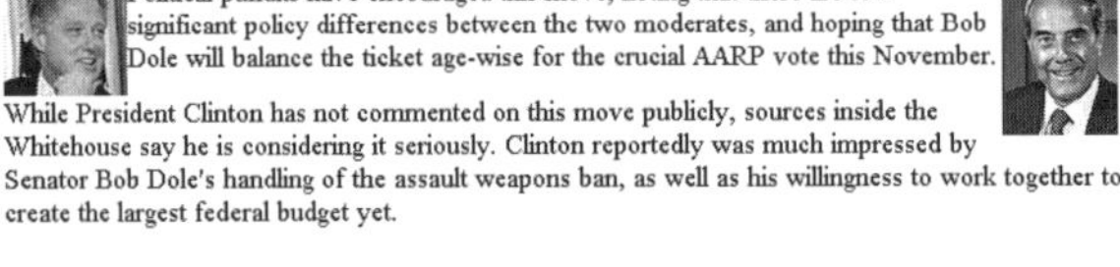

Figure 24.4 : Un exemple de site politique.

Chercher du travail (et de l'aide)

Des milliers de personnes utilisent l'Internet pour trouver du travail, et des milliers d'autres pour passer des offres d'emploi. De nombreuses associations américaines utilisent des listes de diffusion pour communiquer leurs offres d'emploi.

En France toutefois, ces possibilités sont très, très minimes...

Serveurs d'associations

Si vous dirigez une association, pourquoi ne pas définir son site Web ? Vos membres pourront consulter ce site pour connaître la date de la prochaine réunion ou les coordonnées des autres membres, avoir un aperçu des services offerts et bien d'autres choses encore. Par exemple, les adhérents potentiels sauront comment entrer en contact avec vous.

Travailler à distance

Si vous devenez un dieu de l'informatique, vous n'aurez certainement pas une minute à vous. Si vous le souhaitez, il est possible d'utiliser votre ordinateur de bureau alors que vous êtes en congé ou que vous vous trouvez chez un client. Pour cela, vous pouvez utiliser un programme permettant de prendre le contrôle d'un ordinateur distant. Ce programme sera installé sur les deux ordinateurs à relier. En appelant l'ordinateur de bureau depuis votre portable, vous pourrez télécharger des fichiers et exécuter des programmes sur l'ordinateur distant.

Comme vous vous en doutez, les appels longue distance peuvent vous coûter très cher. Désormais, certains de ces programmes peuvent être exécutés via l'Internet. La distance entre les deux ordinateurs importe peu si votre fournisseur d'accès possède un centre proche de votre lieu d'appel : vous vous connectez à l'ordinateur distant au prix d'une communication locale sans devoir supporter les tarifs correspondants aux appels longue distance.

Livre

Selon une enquête récente, les sommes consacrées à l'écriture de livres et de magazines au sujet du Net seraient actuellement plus élevées que celles résultant de la vente d'articles sur l'Internet.

Résumé

- L'Internet est immense et donne accès à des informations de tout type. Vous n'aurez certainement aucun mal à lui trouver de nombreuses autres utilisations. Le Net sera ce que vous en ferez.
- Sur l'Internet, chacun peut être un observateur et un acteur. Il est facile de créer ou de prendre part à un groupe de discussion. Comme vous l'avez vu au Chapitre 9, vous pourrez même créer votre propre site Web.
- Connectez-vous à l'Internet pour connaître ses différentes composantes et pour voir comment les autres internautes l'utilisent. Qui sait, le Net fera peut-être partie de votre vie d'ici peu !

Chapitre 25

Le devenir de l'Internet

Dans ce chapitre

Comme le dit si bien le physicien Niehls Bohr : "Il est très difficile de faire des prédictions, en particulier en ce qui concerne le futur".

Hasardons-nous cependant à quelques pronostics :

- Le Net gagnera en étendue.
- De très nombreuses personnes vont l'utiliser.
- De nombreux fournisseurs d'accès vont disparaître.
- De nombreuses sociétés vont essayer de faire de l'argent sur le Net.

Dans les lignes suivantes, je vais faire quelques autres prédictions qui n'engagent que moi.

Ralentissement de l'évolution du Net

Les changements survenus entre 1993 et 1996 ont été phénoménaux, mais l'évolution risque de ralentir pour deux raisons.

1. Les personnes qui ont découvert le Net dans ces années héroïques étaient déjà équipées d'un ordinateur et éventuellement d'un modem (elles étaient en tout cas techniquement prêtes à franchir le pas). Très peu de gens non équipés se sont découvert une passion pour le Net. La progression ne peut donc se poursuivre au même rythme : les nouveaux venus sur le Net sont aussi des néophytes en informatique. Ils doivent donc apprendre énormément de choses avant d'être opérationnels.
2. Les évolutions technologiques n'ont pas été aussi fondamentales qu'on pourrait le croire. La plupart d'entre elles proviennent de sociétés qui ont fait migrer leur technologie sur un nouveau support. A titre d'exemple, trois ans plus tôt, la plupart des internautes utilisaient une connexion Internet en mode texte. Aujourd'hui, presque tous les internautes utilisent un accès TCP/IP (SLIP ou PPP) à l'Internet dans une interface graphique. Les technologies SLIP et PPP existaient depuis plusieurs années, mais il a fallu attendre l'apparition de logiciels appropriés pour qu'ils deviennent monnaie courante. On peut citer aussi la vitesse de communication standard des modems, graduellement passée de 14 400 bps à 28 800 bps. Dans les deux cas, il s'agit de la même technologie : rien de nouveau, si ce n'est une augmentation des performances. Aujourd'hui, les modems communiquent à 33 600 bps, et la technologie 56 Kbps est en train de s'implanter. Malgré ces améliorations successives, les modems restent des périphériques trop lents.

Améliorer les choses sera plus difficile. La mise en place de lignes rapides dans le monde entier demandera des années. Et ce n'est qu'à cette condition que l'Internet pourra exprimer tout son potentiel.

Les connexions rapides ne sont pas pour demain

Les possibilités de l'Internet sont essentiellement liées à la vitesse des connexions. Certains prétendent que les sites Web doivent incorporer des éléments multimédias pour être plus attractifs. Sans connexions rapides, le multimédia est bien plus gênant qu'attractif. Le langage Java, les vidéos et les animations sont attirants, mais si votre connexion s'établit via une ligne téléphonique, l'enchantement risque de tourner au cauchemar !

Un certain nombre de problèmes technologiques doivent être résolus avant que le câble (par exemple) puisse être utilisé massivement. De plus, les sociétés téléphoniques ne sont pas encore prêtes pour fournir ce type de connexion à un prix raisonnable.

Depuis 1994, les câblo-opérateurs nous promettent des accès rapides au réseau des réseaux, mais les choses n'ont pas encore vraiment progressé. Pour appuyer ces constatations, Bill Gates déclarait dans une récente interview que les liaisons Internet se feront encore massivement par l'intermédiaire d'un modem pendant les cinq prochaines années.

Le Web multimédia

Il est évident que le multimédia (vidéo, sons, animations) va s'implanter sur le Net. Si l'émergence de nouveaux outils de création est imminente, la vitesse des connexions va cependant freiner l'utilisation massive du multimédia. Aujourd'hui, les services en ligne utilisent une faible proportion d'éléments multimédias, parce que leurs abonnés passent généralement par des lignes téléphoniques trop lentes pour autoriser le débit nécessaire à un bon fonctionnement.

Actuellement, peu de sites Web implémentent des éléments tels que son et vidéo. La majorité des pages Web se limite à des éléments textuels et à des images.

Fusion PC/TV

Dans le futur, il se peut que les informations en provenance de l'Internet soient affichables sur un écran de télévision. Il serait ainsi possible de visualiser le site Web correspondant à l'émission ou au film en cours de diffusion. Vous pourriez y trouver des compléments d'informations, une bibliographie et un ensemble de liens pour compléter vos connaissances ou acheter des produits en relation avec l'émission.

Les données du Web seraient alors transmises par le canal de télévision, de la même façon que le sont les sous-titrages destinés au public mal-entendant et les informations télétexte concernant les actualités, les scores de foot et les listes de programmes. Bien entendu, pour arriver à cela, il faut que le téléviseur soit en mesure de transmettre des requêtes aux sites Web. Cela ne devrait plus guère poser de problèmes dès que les liaisons Internet-câble seront satisfaisantes.

WebTV

Vous avez certainement entendu parler du WebTV. Ce système autorise les connexions Web sur un écran de télévision. Il peut être comparé à un ordinateur qui télécharge des pages Web et les affiche sur un écran. Les connexions avec le fournisseur d'accès sont assurées via un modem (et non par le câble).

Même si le terme WebTV (proposé par Sony et Philips/Magnavox) a des concurrents (comme le Français NetBox par exemple), il semble devoir passer à la postérité pour désigner tout système capable d'afficher le Web sur un écran de télévision.

Personnellement, je pense que le WebTV, dans sa forme actuelle, ne peut pas séduire un large public, car ses possibilités sont bien trop réduites par rapport à celles d'un ordinateur. Voici quelques arguments lourds de conséquences.

Le WebTV est assez difficile à utiliser. Il est impossible de télécharger des fichiers, d'utiliser d'autres services non Web et de choisir son fournisseur d'accès. L'affichage se fait en basse résolution, ce qui implique de multiples scrollings pour accéder aux informations. Les documents affichés ne peuvent être sauvegardés.

Le WebTV tente de simuler le fonctionnement d'un ordinateur. Il peut séduire une grande majorité de la population qui ne possède pas d'ordinateur personnel et qui croit, grâce à diverses campagnes publicitaires fort alléchantes, que le WebTV est une autre chaîne de télévision où les animations, les vidéos et les autres éléments multimédias s'affichent avec une célérité peu coutumière aux internautes avertis. Dois-je le répéter ? Internet n'est pas un système multimédia. Les futurs WebTVistes risquent de tomber de haut !

Le contre-coup de l'Internet

Les sociétés réalisent qu'il n'est pas aussi simple qu'elles le pensaient de "faire de l'argent" sur le Net. Pour l'instant, aucun magazine on-line n'a réussi à être bénéficiaire. Certains éditeurs de livres sont en train de réduire leur présence sur le Web, car ils réalisent que ce média n'est pas assez rentable pour faire vivre le service. La presse ne manquera pas de relater d'autres cas du même type.

Ce phénomène n'est pas forcément une mauvaise chose. Préoccupez-vous simplement de ce que le Net peut réellement vous apporter. Avec le temps, il sera utilisé d'une façon plus rationnelle et réfléchie.

L'Internet ne connaît pas de frontières

Certains pays interdisent des logiciels (jeux violents, programmes de cryptage, etc.). Mais l'Internet ne tient pas compte des frontières géographiques, et un programme interdit dans un pays peut très bien y être téléchargé.

Que peuvent faire les gouvernements ? Appréhender les personnes qui utilisent ces logiciels ? Menacer de sanctions les pays qui en sont à l'origine s'ils ne les enlèvent pas du marché ? Ou encore isoler leurs accès Internet du reste du monde ? Dans les années à venir, vous entendrez peut-être parler de ces trois mesures à propos de différentes affaires. L'Internet supprime les frontières, et cela ne plaît pas à tout le monde !

A suivre

Si une société distribue un logiciel sur l'Internet, peut-elle être rendue responsable si certaines personnes le téléchargent dans un pays où il a été interdit ?

L'Internet et la liberté d'expression

Voici un autre exemple concernant l'Internet et les frontières : les propos tenus par une personne dans un pays peuvent très bien ne pas être acceptables dans un autre pays. Comme l'Internet est un système mondial, sa régulation est assez difficile. Trois méthodes peuvent cependant être utilisées :

- Quelques pays peuvent couper leurs liaisons avec l'Internet (cela n'est pas totalement possible à cause de la transmission de données par satellites).
- D'autres peuvent déclarer que l'Internet est une sorte de no man's land où les communications ne doivent pas être réglementées (du moins peuvent-ils fermer les yeux dessus).
- Enfin, des pays peuvent définir une réglementation et essayer de l'appliquer de leur mieux. La Chine, par exemple, filtre les informations avant leur entrée dans le pays. Singapour effectue de sévères contrôles sur les accès Internet. D'autres pays suivront certainement ce chemin.

Dans le monde entier, nous continuerons à entendre parler des dangers de l'Internet, pour la simple et unique raison qu'il est impossible d'y définir des règles de conduite.

Figure 25.1 : Le ruban bleu est le symbole de la Fondation pour la liberté électronique, qui fait campagne pour la liberté d'expression en ligne.

Voici quelques exemples très parlants. Récemment, la France a montré du doigt Netscape Navigator dont le système de cryptage embarqué n'était pas conforme à sa législation. Netscape a réagi sur le champ en proposant une version de Navigator sans cryptage dédiée à la France. En Grande Bretagne, des représentants légaux ont tenté d'interdire (en se servant de la loi sur le copyright) la diffusion sur le Web d'un rapport secret concernant les abus sexuels sur les mineurs et le satanisme. Affaire à suivre... En Allemagne, le gouvernement tente de trouver une solution pour interdire l'accès Internet aux images pornographiques. Une personne est actuellement en procès pour avoir défini un lien sur une de ses pages Web vers un site qui s'intéresse au sabotage des trains. Le Canada interdit la diffusion par voie de presse des informations concernant certains procès. Ce n'est pas pour autant que ces informations ne circulent pas sur le Net. Singapour, quant à lui, fiche tous les internautes. Les hostilités sont ouvertes...

L'Internet et les établissements scolaires

Certaines personnes prétendent que l'Internet n'est pas une menace pour nos écoles traditionnelles. D'autres n'hésitent pas à prédire que bientôt, les écoles ne seront plus nécessaires, car nos enfants apprendront de chez eux, en regardant la télévision.

Ces mêmes personnes prétendent que les problèmes naissent lorsqu'il y a un manque d'information : si les informations sont librement accessibles, tous les problèmes disparaîtront par eux-mêmes. Supposons qu'une chaîne de télévision diffuse un cours d'algèbre et une autre un épisode des Power Rangers à la même heure. Vos enfants auront vite fait de choisir la chaîne la plus "appropriée".

Pourquoi les ordinateurs et l'Internet constitueraient-ils la panacée ? Des générations et des générations d'enfants ont été correctement éduquées jusqu'ici, et ce n'est pas l'apparition d'une nouvelle technologie qui doit changer la façon de voir les choses. Le plus probable est que l'on trouvera des ordinateurs reliés à l'Internet dans les écoles, mais cela n'influera guère sur le taux de réussite scolaire.

Les Network Computer à 2 500 francs

Vous avez certainement entendu parler des Network Computer (NC), ces petites boîtes bon marché permettant de se connecter à l'Internet. Les possibilités de ces machines sont à la hauteur de leur prix :

- Il est impossible de les utiliser pour télécharger un logiciel (elles ne sont pas équipées d'un disque dur).
- L'écran fourni avec certains NC n'est pas toujours de bonne qualité. D'autres se connectent au téléviseur.
- Les logiciels utilisables sur un NC sont limités à ceux qui sont fournis par le constructeur et à ceux qui sont exécutables chez le fournisseur d'accès.
- Les NC ne peuvent servir qu'à se connecter à l'Internet. Impossible d'y installer un jeu ou de tenir à jour les dépenses de la famille.

Les sociétés à l'origine de ces boîtes à communiquer indiquent qu'il sera "bientôt" possible de les utiliser pour exécuter tous les logiciels qui vous intéressent sur le Net (c'est la raison pour laquelle elles ne sont pas équipées d'un disque dur). Pour l'instant, cette affirmation est purement illusoire. Le prix de base des NC a grimpé aux alentours de 5 000 francs, ce qui n'a pas œuvré en leur faveur. A mon avis, ces boîtes à communiquer auront bientôt disparu.

Acheter un logiciel sur l'Internet

Aujourd'hui, pour acheter un logiciel, vous devez vous rendre dans un magasin spécialisé. Le logiciel a été copié sur une ou plusieurs disquettes et conditionné par son éditeur, puis expédié aux divers revendeurs. Pourquoi ne pas supprimer cette manutention en téléchargeant directement le logiciel sur l'Internet ? Même si elle en est encore à ses premiers pas (voir Figure 25.2), cette technique de vente existe déjà. Un jour peut-être, la plupart des logiciels seront diffusés de la sorte.

Figure 25.2 : Remplissez ce formulaire en indiquant le numéro de votre carte de crédit, et vous pourrez télécharger un logiciel commercial.

Dr. Benson's Order Form - Netscape

Farm/Stable Name:

Name:

Address:

Address must be deliverable by UPS.

City:

State: Zip Code:

Phone:

Method of payment

Check MasterCard Visa

Please do not send your credit card number.

Un raisonnement d'expert

Ce n'est malheureusement pas parce qu'un raisonnement tient la route que Monsieur Tout-le-monde va s'y conformer. Certaines personnes pensent que l'emballage d'un produit est important, même si la documentation et le support des données occupent une place ridicule dans le boîtier. C'est à cause de ce genre de raisonnement que les logiciels continueront à se vendre dans les magasins spécialisés dans les années à venir.

De nombreuses personnes pensent qu'il ne sera plus nécessaire d'acheter des logiciels : il suffira de se connecter à l'Internet et de les exécuter sur un site distant. Il est vrai que certains logiciels peuvent être distribués de cette manière, mais la plupart ne sont pas compatibles avec ce genre de fonctionnement :

- Le coût relatif au stockage d'un logiciel sur un disque dur est négligeable (environ 1 franc par méga-octet). Il se peut que vous achetiez un logiciel 500 francs et que son stockage sur disque revienne 100 fois moins cher. Alors, pourquoi vous connecteriez-vous à l'Internet pour l'exécuter ?
- Si vous utilisez occasionnellement un programme, pourquoi ne pas le louer ? Mais attention, la location risque de vous coûter cher si vous l'utilisez souvent.
- Les connexions rapides, fiables et bon marché ne sont pas encore pour demain.
- Le développement de l'Internet va engendrer une surcharge des lignes. Il est donc peu souhaitable que de nombreuses personnes se connectent pour exécuter des programmes qu'elles pourraient aussi stocker sur leur disque dur.

L'exemple du réseau local

Si votre entreprise utilise un réseau local, vous avez une idée assez précise de ce qui pourrait se passer si les logiciels étaient exécutés sur les sites distants et non sur chaque machine : embouteillages et difficultés d'accès assurées !

Il y a en fait bien plus d'inconvénients que d'avantages à exécuter un logiciel sur l'Internet, et ceux qui prétendent le contraire ont rarement des arguments convaincants.

Des prédictions

"Plus ça change, plus c'est pareil"... Pour prendre un exemple, les premières voitures et celles qui sortent aujourd'hui ont beaucoup de choses en commun. Bien sûr, les derniers modèles sont plus confortables, ils roulent plus vite et consomment moins, mais les bases sont identiques.

Parallèlement, si l'Internet a subi d'énormes transformations ces dernières années, la plupart des technologies actuelles existaient déjà et ne demandaient qu'à être utilisées. Certaines prédictions farfelues étaient basées sur des technologies inexistantes... et les innovations demandent du temps pour être développées et adoptées par le public. Les distributeurs automatiques de billets sont apparus en Angleterre en 1965, mais ils n'ont été couramment utilisés aux Etats-Unis qu'à partir de 1985. Vingt ans pour une technologie aussi simple. L'Internet est censé révolutionner le monde. D'accord, mais il faut lui laisser le temps !

Une dernière remarque : la "Révolution Verte" était supposée mettre un terme à la faim dans le monde. Les antibiotiques étaient supposés anéantir les maladies infectieuses, et les PC augmenter dans de grandes proportions la productivité des entreprises. Certes, ces solutions ont permis d'avancer dans chacun de ces domaines. Cependant, des gens continuent à mourir de faim, les virus ont migré sur les ordinateurs et les économistes ne sont pas entièrement satisfaits des faibles gains de performances apportés par les PC.

Il faut donc considérer avec un certain recul les nombreux pronostics qui concernent l'Internet.

Résumé

- Le rythme d'évolution du Net va ralentir, après deux années de changements incessants.
- Les connexions rapides et peu chères feront leur apparition au mieux d'ici cinq ans.
- La télévision sera peut-être en mesure d'accéder au Web mais, pour cela, les connexions rapides devront avoir fait leur apparition.
- Le WebTV va rester un marché marginal, sans séduire le grand public.
- On assiste à un retour de flamme. Quelques industriels sont en train de diminuer les capitaux investis dans le Net ou arrêtent même cette activité.
- L'Internet ne connaissant aucune frontière, de nouveaux problèmes voient le jour : comment interdire la distribution de produits dans certains pays, quels propos peuvent être tenus ici ou là, etc.
- Si, à l'avenir, les logiciels sont distribués via Internet, ce n'est pas pour autant qu'ils seront exécutés sur un site distant.

Partie 4

LES RESSOURCES

Cette partie contient des références utiles qui permettront de vous procurer les logiciels dont vous avez besoin : programmes pour mieux utiliser l'Internet, jeux, drivers d'imprimante, et bien d'autres choses encore. Vous y trouverez aussi quelques informations concernant le choix d'un fournisseur d'accès. Ces informations vous seront utiles si vous n'êtes pas encore inscrit ou si vous voulez en changer.

Annexe A

Tous les logiciels dont vous pouvez avoir besoin

Dans cette annexe

- Trouver des fichiers dans les bibliothèques du service en ligne
- Trouver les navigateurs Netscape Communicator et Internet Explorer
- Bibliothèques logicielles pour Macintosh, Windows et UNIX
- Modules externes et afficheurs
- Démonstrations et drivers

Dans cet ouvrage, vous avez appris à utiliser un certain nombre de logiciels. Si vous le souhaitez, vous pourrez en trouver de nombreux autres : des milliers de shareware et de démonstrations pour Macintosh, Windows 3.1, Windows 95, Windows NT et UNIX librement téléchargeables vous attendent. Où les trouver ? Dans cette annexe, vous allez voir que leur localisation n'est vraiment pas un problème.

Différents types de logiciels

Les shareware sont des logiciels librement téléchargeables, mais pour lesquels vous devez vous enregistrer, au bout d'un certain temps d'utilisation. Les démonstrations sont aussi des logiciels librement téléchargeables dont le but et de vous faire acheter le logiciel complet.

La recherche peut commencer chez votre service en ligne

Si vous êtes membre d'un service en ligne, les logiciels recherchés y seront parfois directement disponibles : pas besoin d'effectuer une recherche sur le Net. Tous les services en ligne possèdent des forums (parfois appelés BBS ou aires) qui contiennent des logiciels téléchargeables, souvent bien plus rapidement que via l'Internet. La plupart des services en ligne possèdent aussi des forums mis à disposition par des éditeurs de logiciels et des forums de shareware. Ces zones peuvent être un bon point de départ pour vos recherches.

Si vous êtes inscrit auprès d'un fournisseur d'accès Internet, vous pourrez souvent piocher dans sa bibliothèque logicielle.

Les navigateurs cités dans le livre

Dans cet ouvrage, il est souvent fait référence aux navigateurs Netscape Communicator et Internet Explorer. S'ils ne se trouvent pas déjà sur votre disque dur, vous devez savoir où les télécharger. De nombreux services en ligne et fournisseurs d'accès incluent l'un ou l'autre de ces navigateurs dans les logiciels fournis lorsque vous démarrez votre abonnement. Pour vous procurer la toute dernière version, vous pouvez vous connecter à l'un des sites suivants :

Netscape Communicator : **http://www.netscape.com**

Internet Explorer : **http://www.msn.com/ie/**

Nous allons maintenant voir comment télécharger les autres programmes cités dans cet ouvrage.

La bibliothèque logicielle de l'Internet

L'Internet donne accès à de nombreuses bibliothèques logicielles accessibles par FTP ou par l'intermédiaire de serveurs Web. Vous pourrez vous rendre sur l'un des sites suivants (si cela ne vous suffit pas, consultez la section "D'autres sites SVP", un peu plus loin dans ce chapitre).

The University of Texas Mac Archive (Macintosh)

Le site **http://wwwhost.ots.utexas.edu/mac/main.html** donne accès à de nombreux logiciels pour Macintosh. La bibliothèque n'est pas immense, mais elle est bien organisée et permet de trouver facilement les programmes les plus courants.

Info-Mac HyperArchive (Macintosh)

Le site du MIT **http://hyperarchive.lcs.mit.edu/HyperArchive.html** donne accès à une très grande bibliothèque logicielle pour Macintosh, mais il n'est pas très simple à utiliser.

The Ultimate Macintosh Site (Macintosh et Apple)

Vous trouverez de nombreuses informations et de nombreux logiciels sur le site Web **http://www.velodrome.com/umac.html**, ainsi que des liens vers des sites de Shareware pour ordinateurs Apple.

TUCOWS (Windows)

TUCOWS (The Ultimate Collection of Winsock Software) est une très vaste bibliothèque de shareware pour Windows 3.1, 95 et NT. La Figure A.1 représente la page **http://www .tucows.com/**.

The Consumate Winsock App Page (Windows)

Cet autre site très performant dédié à Windows se trouve à l'adresse **http://www .cwsapps.com/**.

Winsite (Windows)

L'excellente archive Winsite est accessible via l'adresse **http://www.winsite.com/** ou **ftp.winsite.com**.

Shareware.com (toute plate-forme)

Le site **http://www.shareware.com** donne accès à une gigantesque bibliothèque de shareware pour les principales plates-formes. Il suffit d'entre un mot clé pour accéder à une multitude de logiciels correspondants.

Figure A.1 : Sur le site TUCOWS, vous trouverez de nombreux logiciels pour Windows.

Jumbo (toute plate-forme)

Le site Jumbo, aussi excellent, contient des milliers de programmes (60 000 selon Jumbo) pour toutes les principales plates-formes. L'adresse de ce site est **http://www.jumbo.com/** (voir Figure A.2).

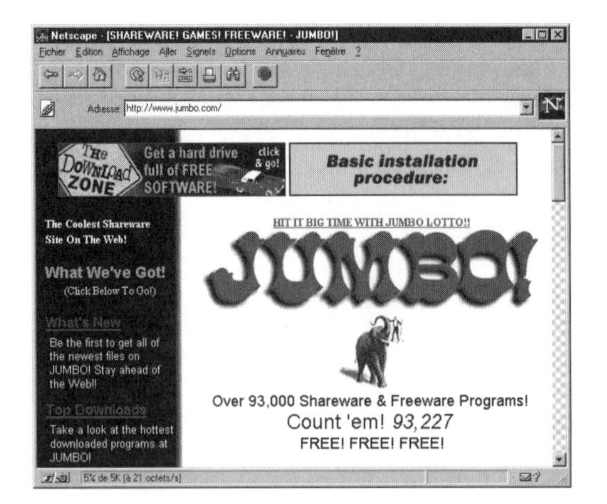

Figure A.2 : Le site Jumbo contient de nombreux logiciels pour les principales plates-formes. La recherche peut se faire par mot clé ou par sujet.

Afficheurs et modules externes

Vous trouverez de nombreux afficheurs dans les sites pré-mentionnés, mais vous préférerez peut-être vous rendre sur des sites qui leur sont dédiés. Si vous utilisez Internet Explorer, vous pourrez vous rendre sur le site **http://www.microsoft.com/ie/addons.** Si vous utilisez Communicator, vous trouverez de nombreux modules externes à l'adresse **http://home.netscape.com/comprod/mirror/navcomponents_download.html.** Pour télécharger un afficheur, vous vous connecterez à la page **http://home.netscape.com/assist/helper_apps** ou sur l'un des sites suivants :

- The NCSA Mosaic Home Page : **http://www.ncsa.uiuc.edu/SDG/Software/Mosaic.** Sélectionnez la plate-forme (Windows, Macintosh ou UNIX) pour afficher des liens donnant accès aux afficheurs.
- The WWW Browser Test Page : **http://www-dsed.llnl.gov/documents/ WWWtest.html.**
- The IUMA Utilities Pages : **http://www.iuma.com/IUMA-2.0help/** est spécialisé dans les domaines audio et vidéo.

Autres sites à visiter

De nouvelles archives logicielles, souvent spécialisées, voient le jour en permanence. Vous pourrez les localiser en utilisant un des sites de recherche présentés dans le Chapitre 21. Vous vous rendrez par exemple sur le site Yahoo!, à la page **http://www.yahoo.com/Computers_and_Internet/Software** pour trouver des liens vers toutes sortes d'archives. Vous pourrez aussi consulter le site Dr. Shareware à l'adresse **http://www.rbi.com/~salegui/jim/download/** pour obtenir des liens vers des bibliothèques logicielles pour Macintosh et PC.

Démonstrations et drivers

Grâce à l'Internet, la distribution de logiciels en démonstration s'est largement accrue. Les éditeurs de logiciels créent souvent une version de démonstration (librement téléchargeable) de leurs produits. Certaines d'entre elles sont totalement fonctionnelles, mais leur durée de vie est programmée pour être brève. D'autres sont volontairement limitées. Quoi qu'il en soit, elles donnent généralement une idée assez précise du produit final. Pour savoir où trouver ces démonstrations, vous consulterez les magazines informatiques qui donnent souvent les adresses URL des pages Web correspondantes.

De nombreux constructeurs de matériels permettent de télécharger des drivers sur leur site. Par exemple, pour imprimer un fichier sur l'imprimante Apple d'un centre de copie, il suffit de se rendre sur le site Web d'Apple pour télécharger le driver Windows correspondant à l'imprimante. On peut alors imprimer le document dans un fichier en utilisant ce driver, et fournir ce fichier au centre de copie.

Certaines démonstrations sont parfois fort décevantes

Certaines démonstrations sont tellement bridées qu'elles ne donnent pas envie d'acheter la version complète. Tout dépend de la politique de la société qui est à l'origine. D'autres démonstrations sont parfois fort alléchantes.

Quand un fichier est introuvable

Il se peut que vous ayez du mal à trouver certains programmes dans les bibliothèques mentionnées ici. Utilisez alors les sites de recherche dont nous avons discuté au Chapitre 21. Ces derniers donnent parfois des résultats étonnants ! Si la recherche n'aboutit pas, vous pouvez toujours utiliser Archie (voir Chapitre 15) si vous avez une idée précise du nom du fichier recherché.

Résumé

- L'Internet regorge de programmes pour Windows, Macintosh et Unix.
- Si vous êtes membre d'un service en ligne, commencez vos recherches dans ses forums. Le temps de téléchargement sera généralement plus court que sur le Net.
- Il existe de nombreuses archives de bonne qualité, comme TUCOWS, shareware.com, Jumbo, The University of Texas Mac Archive, The Ultimate Macintosh Site, Winsite et bien d'autres encore.
- Certains sites sont dédiés aux afficheurs et aux modules externes.
- Ne négligez pas les logiciels en démonstration et les drivers qui peuvent parfois s'avérer fort utiles.
- Vous pouvez aussi utiliser Archie et les sites de recherche si les archives ne contiennent pas les logiciels que vous souhaitez télécharger.

Annexe B

Choisir un fournisseur d'accès

Si vous lisez ces lignes, cela signifie que vous n'êtes pas abonné chez un fournisseur d'accès ou que vous voulez en changer. Voici quelques critères de choix.

Pour avoir le meilleur de l'Internet

Pour obtenir le meilleur de l'Internet, il faudrait :

- faire installer une ligne téléphonique à haut débit ;
- acheter un ordinateur rapide doté de la carte nécessaire pour communiquer sur cette ligne ;
- faire appel à un technicien pour initialiser correctement votre installation.

Pour le commun des mortels, il n'est pas nécessaire d'aller aussi loin.

En fait, vous devez trouver un fournisseur d'accès bon marché qui offre une connexion rapide et fiable à l'Internet et un kit d'installation facile d'emploi. Bien évidemment, ces sociétés ne courent pas les rues. Sachez cependant qu'il n'existe pas *un,* mais *plusieurs* meilleurs fournisseurs d'accès : le terme meilleur a en effet une signification différente pour chacun, selon la nature de ses besoins.

Quel prix devez-vous mettre dans votre abonnement ?

La souscription aux divers prestataires de service Internet ne se fait pas au même prix. Vous pourrez commencer par un service en ligne qui vous offrira quelque chose comme

10 heures de connexion gratuites le premier mois. Les mois suivants, vous payerez environ 50 francs mensuels pour un forfait de 5 heures de connexion, et 15 francs par heure de connexion supplémentaire. Concurrence oblige, le prix des services en ligne a sensiblement baissé ces dernières années.

Les fournisseurs d'accès sont souvent bon marché. Ils offrent la plupart du temps une connexion illimitée pour un tarif compris entre 75 et 250 F par mois. Cela permet de rester connecté autant que vous le souhaitez sans penser à tout moment à votre porte-monnaie (bien entendu, vous devrez quand même payer vos communications téléphoniques).

Comment choisir le bon fournisseur d'accès ?

Voici quelques éléments qui pourront vous aider à choisir votre fournisseur d'accès :

- Le logiciel fourni avec la plupart des services en ligne est très simple à installer : il suffit d'exécuter le programme d'installation.
- Les services en ligne sont chers à l'utilisation, car ils génèrent un surcoût horaire au-delà d'un forfait de 5 à 10 heures mensuelles. De plus, certains d'entre eux ont la réputation d'être lents et peu fiables.
- Les fournisseurs d'accès les moins onéreux ont souvent une "hotline" en rapport : mieux vaut de solides connaissances en informatique et en réseau pour installer le logiciel nécessaire à la connexion.
- Certains grands fournisseurs d'accès arrivent à cumuler un faible prix de souscription et une hotline de qualité.

Pour faciliter votre choix, vous pourrez consulter la presse informatique dédiée à l'Internet (certains magazines plus généralistes s'y intéressent aussi). N'hésitez pas à demander l'avis de vos amis ou de vos collègues sur leur fournisseur d'accès ou service en ligne. Leur expérience pourra vous être très utile. Vous pourrez aussi leur demander d'effectuer pour vous une recherche sur les pages Web en relation avec les termes "fournisseurs d'accès" et "services en ligne".

L'équipement nécessaire

Pour vous connecter au Net, vous devez être équipé :

- d'un ordinateur ;

- d'un modem ;
- d'une ligne téléphonique ;
- d'un ou de plusieurs logiciels.

L'ordinateur ne doit pas forcément être du dernier cri mais, si possible, il sera équipé d'un processeur 486 ou supérieur et d'au moins 8 méga-octets de mémoire RAM. Si votre ordinateur n'est pas assez rapide, vous devrez vous connecter à l'Internet en mode texte !

Le modem se charge des conversions analogique/numérique et numérique/analogique des informations lues ou envoyées sur la ligne téléphonique. Lorsque vous achèterez un modem, préférez un modèle à 28 800 bps (ou plus). La plupart des opérateurs Internet fonctionnent à cette vitesse. Préférez les grandes marques (comme US Robotics, Hayes ou Olitec) : la construction d'un modem demande un soin et un savoir-faire que tous les assembleurs ne sauraient offrir.

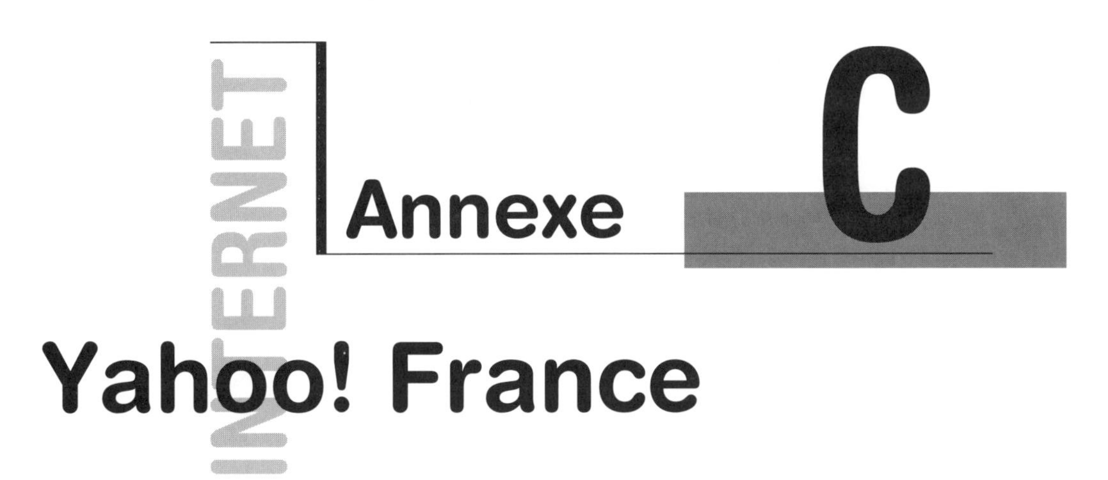

Yahoo! France

Cette annexe vous montre en quelques pages comment utiliser le service de recherche Yahoo! France. Pour y accéder, tapez l'URL **http://www.yahoo.fr** dans la zone **Adresse** du navigateur. Au bout de quelques secondes, les données affichées dans votre navigateur auront l'aspect suivant.

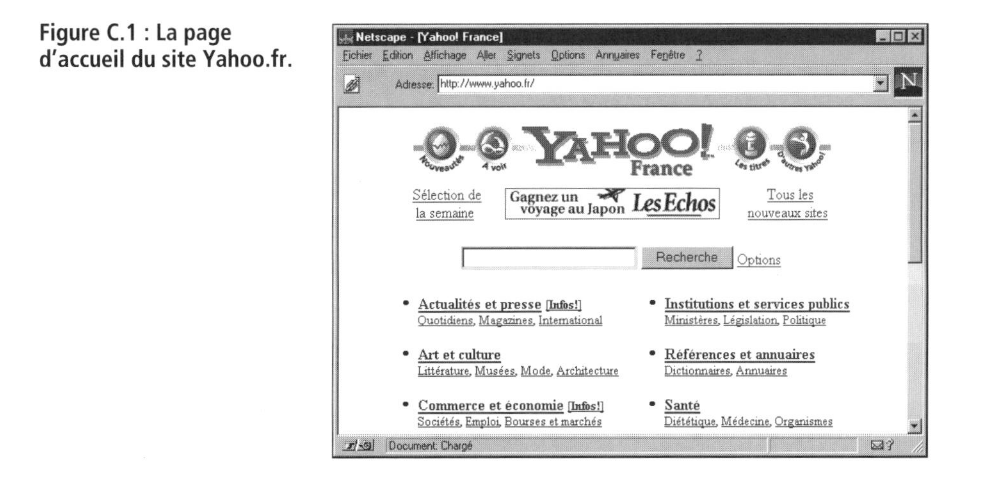

Figure C.1 : La page d'accueil du site Yahoo.fr.

Pour rechercher les pages Web correspondantes, il suffit d'entrer un mot clé dans la zone de saisie et de cliquer sur le bouton **Recherche**. A titre d'exemple, la Figure C.2 correspond à la recherche des sites en relation avec le mot "shareware".

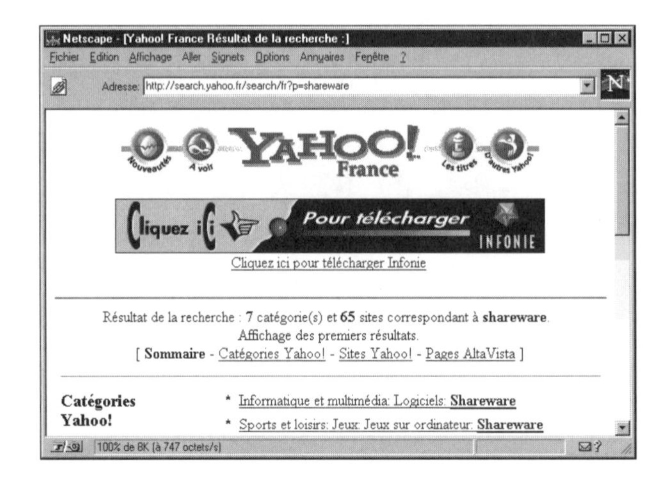

Figure C.2 : Recherche des sites en relation avec le mot "shareware".

Yahoo! affiche les catégories puis les sites Web qui correspondent à la recherche. En fin de page, un lien permet d'afficher les résultats suivants.

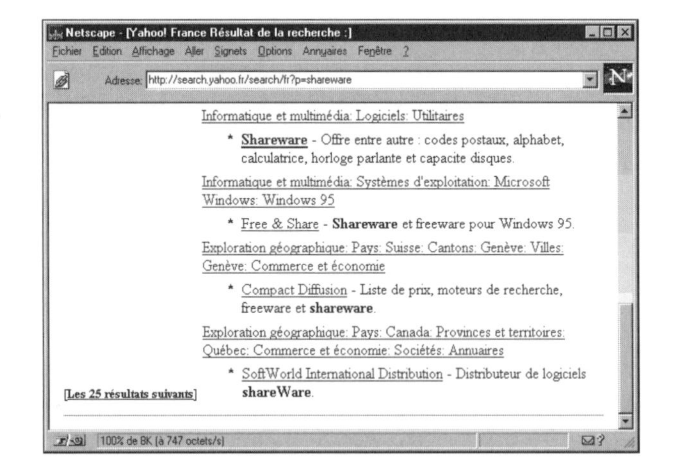

Figure C.3 : Il suffit de cliquer sur le lien Les 25 résultats suivants pour afficher les sites suivants.

La partie supérieure de la page principale du site Yahoo.fr contient quatre boutons :

- Nouveautés ;
- A voir ;
- Les titres ;
- D'autres Yahoo!.

Le bouton **Nouveautés** donne la liste des nouveaux sites apparus dans la semaine courante ainsi qu'une sélection de sites en langue anglaise.

Figure C.4 : La page affichée par le bouton Nouveautés.

Netscape - [Les nouveautés sur Yahoo! France]
Fichier Edition Affichage Aller Signets Options Annuaires Fenêtre ?
Adresse: http://www.yahoo.fr/nouveautes/

Quoi de neuf ? - La sélection de la semaine - Les titres - La sélection en langue anglaise

Les nouveaux sites

Découvrez tous les nouveaux sites apparus sur Yahoo! France cette semaine

- Classé par catégorie - Liste complète - Mardi 25 fevrier 1997 (67)
- Classé par catégorie - Liste complète - Lundi 24 fevrier 1997 (161)
- Classé par catégorie - Liste complète - Vendredi 21 fevrier 1997 (118)
- Classé par catégorie - Liste complète - Jeudi 20 fevrier 1997 (88)
- Classé par catégorie - Liste complète - Mercredi 19 fevrier 1997 (129)
- Classé par catégorie - Liste complète - Mardi 18 fevrier 1997 (89)
- Classé par catégorie - Liste complète - Lundi 17 fevrier 1997 (204)

Document: Chargé

Le bouton **A voir** donne accès à une sélection de curiosités et bizarreries ainsi qu'à la sélection de la semaine.

Figure C.5 : La page affichée par le bouton A voir.

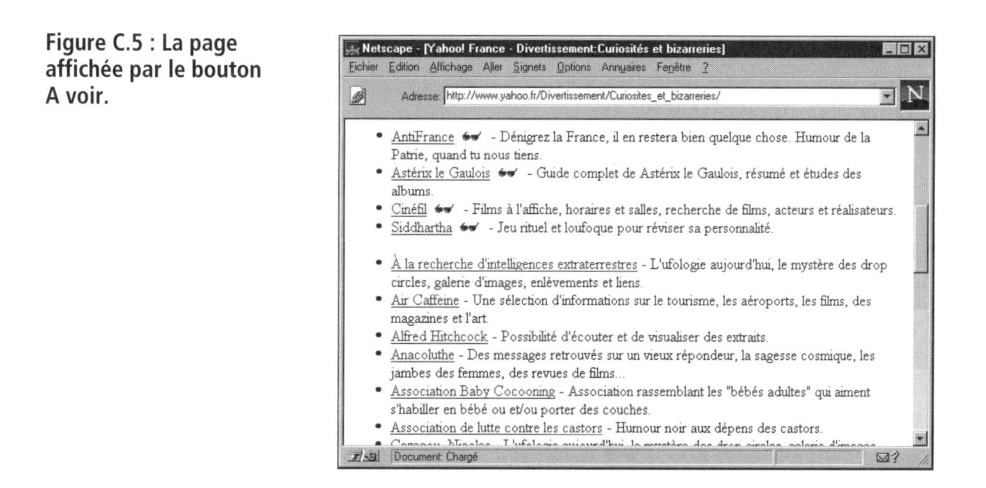

Netscape - [Yahoo! France - Divertissement:Curiosités et bizarreries]
Fichier Edition Affichage Aller Signets Options Annuaires Fenêtre ?
Adresse: http://www.yahoo.fr/Divertissement/Curiosites_et_bizarreries/

- AntiFrance - Dénigrez la France, il en restera bien quelque chose. Humour de la Patrie, quand tu nous tiens.
- Astérix le Gaulois - Guide complet de Astérix le Gaulois, résumé et études des albums.
- Cinéfil - Films à l'affiche, horaires et salles, recherche de films, acteurs et réalisateurs.
- Siddhartha - Jeu rituel et loufoque pour réviser sa personnalité.

- À la recherche d'intelligences extraterrestres - L'ufologie aujourd'hui, le mystère des drop circles, galerie d'images, enlèvements et liens.
- Air Caffeine - Une sélection d'informations sur le tourisme, les aéroports, les films, des magazines et l'art.
- Alfred Hitchcock - Possibilité d'écouter et de visualiser des extraits.
- Anacoluthe - Des messages retrouvés sur un vieux répondeur, la sagesse cosmique, les jambes des femmes, des revues de films...
- Association Baby Cocooning - Association rassemblant les "bébés adultes" qui aiment s'habiller en bébé ou et/ou porter des couches.
- Association de lutte contre les castors - Humour noir aux dépens des castors.

Document: Chargé

Le bouton **Les titres** affiche les nouvelles internationales, économiques, concernant les sociétés, les sports et donne accès à des bulletins météo nationaux et internationaux.

Figure C.6 : La page affichée par le bouton Les titres.

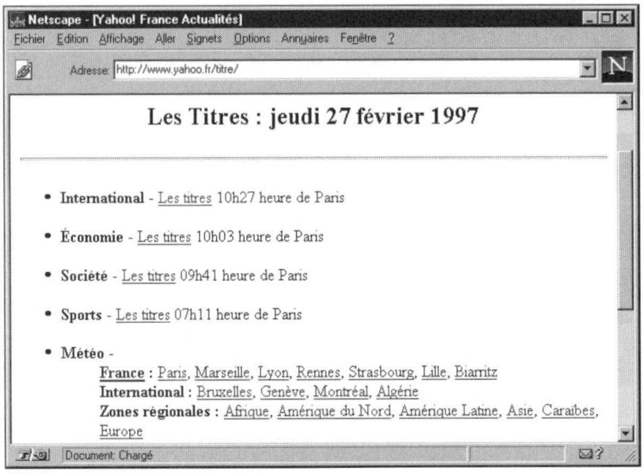

Netscape - [Yahoo! France Actualités]
Fichier Edition Affichage Aller Signets Options Annuaires Fenêtre ?
Adresse: http://www.yahoo.fr/titre/
Les Titres : jeudi 27 février 1997
International - Les titres 10h27 heure de Paris
Économie - Les titres 10h03 heure de Paris
Société - Les titres 09h41 heure de Paris
Sports - Les titres 07h11 heure de Paris
Météo -
France : Paris, Marseille, Lyon, Rennes, Strasbourg, Lille, Biarritz
International : Bruxelles, Genève, Montréal, Algérie
Zones régionales : Afrique, Amérique du Nord, Amérique Latine, Asie, Caraïbes, Europe
Document: Chargé

Enfin, le bouton **D'autres Yahoo** donne accès à d'autres formes du moteur de recherche Yahoo!. Vous avez par exemple accès au moteur de base Yahoo!, à un autre plus particulièrement dédié aux enfants, ou bien axé petites annonces, etc.

Figure C.7 : La page affichée par le bouton D'autres Yahoo!

Netscape - [D'autres Yahoo!]
Fichier Edition Affichage Aller Signets Options Annuaires Fenêtre ?
Adresse: http://www.yahoo.fr/docs/info/etc.html
YAHOO! France
Nouveautés
A voir
Les titres
D'autres Yahoo!
La partie éditoriale
La sélection de la semaine
A voir
License to surf (GB)
Weekly Picks (US)
What's cool (US)
L'Actualité
Les titres
L'économie
Les sports
La météo
La société
Nouveau ! Yahoo! grunge a Seattle !
Yahoo! Seattle
Notre mère à tous !
Yahoo! - C'est là que tout a commencé...
My Yahoo! - Créez votre propre Yahoo!
Yahooligans! - Yahoo! pour les enfants.
Yahoo! Net Events - Actualités et discussions
Get Local - Les régions américaines
Yahoo! Classifieds - Les petites annonces de Yahoo!
Les Yahoo! européens
Document: Chargé

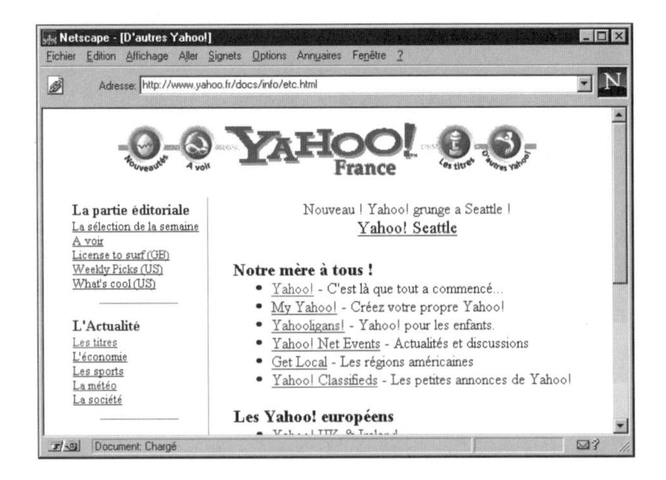

Comme vous l'avez vu précédemment, il suffit d'entrer un mot clé pour localiser les pages Web correspondantes. Mais Yahoo.fr permet aussi d'effectuer une recherche hiérarchique par répertoire. La page d'accueil de Yahoo.fr contient un ensemble de liens thématiques d'intérêt général. Supposons que vous recherchiez des sites en relation avec les jeux. Cliquez sur le lien **Informatique et multimédia**. Les rubriques suivantes seront affichées.

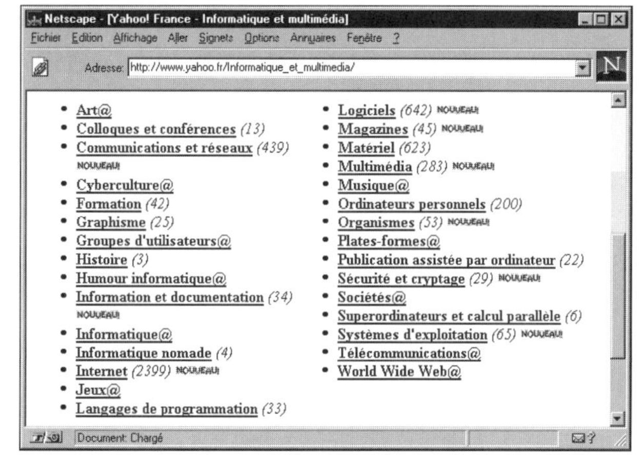

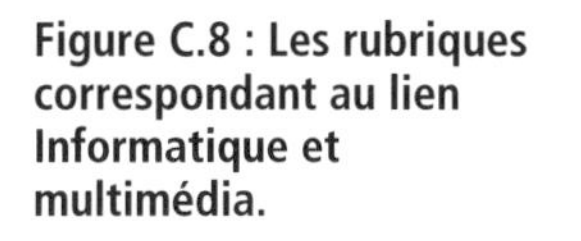
Figure C.8 : Les rubriques correspondant au lien Informatique et multimédia.

Il suffit maintenant de cliquer sur le lien **Jeux@** pour obtenir une liste de rubriques et de sites en rapport avec les jeux.

Figure C.9 : Rubriques et sites en rapport avec les jeux.

INTERNET

Index

H

I

J

L

M

N

P

Q

R

S

T

U

V

W

Y

Achevé d'imprimer le 14 novembre 1997
sur les presses de l'imprimerie «La Source d'Or»
63200 Marsat
Dépôt légal : 4^{éme} trimestre 1997
Imprimeur n° 7117